LE SILENCE DES AGNEAUX

THOMAS HARRIS

LE SILENCE DES AGNEAUX

ROMAN

*Traduit de l'anglais
par Monique Lebailly*

Albin Michel

Édition originale américaine :

THE SILENCE OF THE LAMBS

© 1988 by Yazoo Fabrications Inc.

Traduction française :

© Éditions Albin Michel S.A., 1990
22, rue Huyghens, 75014 Paris

ISBN 2-226-04824-3

À la mémoire de mon père

Si c'est selon l'homme que j'ai combattu contre des bêtes à Éphèse, à quoi cela me sert-il, si les morts ne se réveillent pas ?...

Ire Épître aux Corinthiens

Quel besoin ai-je d'examiner une tête de mort sur une bague — alors que j'en vois une en regardant mon visage ?

John Donne, « Dévotions »

Chapitre 1

LE département des sciences du comportement du FBI, chargé des meurtres en série, était au rez-de-chaussée à demi enterré de l'Ecole de Quantico. Clarice Starling y arriva toute rouge d'avoir marché si vite depuis le stand de tir d'Hogan's Alley. Des brins d'herbe parsemaient ses cheveux et son anorak était taché de vert parce qu'elle s'était jetée par terre au cours de la simulation d'une arrestation difficile.

Il n'y avait personne à la réception, aussi fit-elle un peu bouffer ses cheveux en se regardant dans les portes vitrées. Elle savait qu'il ne lui était pas nécessaire de se pomponner pour être agréable à regarder. Ses mains sentaient la poudre, mais elle n'avait pas le temps de les laver... Crawford, le chef du département, lui avait dit de venir *immédiatement*.

Jack Crawford était seul dans l'enfilade de bureaux en désordre. Il parlait au téléphone, debout devant la table de quelqu'un d'autre, ce qui permit à Clarice, pour la première fois depuis un an, de l'inspecter de la tête aux pieds. Ce qu'elle vit l'inquiéta.

En temps normal, Crawford ressemblait à un ingénieur entre deux âges, en pleine forme, qui avait peut-être payé ses études en jouant au base-ball — un attrapeur intelligent, qui savait bloquer la base. Mais il avait maigri, son col de chemise bâillait et ses yeux rougis étaient cernés de noir. Tous ceux qui lisaient les journaux savaient que le département des Sciences du comportement en bavait. J'espère que Crawford ne s'est pas mis à boire, se dit Clarice. Cela paraissait peu vraisemblable.

Crawford conclut sa conversation téléphonique par un

« Non » tranchant, puis ouvrit le dossier de Clarice Starling, qu'il tenait sous le bras.

« Starling, Clarice, bonjour, dit-il.

— Bonjour, répondit-elle avec un sourire qui n'était que poli.

— J'espère que je ne vous ai pas fait peur en vous convoquant.

— Non. *Ce n'est pas tout à fait vrai,* pensa-t-elle.

— Vos instructeurs m'ont dit que vous étiez dans les meilleurs de l'équipe.

— Je l'espère, ils ne m'en ont rien dit.

— Je les interroge, de temps en temps. »

Cela surprit Clarice; elle avait classé Crawford dans la catégorie des sergents recruteurs hypocrites.

C'était la qualité du séminaire de criminologie de l'agent spécial Crawford, invité par l'université de Virginie, qui l'avait poussée à travailler pour le FBI. Une fois reçue à l'Ecole, elle lui avait écrit un petit mot, mais il n'avait jamais répondu, ni prêté attention à elle, depuis trois mois qu'elle était ici.

Bien que Starling sortît d'une famille où l'on ne quémandait ni les faveurs ni l'amitié, elle n'avait pas compris l'attitude de Crawford. Elle s'aperçut, à son grand regret, qu'il lui était toujours aussi sympathique.

Les choses allaient mal pour lui, c'était clair. Il y avait chez cet homme une certaine finesse, en plus de son intelligence. Clarice avait tout de suite remarqué la couleur et la texture de ses vêtements, malgré le petit côté « uniforme » de tout costume d'un agent du FBI. Aujourd'hui, il était très soigné, mais terne, comme s'il souhaitait se fondre dans l'anonymat.

« J'ai pensé à vous pour un travail, dit-il. Pas vraiment un travail, plutôt une mission intéressante. Débarrassez le siège de Berry et asseyez-vous. Vous avez écrit, là, qu'une fois diplômée, vous voudriez entrer dans notre département.

— Oui.

— Vous avez une bonne formation médico-légale, mais aucune expérience sur le terrain. Nous demandons six ans, minimum.

— Mon père était vigile municipal. Je ne suis pas si ignorante que ça. »

Crawford eut un petit sourire.

« Vous avez deux diplômes, un de psychologie et un de criminologie, et combien de stages d'été dans un centre d'hygiène mental... deux ?

— Deux.

— Votre permis d'exercer la psycho-socio, il est encore valable ?

— Pendant deux ans. Je l'ai obtenu avant votre séminaire à l'université... avant de décider d'entrer au FBI.

— Vous avez obtenu vos diplômes à un mauvais moment pour être recruté. »

Starling acquiesça d'un signe de tête. « J'ai eu de la chance... j'ai postulé à temps pour une bourse en médico-légal. Et puis, j'ai réussi à travailler au labo jusqu'à ce qu'il y ait une place à l'Ecole.

— Vous m'aviez prévenu de votre arrivée ici, n'est-ce pas, et je ne crois pas vous avoir répondu... j'en suis même sûr. J'aurais dû.

— Vous avez autre chose à faire.

— Vous êtes au courant du programme de l'ACAV ?

— Je sais qu'il s'agit de l'Arrestation des coupables d'actes de violence. Le *Law Enforcement Bulletin* dit que vous travaillez sur une base de données, mais que ce n'est pas encore au point.

— Nous avons établi un questionnaire. Il s'applique à tous les meurtres en série, connus, des temps modernes. » Crawford lui tendit une épaisse liasse de papiers médiocrement reliée. « Il y a une partie destinée aux enquêteurs et une aux victimes qui ont survécu, quand il y en a. Le papier bleu, c'est le questionnaire auquel répond le criminel, s'il y consent ; le rose, c'est une série de questions que l'enquêteur doit lui poser, en accordant autant d'importance à ses réactions qu'à ses réponses. Ça fait pas mal de paperasse. »

Paperasse. Ce mot réveilla aussitôt la méfiance de Clarice Starling. Elle subodorait une offre d'emploi... il s'agissait probablement de la corvée qui consiste à alimenter en données brutes un nouveau système informatique. C'était tentant d'entrer au « Comportement », mais elle savait ce qui arrivait à une femme qui acceptait un boulot de secrétaire... elle y restait jusqu'à la fin des temps. Le moment de prendre une décision était venu et elle voulait faire le bon choix.

Crawford semblait attendre... il lui avait sûrement posé une question. Starling dut se triturer la cervelle pour s'en souvenir :

« Quels tests avez-vous pratiqués ? Le multiphasique de Minnesota ? Le Rorschach ?

— Le MMPI, oui ; jamais le Rorschach. J'ai une certaine expérience du thématique de Murray et j'ai fait passer les tests de Bender à des enfants.

— Est-ce que vous vous effrayez facilement, Starling ?

— Cela ne m'est pas encore arrivé.

— Nous avons tenté d'interroger et d'examiner les trente-deux coupables de meurtres en série que nous avons derrière les barreaux, afin d'élaborer une base de données qui permettrait d'établir le profil psychologique des cas encore non résolus. La plupart ont coopéré... parce qu'ils aiment bien se vanter en général. Vingt-sept ont accepté de collaborer. Quatre condamnés à mort dont l'appel est en instance l'ont bouclée, à juste titre. Par contre, nous avons échoué avec celui auquel nous tenions le plus. Je veux que vous tentiez de le faire parler, demain, à l'hôpital psychiatrique. »

Clarice Starling éprouva une joie mêlée d'appréhension.

« De qui s'agit-il ?

— Du psychiatre... le Dr Hannibal Lecter. »

Un bref silence suivit ce nom, comme toujours.

Clarice ne baissa pas les yeux, mais elle se figea : « Hannibal le Cannibale ?

— Oui.

— Bon... OK, d'accord. Merci de m'accorder cette chance, mais... pourquoi moi ?

— D'abord parce que vous êtes disponible. Je ne m'attends pas à ce qu'il coopère. Il a déjà refusé, mais c'était par un intermédiaire... le directeur de l'hôpital. Il faut que je puisse dire qu'un de nos psychologues est allé le questionner en personne. Il y a des raisons qui n'ont rien à voir avec vous. Je n'ai personne d'autre de libre dans le département.

— Vous êtes débordé... Buffalo Bill... et tout ce qui se passe dans le Nevada.

— Exact. Toujours la même histoire... pas assez d'agents.

— Vous avez dit demain... vous êtes pressé. C'est en rapport avec un cas dont vous vous occupez ?

— Non. Je le voudrais bien.

— S'il refuse, vous voulez tout de même une évaluation psychologique ?

— Non. Je suis jusqu'au cou dans les évaluations du Dr Lecter, qui concluent toutes que c'est un malade inabordable ; mais il n'y en a pas deux qui se ressemblent. »

Crawford fit tomber des comprimés de vitamine C dans le creux de sa main et jeta un Alka-Seltzer dans l'eau qu'il tira au distributeur. « C'est une situation absurde, vous savez, Lecter est psychiatre et il écrit de brillants articles dans des publications professionnelles, mais jamais sur ses propres déviations. Un jour, il a accepté de passer quelques tests avec le directeur de l'hôpital, Chilton — il s'agissait de regarder des revues pornos avec un tensiomètre autour du pénis —, et après il a publié ce qu'il avait appris sur Chilton, en le ridiculisant. Il correspond avec des étudiants en psychiatrie dans des domaines qui n'ont aucun rapport avec son cas, et c'est tout. S'il refuse de parler, je veux un simple reportage. Son apparence, celles de sa cellule, ce qu'il fait. La couleur locale, pour ainsi dire. Méfiez-vous de la presse. Pas la vraie, celle à sensation. Ils préfèrent encore Lecter au prince Andrew.

— Je crois me souvenir qu'un magazine minable lui a offert cinquante mille dollars pour qu'il leur donne des recettes de cuisine. C'est bien ça ? »

Crawford acquiesça d'un signe de tête. « Je suis sûr que le *National Tattler* a acheté quelqu'un de l'hôpital qui les mettra peut-être au courant de votre venue dès que le rendez-vous sera pris. »

Il se pencha vers Clarice Starling. Les demi-verres de ses lunettes estompaient les poches qu'il avait sous les yeux. Il s'était gargarisé, récemment, à la Listérine.

« Maintenant, j'ai besoin de toute votre attention, Starling. Vous m'écoutez ?

— Oui, monsieur.

— Méfiez-vous d'Hannibal Lecter. Le Dr Chilton, le directeur de l'hôpital psychiatrique, vous expliquera comment il faut faire pour communiquer avec le patient. Suivez ses instructions à la lettre. *Ne vous en écartez pas d'un iota, pour quelque raison que ce soit.* Si Lecter accepte de parler, ce sera juste pour essayer de se renseigner sur vous. C'est le genre de curiosité qui pousse un serpent à regarder dans le nid d'un oiseau. Nous savons tous qu'il y a un minimum d'échange d'informations inévitable lors d'un entretien, mais ne lui dites rien de précis à votre sujet. Vous n'avez sûrement pas envie qu'il garde en tête des renseignements personnels vous concernant. Vous savez ce qu'il a fait à Will Graham ?

— Je l'ai lu, à l'époque.

— Lecter a éventré Will avec un couteau à découper le linoléum. C'est un miracle qu'il ne soit pas mort. Vous vous rappelez du Dragon Rouge ? Lecter a lâché Francis Dolarhyde contre Will et sa famille. Grâce à lui, le visage de notre agent ressemble maintenant à un tableau de Picasso. A l'hôpital, Lecter a défiguré une infirmière. Faites votre travail, mais n'oubliez jamais ce qu'il est.

— Qu'est-ce qu'il est ? Vous le savez ?

— Je sais que c'est un monstre. Un point c'est tout. Peut-être allez-vous en découvrir plus. Je ne vous ai pas tirée d'un chapeau, Starling. Vous m'avez posé deux ou trois questions intéressantes quand j'étais à l'université de Virginie. Le directeur verra votre rapport, signé de votre nom... s'il est clair, concis et logique. Et il me le faut pour dimanche matin, neuf heures. Bien, Starling, et faites cela dans les règles. »

Crawford lui sourit, mais son regard était mort.

Chapitre 2

L<small>E</small> Dr Frederick Chilton, cinquante-huit ans, administrateur de l'hôpital d'Etat de Baltimore pour les malades mentaux criminels, était assis à un grand bureau sur lequel il n'y avait aucun objet dur ou contondant. Certains membres du personnel appelaient cette pièce « les douves ». Les autres ne savaient pas ce que ce mot signifiait. Il resta assis lorsque Clarice Starling entra.

« Nous voyons passer pas mal de policiers, ici, mais je n'en ai jamais vu d'aussi séduisant », dit-il sans se lever.

De la brillantine luisait sur la main qu'il lui tendit car il venait de se tapoter les cheveux. Clarice mit fin la première à leur poignée de main.

« Mademoiselle Sterling, je pense ?

— Starling, docteur, avec un *a*. Merci d'avoir bien voulu me recevoir.

— Alors le FBI fait comme les autres, il embauche des femmes, ah ! ah ! » Il lui adressa le sourire nicotinisé dont il se servait pour ponctuer ses phrases.

« L'Agence s'améliore. C'est indéniable.

— Vous allez rester quelques jours à Baltimore ? Vous savez, on peut s'y amuser aussi bien qu'à Washington ou à New York, si on connaît la ville. »

Elle détourna les yeux pour ne plus voir son sourire et sentit aussitôt qu'il avait perçu son dégoût. « C'est sûrement une belle ville, mais je dois voir le Dr Lecter et rentrer cet après-midi même.

— Pourrai-je appeler quelqu'un, plus tard, à Washington, pour le suivi de l'affaire ?

— Bien sûr. C'est l'agent spécial Jack Crawford qui est chargé de ce projet et vous pourrez me joindre par son intermédiaire.

— Je vois », dit Chilton. Ses joues, tachetées de rose, juraient avec le brun-roux, peu vraisemblable, de ses cheveux. « Montrez-moi votre carte d'identité, je vous prie. » Il la laissa debout pendant qu'il examinait le document, sans se presser. Puis il le lui rendit et se leva. « Ce ne sera pas long. Venez.

— On m'a dit que vous me donneriez des instructions, docteur Chilton.

— Je peux le faire en cours de route. » Il contourna son bureau en regardant sa montre. « J'ai un déjeuner dans une demi-heure. »

Merde, elle aurait dû le sonder plus vite. Il n'était peut-être pas complètement idiot. Il devait savoir deux ou trois trucs utiles. Ça ne l'aurait pas tuée de flirter, pour une fois, même si elle n'était pas très douée pour ça.

« Docteur, j'ai rendez-vous avec vous, maintenant. On vous a laissé le choix de l'heure. Des choses peuvent se produire durant l'interview... j'aurai peut-être besoin d'étudier certaines de ses réactions avec vous, après.

— J'en doute, j'en doute vraiment. Oh, il faut que je donne un coup de fil. Je vous rejoins dans le hall.

— J'aimerais bien laisser mon manteau et mon parapluie ici.

— Donnez-les à Alan, à la réception. Il les rangera. »

Le dénommé Alan portait l'espèce de pyjama des internés. Il était en train d'essuyer un cendrier avec le pan de sa chemise.

Il fit rouler sa langue dans sa bouche en prenant le manteau de Starling.

« Merci, lui dit-elle.

— Tout le plaisir est pour moi. Vous chiez combien de fois par jour ?

— Je vous demande pardon ?

— Quand ça sort, c'est lon-on-on-on-ong ?

— Je vais ranger ça moi-même quelque part.

— Il n'y a pas d'autre endroit... on se penche et on regarde la merde sortir et on voit si elle change de couleur à l'air, vous faites ça aussi ? On dirait qu'on a une grosse queue marron, non ? » Il ne voulait plus lâcher son manteau.

« Le Dr Chilton vous demande dans son bureau.

— Pas du tout, dit le docteur. Rangez ce manteau dans le placard, Alan, et n'y touchez pas pendant que nous ne sommes pas là. *Compris ?* J'avais une secrétaire à plein temps, mais une réduction de budget me l'a enlevée. La fille qui vous a introduite tape trois heures par jour, et après j'ai Alan. Où sont donc passées toutes ces secrétaires, mademoiselle Starling ? » Ses lunettes lancèrent des éclairs. « Etes-vous armée ?

— Non.

— Puis-je voir votre sac à main et votre serviette ?

— Je vous ai montré mes papiers d'identité.

— Qui disent que vous êtes étudiante. Passez-moi vos affaires, je vous prie. »

Clarice Starling tressaillit lorsque la première des lourdes grilles d'acier se referma bruyamment derrière elle et que le verrou s'enclencha. Chilton la précéda dans un couloir vert hospice qui empestait le formol ; au loin, des portes claquaient. Elle s'en voulait d'avoir laissé le directeur mettre le nez dans son sac à main et sa serviette ; elle refoula sa colère afin de pouvoir se concentrer. Tout allait bien. Elle sentit son contrôle se rétablir, tout au fond, comme un bon lit de graviers sous un courant rapide.

« Lecter nous cause beaucoup d'ennuis, lança Chilton par-dessus son épaule. Il faut au moins dix minutes par jour à un garçon de salle pour enlever les agrafes des publications qu'il reçoit. Nous avons essayé de supprimer ou de réduire ses abonnements, mais il a adressé une requête au juge qui lui a donné raison contre nous. Au début, il recevait un énorme courrier personnel. Dieu merci, celui-ci a diminué depuis qu'il a été détrôné par d'autres cas médiatiques. Pendant un moment, on aurait dit que tout étudiant en maîtrise de psycho voulait introduire une citation de Lecter dans son mémoire. La presse médicale le publie encore, mais juste à cause de l'effet de curiosité que produit sa signature.

— Je trouve qu'il a écrit un bon article sur la manie des opérations chirurgicales dans le *Journal of Clinical Psychiatry*.

— Vous trouvez ? *Nous* avons essayé d'analyser Lecter. Nous

nous disions : " Voilà l'occasion de faire une étude mémorable "... c'est si rare d'en tenir un vivant.

— Un quoi ?

— Un sociopathe à l'état pur — c'en est manifestement un. Mais il reste impénétrable, beaucoup trop sophistiqué pour les tests ordinaires. Et, bon sang, qu'est-ce qu'il nous déteste ! Il me prend pour son mauvais génie. C'est très malin, de la part de Crawford, de se servir de vous.

— Que voulez-vous dire, docteur ?

— Une jeune femme pour l' " allumer ". Je crois que Lecter n'a pas vu de femme depuis des années... Tout au plus une fille de salle, parfois, de loin. En général, nous n'employons pas de femmes, ici. Leur présence ne nous cause que des ennuis. »

Va te faire foutre. Chilton. « Je suis diplômée de l'université de Virginie, docteur, avec la mention très bien. Ce n'est pas un cours de séduction que j'ai suivi.

— Alors vous devriez être capable de mémoriser le règlement : ne touchez pas aux barreaux et ne passez pas la main entre eux. Donnez-lui uniquement du papier souple ; pas de stylo ni de crayon. Il a ses propres feutres. Les documents que vous lui passerez ne doivent avoir ni agrafes, ni trombones, ni épingles. On lui transmet les choses par le passe-plat. Elles ressortent de sa cellule de la même manière. Sans exception. Ne prenez rien de ce qu'il pourrait essayer de vous tendre à travers les barreaux. Vous m'avez compris ?

— Oui. »

Ils avaient franchi deux autres portes et laissé la lumière du jour derrière eux, ainsi que les salles où les malades mentaux pouvaient se retrouver et, maintenant, il n'y avait plus de fenêtres, plus de relations humaines. Un épais grillage protégeait les lampes du couloir, comme dans la salle des machines d'un bateau. Le Dr Chilton s'arrêta sous l'une d'elles. Quand le bruit de leurs pas s'éteignit, Clarice entendit, de l'autre côté du mur, les derniers râles d'une voix qui s'était brisée à force de crier.

« Lecter ne sort jamais de sa cellule sans porter une camisole de force et une espèce de muselière. Je vais vous expliquer pourquoi. Durant sa première année ici, il s'est conduit parfaitement bien. La surveillance s'est un peu relâchée...

c'était sous l'administrateur précédent, bien entendu. L'après-midi du 8 juillet 1976, il s'est plaint de douleurs dans la poitrine ; on l'a conduit au dispensaire et détaché pour l'électrocardiogramme. Lorsque l'infirmière s'est penchée sur lui, voilà ce qu'il lui a fait. » Chilton tendit à Clarice Starling une photo écornée. « Les médecins ont réussi à sauver l'un de ses yeux. Pendant tout ce temps, Lecter était attaché aux moniteurs. Il lui a brisé la mâchoire pour atteindre sa langue. Pendant qu'il l'avalait, son pouls ne s'est pas élevé à plus de quatre-vingt-cinq. »

Clarice ne savait pas ce qui était le pire, de la photo ou des yeux avides de Chilton fixés sur son visage. On aurait dit un poulet assoiffé prêt à picorer ses larmes.

« Je le garde là-dedans », dit Chilton en appuyant sur un bouton, à côté d'une lourde porte à deux battants en verre Securit. Un surveillant, grand et costaud, les fit entrer.

Prenant une décision difficile, Clarice s'arrêta. « Docteur, nous avons vraiment besoin des résultats de ces tests. Si le Dr Lecter vous considère comme son ennemi — s'il fait une fixation sur vous, ainsi que vous le dites —, il vaudrait mieux que je le voie seule. Qu'en pensez-vous ? »

Un tic tordit la joue de Chilton. « Ça me convient tout à fait. Vous auriez pu me dire cela dans mon bureau. Je vous aurais fait accompagner par un garçon de salle, ce qui m'aurait fait gagner du temps.

— Je vous l'aurais proposé si vous m'aviez transmis vos instructions là-bas.

— Je suppose que nous ne nous reverrons pas, mademoiselle Starling... Barney, quand elle en aura fini avec Lecter, téléphonez pour que quelqu'un la reconduise. »

Chilton partit sans lui jeter un regard.

Maintenant, il n'y avait plus que le grand aide-soignant impassible, la pendule silencieuse, derrière lui, et le meuble de rangement grillagé contenant la bombe de Mace, les camisoles de force, la muselière et le pistolet tranquillisant. Un grand tube terminé en U, pour clouer un sujet violent au mur, était posé sur une étagère.

Barney la regardait. « Le Dr Chilton vous a dit qu'il ne

faut pas toucher aux barreaux ? » Sa voix était à la fois aiguë et rauque. Il lui rappelait Aldo Ray.

« Oui, il me l'a dit.

— Bon. C'est la dernière cellule au fond à droite. Marchez au milieu du couloir et ne les regardez pas. Vous pouvez lui porter son courrier, pour démarrer du bon pied. » Il semblait s'amuser, intérieurement. « Vous n'aurez qu'à le déposer dans le plateau et le faire rouler à l'intérieur. Si le passe-plat est dedans, vous pouvez le ramener avec la corde, ou c'est lui qui vous l'enverra. Il ne peut pas vous atteindre, là où le plateau s'arrête, à l'extérieur. » Le garçon de salle lui tendit deux revues dont les pages, dégrafées, menaçaient de tomber, trois journaux et plusieurs lettres ouvertes.

Le couloir faisait à peu près trente mètres de long, avec des cellules de chaque côté. Certaines étaient capitonnées et pourvues d'un guichet long et étroit comme une meurtrière. Les autres étaient celles des prisons ordinaires, fermées par des barreaux. Clarice Starling aperçut des silhouettes, du coin de l'œil, mais s'efforça de ne pas les regarder. Elle était à mi-chemin lorsqu'une voix chuchota : « Je sens ton con. » Elle fit mine de ne pas entendre et continua.

Dans la dernière cellule, la lumière était allumée. Elle se dirigea vers la paroi de gauche afin de voir à l'intérieur en approchant, consciente que le bruit de ses talons annonçait sa venue.

Chapitre 3

L A cellule du Dr Lecter, à l'écart des autres, ne faisait face qu'à un placard et présentait aussi d'autres particularités. En plus des barreaux, il y avait à l'intérieur, totalement hors d'atteinte, une seconde barrière, un épais filet de nylon qui s'étendait du sol au plafond et d'un mur à l'autre. Derrière, Clarice aperçut un fauteuil droit et une table, où s'empilaient des livres et des journaux, fixés l'un et l'autre au sol par des boulons.

Le Dr Hannibal Lecter, à demi allongé sur sa couchette, était plongé dans l'édition italienne de *Vogue*. Il tenait les pages dégrafées de la main droite et, de l'autre, les posait une par une à côté de lui. Il y avait six doigts à cette main gauche.

Clarice Starling s'arrêta à environ deux mètres des barreaux.

« Docteur Lecter. » Elle s'aperçut, avec satisfaction, que sa voix ne tremblait pas.

Il leva les yeux.

Durant quelques secondes, elle crut que le regard de cet homme bourdonnait, mais c'était seulement le bruit de son propre sang.

« Je m'appelle Clarice Starling. Vous voulez bien que je vous parle ? » Ses paroles, et la distance à laquelle elle se tenait, témoignaient en faveur de sa courtoisie.

Le Dr Lecter réfléchit, un doigt posé sur ses lèvres boudeuses. Puis il se leva sans hâte, s'avança doucement et s'arrêta près du filet, sans le regarder, comme si c'était lui qui choisissait de rester à distance.

Il était petit et très soigné ; Clarice se dit que ses mains et ses bras devaient avoir une force nerveuse semblable à la sienne.

« Bonjour », dit-il, comme s'il la recevait sur le seuil de sa porte. Derrière le ton cultivé, elle entendit un léger grincement métallique ; c'était peut-être parce qu'il ne se servait plus assez de sa voix.

La lumière se reflétait dans les yeux marron du Dr Lecter en formant de minuscules taches rouges. Parfois, celles-ci semblaient s'envoler de sa pupille comme des étincelles. Ces yeux l'embrassaient tout entière.

Elle se rapprocha à distance raisonnable des barreaux. Les poils de ses avant-bras se hérissèrent.

« Docteur, nous avons du mal à esquisser un profil psychologique. Je viens vous demander votre aide.

— " Nous ", c'est le département des Sciences du comportement, à Quantico. Vous faites partie de l'équipe de Jack Crawford, je suppose.

— En effet.

— Puis-je voir vos papiers ? »

Elle ne s'attendait pas à cela. « Je les ai montrés à... au bureau.

— Autrement dit au Dr Frederick Chilton ?

— Oui.

— Avez-vous vu *ses* références à lui ?

— Non.

— Lire ses diplômes ne vous aurait pas pris beaucoup de temps, je vous l'assure. Avez-vous rencontré Alan ? Un garçon charmant, n'est-ce pas ? Avec lequel des deux préférez-vous parler ?

— Tout bien réfléchi, avec Alan.

— Vous pourriez être une journaliste qui a réussi à soudoyer Chilton. Je pense être en droit de voir vos papiers.

— D'accord. » Elle brandit sa carte d'identité plastifiée.

« Impossible de lire à cette distance, passez-la-moi, je vous prie.

— Je ne peux pas.

— Parce qu'elle a des arêtes coupantes ?

— Oui.

— Demandez à Barney. »

Le gardien vint à son appel et réfléchit. « Docteur Lecter, je vais vous l'envoyer. Mais si vous ne la rendez pas dès que je vous le demanderai — s'il faut déranger quelqu'un d'autre et vous attacher pour la récupérer —, alors je serai très fâché. Et si je suis fâché, vous resterez ficelé jusqu'à ce que je sois de meilleure humeur. Alimentation par seringue, couches changées deux fois par jour... le grand jeu. Et pas de courrier pendant une semaine. Compris ?

— Oui, Barney. »

La carte d'identité passa dans le plateau et le Dr Lecter la leva vers la lumière.

« Une jeune recrue ? Jack Crawford envoie une *jeune recrue* pour m'interroger ? » Il tapota la carte contre ses petites dents blanches et respira son odeur.

« Docteur Lecter, dit Barney.

— Oui, oui. » Il remit la carte dans le plateau que Barney ramena à l'extérieur.

« Je n'ai pas terminé ma formation à l'Ecole, c'est vrai, dit Starling, mais il ne s'agit pas du FBI, nous parlons de psychologie. Ne pouvez-vous décider par vous-même si je suis qualifiée pour en parler avec vous ?

— Hummmm. A vrai dire... vous êtes un peu retorse. Barney, est-ce que l'agent Starling peut avoir un siège ?

— Le Dr Chilton ne m'a pas parlé de siège.

— Et la politesse, Barney ?

— Désirez-vous un siège ? demanda Barney. On aurait pu vous en donner un, mais il n'a jamais... généralement, personne n'a besoin de rester si longtemps que ça.

— Oui, merci bien. »

Barney tira une chaise pliante du placard, l'installa et repartit.

« Bon, dit Lecter en s'asseyant en biais à sa table, pour lui faire face, qu'est-ce que Miggs vous a dit ?

— Pardon ?

— Miggs Multiple, dans la cellule là-bas. Il vous a chuchoté quelque chose. Qu'est-ce qu'il a dit ?

— " Je sens ton con. "

— Je vois. Moi, j'en suis incapable. Comme crème de beauté, vous utilisez Evian, et parfois vous vous mettez un peu d'Air du Temps, mais pas aujourd'hui. Vous n'avez pas voulu vous parfumer pour venir ici. Comment réagissez-vous à ce que Miggs vous a dit ?

— Il est agressif pour des raisons que j'ignore. C'est triste. Plus vous vous montrez hostile, plus on l'est envers vous. C'est un cercle vicieux.

— Vous éprouvez de l'hostilité envers lui ?

— Je regrette qu'il soit ainsi. Mais peu importe ce qu'il a dit. Comment savez-vous que je mets du parfum ?

— Une bouffée a jailli de votre sac quand vous avez sorti votre carte d'identité. C'est d'ailleurs un joli sac.

— Merci.

— Vous avez pris votre plus beau sac pour venir me voir ?

— Oui. » C'était vrai. Elle avait économisé pour s'offrir un sac à main classique ; c'était l'objet le plus élégant qu'elle possédât.

« Vos souliers ne sont pas à la hauteur.

— Cela viendra peut-être un jour.

— Je n'en doute pas.

— Les dessins qu'il y a au mur, ils sont de vous, docteur ?

— Vous croyez que j'ai fait venir un décorateur ?

— Celui au-dessus du lavabo représente une ville d'Europe ?

— C'est Florence. Le Palazzo Vecchio et le Duomo, vus du Belvédère.

— Vous avez dessiné tous ces détails de mémoire ?

— La mémoire, agent Starling, c'est ce qui me tient lieu de vue.

— L'autre, c'est une crucifixion ? La croix du milieu est vide.

— C'est le Golgotha après la descente de croix. Fait avec un crayon et des marqueurs sur du papier boucherie. C'est ce que le larron, auquel le Paradis avait été promis, a réellement obtenu, après qu'on eut emporté l'agneau pascal.

— C'est-à-dire ?

— Les jambes brisées, comme son compagnon qui s'était moqué du Christ. Vous n'avez donc jamais mis le nez dans l'Evangile de saint Jean ? Alors, regardez les œuvres de Duccio — ses crucifixions sont très fidèles à l'Ecriture. Comment va Will Graham ? A quoi ressemble son visage ?

— Je ne connais pas Will Graham.

— Vous savez très bien qui c'est, agent Starling. Le protégé de Jack Crawford. A quoi ressemble son visage ?

— Je ne l'ai jamais vu.

— En art, on appelle ça " éliminer quelques vieilles retouches ", n'est-ce pas ? »

Après quelques secondes de silence, elle se lança.

« Mieux encore, nous pourrions retoucher quelques vieilles éliminations. J'ai apporté...

— Non, non. Faire de l'esprit, c'est une transition idiote et impolie. Comprendre un mot d'esprit et y répondre oblige votre sujet à accomplir rapidement une opération mentale qui refroidit l'ambiance. C'est sur le mode de l'ambiance que nous progressons. Vous vous en tiriez bien. Vous étiez polie et sensible à ma courtoisie, vous aviez instauré la confiance entre nous en me révélant, chose gênante pour vous, ce qu'avait dit Miggs, et puis voilà que vous sortez une plaisanterie maladroite pour essayer de revenir à votre questionnaire. Ça ne marche pas avec moi.

— Docteur Lecter, vous avez une grande expérience de la psychiatrie clinique. Me croyez-vous assez stupide pour tenter de vous faire marcher à l'ambiance ? Faites-moi un peu plus confiance. Je vous demande de répondre à un questionnaire, vous avez le droit d'accepter ou de refuser. Mais ne pouvez-vous, au moins, y jeter un coup d'œil ?

— Agent Starling, avez-vous lu récemment certains des articles publiés par le département des Sciences du comportement ?

— Oui.

— Moi aussi. Le FBI refuse, sottement, de m'envoyer le *Law Enforcement Bulletin,* mais je l'achète à des libraires d'occasion, et John Lay m'envoie *News* et des revues de psychiatrie. Les auteurs divisent en deux groupes ceux qui pratiquent le meurtre en série : les méthodiques et les empiriques. Qu'en pensez-vous ?

— C'est... fondamental, il est évident qu'ils...

— Vous voulez dire *simpliste*, agent Starling. En fait, la psychologie est souvent puérile, et celle qu'on pratique au département des Sciences du comportement n'est pas plus scientifique que la phrénologie. La psychologie n'a pas de très bons éléments sur lesquels s'appuyer. Allez dans n'importe quel institut de psychologie et regardez les étudiants et le corps enseignant : des fans de radios libres et autres mordus à la personnalité déficiente. Certainement pas les meilleurs cerveaux de l'université. Les *méthodiques* et les *empiriques*... un enfant en bas âge trouverait ça tout seul.

— Quelle classification préconisez-vous ?

— Aucune.

— A propos de publications, j'ai lu vos articles sur la manie des opérations chirurgicales et sur les manifestations faciales, côté gauche et côté droit.

— Oui, d'excellents papiers.

— C'est mon avis, ainsi que celui de Jack Crawford. C'est lui qui me les a signalés. C'est pourquoi il est très désireux...

— Crawford le stoïque est " très désireux " ? Il faut qu'il soit bien occupé pour recruter l'aide de ses étudiants.

— Il l'est et voudrait bien...

— Très occupé par Buffalo Bill.

— Je suppose.

— Non, agent Starling, ne dites pas " je suppose ". Vous savez bien que c'est à cause de Buffalo Bill. J'ai cru que Jack Crawford vous envoyait pour m'interroger sur cette affaire.

— Non.

— Alors, vous n'êtes pas venue pour ça.

— Non, mais parce que nous avons besoin de votre...

— Que savez-vous de Buffalo Bill ?

— Personne ne sait grand-chose à son sujet.

— Les journaux n'en ont pas parlé ?

— Si, je pense. Mais je n'ai pas eu accès au dossier confidentiel, mon travail consiste à...

— Combien de femmes Buffalo Bill a-t-il consommées ?

— La police en a retrouvé cinq.

— Toutes écorchées ?

— Partiellement, oui.

— Les journaux n'ont jamais expliqué son surnom. Vous savez pourquoi on l'appelle Buffalo Bill ?

— Oui.

— Dites-le-moi.

— Je vous le dirai si vous acceptez de regarder mon questionnaire.

— J'y jetterai un coup d'œil, un point c'est tout. Alors, pourquoi?

— C'est parti d'une mauvaise plaisanterie de la Criminelle de Kansas City.

— Oui...?

— On l'appelle Buffalo Bill parce qu'il fait saigner ses montures. »

Starling découvrit qu'elle n'avait plus peur, mais honte. A choisir, elle préférait la peur.

« Donnez-moi le questionnaire. »

Elle le lui fit passer et resta silencieuse pendant qu'il le feuilletait.

Lecter le laissa retomber dans le plateau. « Alors, vous croyez vraiment pouvoir me disséquer à l'aide de ce petit instrument émoussé?

— Non. Par contre, je pense que vous pouvez nous donner une idée qui ferait progresser cette étude.

— Et pourquoi le ferais-je?

— Par désir de savoir.

— De savoir quoi?

— Pourquoi vous êtes ici. Ce qui vous est arrivé.

— Il ne m'est rien arrivé. J'ai agi en toute connaissance de cause, agent Starling. Vous ne pouvez pas me réduire à une série d'influences. Vous avez abandonné le bien et le mal, agent Starling, pour les remplacer par le béhaviorisme. Vous avez mis, moralement, des couches à tout le monde, agent Starling — personne n'est plus responsable. Seriez-vous capable de me qualifier d'être malfaisant? Est-ce que je fais le mal, agent Starling?

— Je pense que vous avez eu un comportement destructeur. Pour moi, c'est la même chose.

— Le mal, c'est seulement être destructeur? Si c'est aussi simple que ça, les tempêtes sont malfaisantes. Le feu, la grêle. Ce que les assureurs appellent des catastrophes naturelles.

— Lorsque c'est délibéré...

— Pour me distraire, je collectionne les églises qui s'effondrent. Vous avez vu ce qui s'est passé, récemment, en Sicile? Extraordinaire! La façade s'est écroulée sur soixante-cinq grand-mères réunies pour une messe de la Vie Montante. Est-ce mal? Si oui, qui a fait cela? S'Il est là-haut, Il adore ça, agent

29

Starling. La typhoïde et les cygnes... tout vient du même endroit.

— Je suis incapable de vous expliquer cela, docteur, mais je connais quelqu'un qui le peut. »

Il leva la main gauche, pour la faire taire. Clarice remarqua que cette main était belle, et les deux médiums parfaitement semblables. La forme la plus rare de polydactylie.

Lorsqu'il reprit la parole, ce fut d'une voix douce et charmeuse. « Cela vous ferait plaisir de me mettre en formules, agent Starling. Vous êtes très ambitieuse, n'est-ce pas ? Savez-vous à quoi vous ressemblez, avec votre beau sac et vos souliers de mauvaise qualité ? Vous avez l'air d'une péquenaude. Vous êtes une péquenaude bien récurée, dynamique, mais qui manque de goût. Vos yeux ressemblent à des pierres de pacotille — quand vous traquez une réponse ils brillent, mais en surface. Vous l'êtes brillante, d'ailleurs. Farouchement décidée à ne pas ressembler à votre mère. Une bonne alimentation vous a permis d'être plus grande qu'elle, mais il n'y a pas plus de trente ans que votre famille est sortie des mines, *agent* Starling. S'agit-il des Starling de la Virginie occidentale ou des Starling ouvriers agricoles migrants ? C'était à pile ou face entre l'université ou entrer au *Women's Army Cops*, hein ? Je vais vous dire quelque chose, sur vous-même. Là-bas, dans votre chambre, vous avez un collier de perles, qu'on vous a offert perle à perle, et cela vous donne un sale coup de voir qu'il vous paraît quelconque, maintenant, n'est-ce pas ? Tous ces remerciements assommants, ces maladresses sincères, qui rendaient chaque perle plus difficile à accepter. Assommant. As-som-mant. Etre intelligent, ça gâche pas mal de choses, hein ? Et le goût, ce n'est pas gentil. Quand vous penserez à cette conversation, vous vous rappellerez son expression de douleur imbécile lorsque vous l'avez laissé tomber.

« Si les colliers de perle deviennent quelconques, est-ce que tout le reste le deviendra, au fur et à mesure que vous vous élèverez ? Vous vous posez cette question, n'est-ce pas, le soir ? » demanda le Dr Lecter d'une voix très douce.

Clarice releva la tête pour l'affronter. « Vous êtes perspicace, docteur Lecter. Je ne conteste rien de ce que vous venez de dire. Mais voilà la question à laquelle vous allez répondre, tout de suite, que vous le vouliez ou non : êtes-vous assez fort pour appliquer à vous-même cette étonnante faculté d'analyse ? Il est difficile d'y faire face. Je viens de m'en apercevoir. Qu'en dites-vous ? Regardez-vous et mettez la vérité par écrit. Quel sujet plus complexe, plus digne de votre intelligence pourriez-vous trouver ? Mais peut-être avez-vous peur de vous-même ?

— Vous êtes coriace, agent Starling.

— Je pense que oui.

— Et vous ne supportez pas l'idée que vous pourriez être quelqu'un d'ordinaire. Cela fait mal, hein ? Mais vous êtes loin d'être ordinaire, agent Starling. Vous avez seulement peur de l'être. De quelle grosseur, vos perles, sept millimètres ?

— Sept.

— Permettez-moi de vous donner un conseil. Procurez-vous des tourmalines et enfilez-les avec vos perles, en les faisant alterner deux et trois, ou une et deux, comme vous préférez. Les tourmalines mettront en valeur la couleur de vos yeux et les reflets de vos cheveux. Est-ce que quelqu'un vous a déjà envoyé une carte à la Saint-Valentin ?

— Oui.

— Nous sommes déjà en Carême. La Saint-Valentin est dans une semaine, hummmmmm, est-ce que vous en attendez une ?

— On ne sait jamais.

— Oui, c'est vrai... Je pense à la Saint-Valentin. Cela me rappelle un souvenir amusant. Je peux vous faire très plaisir, ce jour-là, *Clarice* Starling.

— Comment, docteur Lecter ?

— En vous faisant un beau cadeau. Je vais y réfléchir. Maintenant, je vous prie de m'excuser. Au revoir, agent Starling.

— Et le questionnaire ?

— Un jour, un agent recenseur a essayé de me mettre en équations. Je me suis régalé de son foie, accompagné de fèves. Retournez à l'école, petite Starling. »

Hannibal Lecter, poli jusqu'au bout, ne lui tourna pas le dos. Il s'éloigna à reculons de la barrière avant d'aller s'allonger sur sa couchette, devenu aussi froid qu'un chevalier de pierre gisant sur un tombeau.

Clarice se sentit soudain vidée, comme après une prise de sang. Elle mit plus de temps qu'il n'en fallait pour ranger ses papiers dans sa serviette, craignant que ses jambes ne puissent pas la porter. Elle venait d'échouer et détestait les échecs. Elle replia la chaise et la laissa contre la porte du placard. Il fallait repasser devant Miggs. Tout là-bas, Barney semblait lire. Elle pouvait l'appeler pour qu'il vienne la chercher. Que Miggs aille se faire foutre. Ce n'était pas pire que de passer, tous les jours, en pleine ville, devant des livreurs ou les ouvriers d'un chantier. Elle se mit en marche.

La voix de Miggs siffla, tout près d'elle. « Je me suis mordu le poignet pour mouououriiiir — regarde comme ça saigne. »

Elle aurait dû appeler Barney mais, surprise, elle se tourna vers la cellule, juste à temps pour voir Miggs lui envoyer quelque chose d'une chiquenaude et, avant d'avoir pu l'éviter, elle sentit un liquide tiède lui éclabousser la joue et l'épaule.

Elle s'éloigna et comprit que c'était du sperme et non du sang : elle entendit Lecter qui l'appelait. La voix du Dr Lecter, derrière elle, dont le grincement métallique était plus prononcé.

« Agent Starling. »

Il s'était levé et l'appelait ; elle continua à marcher. Elle fouilla dans son sac, à la recherche de mouchoirs en papier.

Derrière elle : « Agent Starling. »

Elle était de nouveau maîtresse d'elle-même et avançait d'un pas ferme vers la grille.

« Agent Starling. » Il y avait une tonalité nouvelle dans la voix de Lecter.

Elle s'arrêta. *Bon Dieu, j'en ai envie à ce point !* Miggs lui chuchota des mots qu'elle n'écouta pas.

De nouveau devant sa cellule, elle vit le spectacle rare du Dr Lecter dans tous ses états. Elle comprit qu'il humait cette odeur, sur elle. Il sentait tout.

« Pour rien au monde, je n'aurais voulu que cela vous arrive. J'ai horreur de l'impolitesse. »

C'était comme si les meurtres qu'il avait commis l'avaient purgé de toute autre grossièreté. Peut-être est-ce que cela l'excitait de la voir marquée de la sorte. Elle n'en savait rien. Au fond de ses prunelles sombres, les étincelles voletaient comme des lucioles dans une caverne.

Quoi que ce soit, sers-t'en, bon sang ! Elle brandit sa serviette. « Je vous en prie, faites cela pour moi. »

Elle avait peut-être trop tardé à venir ; il retrouvait son calme.

« Non. Mais vous ne regretterez pas d'être venue. Je vais vous donner autre chose. Je vais vous donner ce que vous aimez le plus au monde, Clarice Starling.

— Quoi, docteur Lecter ?

— Une promotion, bien sûr. Cela marchera forcément — je suis vraiment content. C'est la Saint-Valentin qui m'y a fait penser. » Le sourire qui découvrait ses petites dents blanches pouvait avoir n'importe quelle cause. Il parla si doucement qu'elle l'entendit à peine. « Cherchez votre cadeau de la Saint-Valentin dans la voiture de Raspail. Vous m'entendez ? Cherchez votre cadeau dans la *voiture de Raspail.* Vous feriez mieux de partir maintenant ; je ne pense pas que Miggs soit capable de recommencer si peu de temps après, même s'il *est* fou, n'est-ce pas ? »

Chapitre 4

CLARICE STARLING, énervée, épuisée, tenait par la seule force de la volonté. Certaines choses que Lecter avait dites à son sujet étaient exactes, d'autres sonnaient seulement vrai. Durant quelques secondes, elle avait eu l'impression qu'une conscience étrangère était lâchée dans sa tête et, tel un ours dans un camping-car, vidait des étagères à coups de patte.

Elle haïssait ce qu'il avait dit à propos de sa mère, mais il fallait cesser d'être en colère. Ce qui n'était pas une petite affaire.

Assise dans sa vieille Pinto garée en face de l'hôpital, elle respira plusieurs fois à fond. Quand les vitres se couvrirent de buée, elle se sentit un peu isolée du trottoir.

Raspail. Ce nom lui disait quelque chose. C'était un patient du Dr Lecter et l'une de ses victimes. Elle n'avait consacré qu'une soirée au volumineux dossier Lecter et, à ce moment-là, Raspail n'était qu'une victime parmi bien d'autres. Il lui faudrait étudier en détail tout ce qui le concernait.

Clarice aurait voulu foncer, mais elle serait la seule à prêter à cette affaire un caractère d'urgence. Le dossier Raspail était classé depuis plusieurs années. Personne n'était en danger. Rien ne pressait. Avant d'aller plus loin, elle ferait mieux de s'informer et de prendre conseil.

Crawford pouvait lui enlever l'enquête et la confier à quelqu'un d'autre. C'était un risque à courir.

Elle tenta de l'appeler d'une cabine, mais apprit qu'il était en train de quémander des fonds pour le ministère de la Justice, devant la Sous-Commission des finances de la Chambre.

Elle aurait pu obtenir de la Criminelle de Baltimore des

détails sur cette affaire, mais le meurtre n'est pas un délit fédéral et elle savait qu'ils s'en empareraient aussitôt, donc pas question.

Elle revint au département des Sciences du comportement de Quantico, avec ses rideaux à carreaux marron, comme à la maison, et ses classeurs gris pleins de scènes infernales. Elle resta tard dans la soirée, après que la dernière secrétaire fut partie, à faire tourner et grincer le microfilm de Lecter. La vieille visionneuse récalcitrante brillait comme un feu follet dans la pièce que l'ombre envahissait ; les mots et les images en négatif grouillaient devant ses yeux.

Raspail, Benjamin René, blanc, mâle, quarante-six ans, première flûte dans l'Orchestre philarmonique de Baltimore, patient du Dr Hannibal Lecter.

Le 22 mars 1975, il ne se présenta pas à un concert. Le 25 du même mois, on découvrit son cadavre assis sur le banc d'une petite église de campagne près de Falls Church, Virginie, vêtu seulement d'une cravate blanche et d'une queue-de-pie. L'autopsie révéla que le cœur de Raspail avait été transpercé et que le corps n'avait plus ni thymus ni pancréas.

Clarice Starling, qui dès ses premières années en avait appris plus long qu'elle ne le souhaitait sur la préparation des aliments, reconnut dans les organes manquants ce qu'on appelle un « ris de veau ».

La Brigade criminelle de Baltimore pensait qu'ils avaient figuré au menu d'un dîner auquel Lecter avait convié le directeur et le chef d'orchestre du Philarmonique, le lendemain de la disparition de Raspail.

Le Dr Hannibal Lecter nia tout en bloc. Le directeur et le chef d'orchestre déclarèrent qu'ils ne se souvenaient plus de ce qu'ils avaient mangé chez Lecter, bien que celui-ci fût connu pour son excellente table et l'auteur de nombreux articles pour des périodiques gastronomiques.

A la suite de ce repas, le directeur du Philarmonique fut soigné pour une anorexie et des problèmes dus à l'alcoolisme, à l'hôpital de Basel, en neurologie.

Selon la police de Baltimore, Raspail était la neuvième victime connue de Lecter.

Raspail mourut *intestat* et les procès que se firent les membres de sa famille furent suivis par les journaux pendant plusieurs mois, jusqu'à ce que l'intérêt du public retombe.

Les parents de Raspail se joignirent à ceux des autres clients et victimes de Lecter pour exiger la destruction des enregistrements et des fiches du psychiatre dévoyé. On ne savait quels secrets embarrassants celui-ci avait pu laisser échapper, disaient-ils, et ses dossiers constituaient une véritable documentation.

La cour avait désigné comme exécuteur testamentaire l'homme de loi de Raspail, Everett Yow.

Pour retrouver la voiture, Clarice allait être obligée de s'adresser à ce dernier. Il tenterait peut-être de protéger la mémoire de Raspail et, prévenu à l'avance, pouvait détruire des preuves afin de couvrir son ex-client.

Clarice préférait agir vite, et il lui fallait des conseils et des autorisations. Elle était seule dans le département, et maîtresse des lieux. Elle trouva le numéro personnel de Crawford dans le Rolindex.

Son chef décrocha immédiatement ; sa voix était très calme.

« Jack Crawford à l'appareil.

— C'est Clarice Starling. J'espère que vous n'êtes pas en train de dîner... » Il garda le silence et elle poursuivit : « ... Cet après-midi, Lecter m'a révélé quelque chose au sujet de l'affaire Raspail. Je suis au bureau, en train d'y travailler. Il m'a dit de fouiller la voiture de Raspail. Je suis obligée de passer par l'homme de loi de ce dernier et comme demain c'est samedi — il n'y a pas cours —, je voulais vous demander si...

— Starling, vous ne vous rappelez plus ce que je vous ai dit de faire avec les informations recueillies sur Lecter ? » La voix de Crawford était terriblement calme.

« Je dois vous donner mon rapport dimanche à neuf heures du matin.

— Contentez-vous de faire ça.

— Bien, monsieur. »

La tonalité résonna dans son oreille. La rougeur envahit son visage et lui brûla les yeux.

« Bon Dieu de merde, dit-elle. Espèce de vieux con. Fils de pute. Que Miggs te gicle dessus et on verra si t'aime ça. »

Après une toilette prolongée, Clarice, en chemise de nuit de l'Ecole du FBI, travaillait à la seconde mouture de son rapport lorsque sa compagne de chambre, Ardelia Mapp, arriva de la bibliothèque. Son visage rond et brun, parfaitement sain, fut pour Clarice la vision la plus agréable de la journée.

Ardelia lut sur son visage combien elle était fatiguée.

« Qu'est-ce que tu as fait aujourd'hui, ma vieille ? » Elle posait toujours des questions comme si les réponses lui importaient peu.

« J'ai cajolé un dingue et récolté du foutre plein la figure.

— J'aimerais bien mener une vie aussi mondaine que toi — je ne sais pas où tu trouves le temps, avec les cours et tout ça. »

Clarice éclata de rire. Ardelia Mapp fit de même, autant que cette petite plaisanterie le méritait. Mais Clarice ne pouvait plus s'arrêter et elle s'entendait, de très loin, rire à n'en plus finir. Vue à travers ses larmes, Ardelia avait l'air étrangement mûrie ; son sourire était empreint de tristesse.

Chapitre 5

J ACK CRAWFORD, cinquante-trois ans, assis dans une bergère à oreilles, lit près d'une lampe basse, dans la chambre à coucher de sa maison. Il fait face à deux grands lits, surélevés à hauteur d'hôpital. L'un est le sien ; sa femme, Bella, est couchée dans l'autre. Crawford l'entend respirer par la bouche. Cela fait deux jours qu'elle n'a pas bougé ni parlé.

Le bruit de sa respiration s'interrompt. Crawford lève les yeux, par-dessus ses demi-lunettes. Il pose son livre. Bella respire de nouveau, faiblement, puis à fond. Il quitte son fauteuil pour prendre son pouls et sa tension. Au cours des derniers mois, il est devenu un expert du tensiomètre.

Ne voulant pas la quitter de la nuit, il s'est installé un second lit, à côté d'elle, aussi surélevé que le sien. Lorsqu'il tend la main pour la toucher, dans l'obscurité, ils sont ainsi au même niveau.

La hauteur des lits et le minimum d'appareillage nécessaire au confort de Bella mis à part, Crawford a veillé à ce que la pièce ne ressemble pas à une chambre de malade. Il y a des fleurs, mais pas trop. Aucun médicament en vue — il a vidé une armoire à linge, dans l'entrée, et rangé ses médicaments et ses ustensiles dedans, avant son retour de l'hôpital. (C'était la seconde fois qu'il la portait dans ses bras pour franchir le seuil de la maison, et cette pensée a failli lui faire perdre courage.)

Une vague de chaleur est arrivée du sud. L'air de Virginie, doux et frais, entre par les fenêtres ouvertes. De petites grenouilles se répondent, d'une voix flûtée, dans la nuit.

La pièce est immaculée, mais la moquette commence à s'élimer — Crawford ne veut pas passer l'aspirateur, trop bruyant, et se sert d'un balai mécanique, moins efficace. Il se dirige à pas feutrés vers la penderie et allume la lumière. Deux tableaux sont suspendus à l'intérieur de la porte. Sur l'un il note le pouls et la tension de Bella. Ses chiffres et ceux de l'infirmière de jour se succèdent pour former une colonne qui s'étend sur de nombreuses pages jaunes, depuis des jours et des nuits. Sur l'autre, elle note le traitement de Bella avant de partir.

Crawford est capable de lui administrer tous les médicaments dont elle peut avoir besoin durant la nuit. Sur les conseils de l'infirmière, il s'est exercé à pratiquer les injections dans un citron, puis dans sa propre cuisse, avant de la ramener à la maison.

Il reste debout à son chevet pendant trois minutes, regardant son visage. Un joli foulard de soie, moiré, recouvre ses cheveux comme un turban. Elle a insisté pour qu'on la coiffe ainsi, tant que cela lui a été possible. Maintenant, c'est lui qui insiste. Il humecte ses lèvres avec de la glycérine et de son large pouce ôte une petite saleté qu'elle a au coin de l'œil. Elle ne réagit pas. Il n'est pas encore l'heure de la retourner.

Crawford s'assure, dans le miroir, qu'il n'est pas malade, qu'il ne sera pas nécessaire de l'enterrer avec elle, que lui se porte bien. Il éprouve de la honte en prenant conscience de ses pensées.

Installé de nouveau dans son fauteuil, il ne se souvient plus de ce qu'il lisait. Il tâte les livres, à côté de lui, à la recherche de celui qui est encore tiède.

Chapitre 6

L UNDI matin, Clarice Starling trouva ce message de Crawford dans sa boîte à lettres :

CS :

Continuez à vous occuper de la voiture de Raspail. Sur votre temps libre. Mon bureau vous fournira un numéro de carte de crédit pour les appels à longue distance. Prévenez-moi avant de contacter l'homme de loi ou d'aller quelque part. Rapport mercredi à seize heures.
Le directeur a lu votre rapport sur Lecter, signé de vous. C'est du bon travail.

J.C.
SAIC/Section 8

Ce mot fit joliment plaisir à Clarice. Elle savait que Crawford lui livrait une souris épuisée pour qu'elle se fasse les dents dessus. Mais il voulait lui apprendre le métier. Il souhaitait qu'elle réussisse. Elle préférait cela à de la politesse.

Raspail était mort depuis huit ans. Quel indice aurait pu rester aussi longtemps dans une voiture ?

Elle savait par expérience que, les automobiles se dévalorisant rapidement, les cours d'appel laissaient les héritiers vendre une voiture avant l'homologation du testament ; l'argent allait alors au dépôt fiduciaire. Il semblait improbable, même dans le cas d'une succession aussi embrouillée que celle de Raspail, qu'on puisse en garder une aussi longtemps.

Il y avait aussi le problème du temps. En comptant la pause

40

du déjeuner, Clarice disposait d'une heure et quart par jour pour se servir du téléphone pendant les heures de bureau. Elle devait faire son rapport à Crawford mercredi après-midi. Elle n'avait donc que trois heures quarante-cinq minutes en tout, réparties sur trois jours, pour retrouver la voiture, en prenant sur ses heures d'étude et en rattrapant son retard la nuit.

En procédures d'investigation, ses notes étaient bonnes, et elle pourrait poser des questions d'ordre général à ses professeurs.

Lundi, pendant l'heure du déjeuner, le personnel du palais de justice de Baltimore la mit en attente et l'oublia trois fois. Pendant ses heures d'étude, elle tomba enfin sur quelqu'un d'aimable qui sortit le dossier de la succession Raspail.

L'employée confirma que l'on avait bien accordé la permission de vendre la voiture et donna à Clarice la marque et le numéro de série ainsi que le nom d'un propriétaire ultérieur, à partir du transfert de titre.

Mardi, elle passa la moitié de son heure de déjeuner à courir après ce nom. Elle perdit l'autre moitié à découvrir que le Service des véhicules automobiles du Maryland n'était pas équipé pour retrouver une automobile à partir de son numéro de série, mais seulement par le numéro d'immatriculation.

Mardi après-midi, une averse chassa les stagiaires du stand de tir. Dans une salle de conférence qui sentait les vêtements mouillés et la sueur, John Brigham, ex-instructeur de tir des Marines, décida de tester la force musculaire des mains de Clarice devant toute la classe, en comptant combien de fois elle pouvait appuyer sur la gâchette d'un Smith and Wesson 19 pendant une minute.

Elle réussit à le faire soixante-quatorze fois de la main gauche, écarta une mèche de ses yeux en soufflant dessus, et recommença de la main droite pendant qu'un autre étudiant comptait. Elle était dans la position de Weaver, muscles bandés, la vision de face très nette, la vision arrière et la cible floues, comme il se devait. A mi-temps, elle laissa son esprit vagabonder pour oublier la douleur. La cible, sur le mur, redevint nette. C'était un satisfecit délivré à son instruc-

teur, John Brigham, par le département du Commerce entre
Etats.

Elle questionna celui-ci du coin de la bouche tandis que son
camarade comptait les cliquetis du pistolet.

« Comment faire pour retrouver le numéro d'immatriculation...

— ... *soixantecinqsoixantesixsoixanteseptsoixantehuitsoixante...*

— d'une voiture dont on n'a que le numéro de série...

— *soixantedixhuitsoixantedixneufquatrevingtquatrevingtun...*

— ... et la marque si l'on n'a pas le numéro de la plaque
d'immatriculation ?

— ... *quatrevingtneufquatrevingtdix.Top.*

— Très bien. Ecoutez, je veux que vous preniez note de cela.
La force de la main est un facteur essentiel en tir continu.
Certains d'entre vous, messieurs, ont peur que je les teste. Et ils
ont raison — Starling est bien au-dessus de la moyenne pour les
deux mains. C'est parce qu'elle s'entraîne. Avec les petits
appareils de serrage qui sont à votre disposition. La plupart
d'entre vous n'ont l'habitude que de presser leur » — toujours
vigilant quant à sa terminologie de Marine, il chercha un
équivalent poli — « leurs points noirs, finit-il par dire. Ne riez
pas, Starling, vous n'êtes pas encore assez bonne. Je veux que
cette main gauche atteigne les quatre-vingt-dix avant que vous
ayez votre diplôme. Mettez-vous par deux et chronométrez-
vous mutuellement. Pas vous, Starling, venez par ici. Qu'est-ce
que vous avez d'autre comme renseignements sur cette voiture ?

— Juste le numéro de série et la marque, c'est tout. Et le
nom de son propriétaire, mais cela remonte à cinq ans.

— Bon, écoutez. La plupart des gens commettent l'erreur
d'essayer de trouver le propriétaire suivant par le numéro
d'immatriculation. Quand on change d'Etat, cela f...iche tout
en l'air. Même les flics font ça, parfois. Et les numéros
d'immatriculation, c'est la seule chose qu'enregistre l'ordinateur. On a l'habitude d'utiliser ça, et pas le numéro de série du
véhicule. »

Les cliquetis des pistolets d'entraînement résonnaient fort
dans la pièce et il lui criait dans l'oreille.

« Il y a un moyen facile. R. L. Polk & Co, qui édite les
annuaires, sort aussi une liste des numéros d'immatriculation

des voitures à partir de la marque et du numéro de série. Ce sont les seuls. Les revendeurs d'automobiles s'en servent pour leurs petites annonces. Qu'est-ce qui vous a donné l'idée de m'en parler ?

— Vous avez travaillé pour le département du Commerce entre Etats, alors je me suis dit que vous aviez dû rechercher un tas de véhicules. Merci.

— En échange, améliorez-moi cette main gauche et faites honte à ces mollassons. »

De retour dans la cabine téléphonique, ses mains tremblaient encore tellement que ses notes en furent presque illisibles. La voiture de Raspail était une Ford. Non loin de l'université de Virginie, il y avait un concessionnaire Ford qui, pendant des années, avait patiemment fait tout ce qu'il pouvait pour sa Pinto. Avec la même patience, il parcourut pour elle ses listes Polk. Il revint au téléphone avec le nom et l'adresse de la personne qui avait fait immatriculer la voiture de Benjamin Raspail.

Clarice, tu es un as. Ne lâche pas. Arrête de faire l'imbécile et appelle ce type chez lui. Voyons, Number Nine Ditch. Arkansas. Jack Crawford ne me laissera jamais y aller mais, au moins, je peux confirmer que je suis toujours en selle.

Aucune réponse. Pareil au deuxième essai. La sonnerie semblait bizarre et lointaine, avec un effet d'écho, comme s'il s'agissait d'une ligne commune à deux abonnés. Elle essaya le soir, sans résultat.

Mercredi, à l'heure du déjeuner, un homme répondit enfin.

« Ici, Radio Nostalgie.

— Bonjour, j'appelle pour...

— J'ai pas besoin de stores en alu et pas envie d'aller passer mes vacances dans un camping de Floride, qu'est-ce que vous avez d'autre ? »

Clarice reconnut l'accent de l'Arkansas. Elle pouvait le reprendre à volonté et ce ne fut pas long.

« Si vous pouviez m'aider, m'sieur, je vous serais bien obligée. J'essaie de contacter M. Lomax Bardwell. Je suis Clarice Starling.

— C'est une certaine Clarice, cria l'homme à la cantonade. Qu'est-ce que vous lui voulez à Bardwell ?

— Ici le bureau régional Ford pour le *Mid-South*. M. Bard-well a droit à certains travaux gratuits sur son véhicule.

— C'est moi Bardwell. J'ai cru que vous vouliez me vendre que'que chose, à l'heure où c'est moins cher, pour les appels à longue distance. Vous arrivez trop tard, c'est toute une bagnole qu'y me faudrait. Ma femme et moi, on était à Little Rock, on sortait du centre commercial, vous me suivez ?

— Oui, m'sieur.

— C'te satanée bielle a crevé le carter. Y avait de l'huile partout et v'là ce camion, un Orkin, qui se fout en plein d'dans. Y dérape et y me rentre dedans.

— Dieu du ciel.

— Y bouscule la cabine du Photomaton et v'là les vitres qui tombent. Le type du Photomaton sort en titubant, complète-ment sonné. Il a fallu l'empêcher d'aller se balader au milieu de la route.

— Je m'en doute. Et qu'est-ce qu'il lui est arrivé, alors ?

— A qui ?

— A la voiture.

— J'ai dit à Buddy Sipper, du service de dépannage, qu'y pouvait l'avoir pour cinquante si y venait la prendre. Je suppose qu'il l'a piratée.

— Pouvez-vous me donner son numéro de téléphone ?

— Qu'est-ce que vous lui voulez à Sipper ? Si quelqu'un en tire que'que chose, c'est à moi que ça doit revenir...

— Je comprends cela, m'sieur. Moi, je fais ce qu'on me dit de faire jusqu'à cinq heures du soir, et on m'a dit de retrouver cette voiture. Vous l'avez ce numéro, s'il vous plaît ?

— J' sais plus où est mon annuaire. Il a disparu depuis un bon bout de temps. Vous savez comment c'est, avec les gosses. Les renseignements devraient vous le trouver, c'est Sipper Dépannage.

— Bien le merci, m'sieur Bardwell. »

La société de dépannage confirma que l'on avait enlevé tout ce qui était récupérable, puis compressé la voiture pour le recyclage. Le contremaître chercha dans ses livres le numéro de série du véhicule.

Merde et merde, pensa Clarice avec un reste d'accent. L'impasse. Jolie Saint-Valentin.

Elle appuya sa tête contre le bloc froid de la cabine. Ardelia Mapp, des livres calés contre sa hanche, donna un petit coup sec sur la porte et lui tendit un Orangina.

« Merci à toi, Ardelia. Faut que je fasse encore un appel. Si j'arrive à en finir avec ça à temps, on se retrouve à la cafétéria, d'accord?

— J'avais tellement espéré que tu abandonnerais cette horrible manière de parler. Les livres sont là pour t'aider. Moi, je n'utilise jamais le pittoresque patois de mon pays. Ma vieille, parle comme ça et les gens diront que tu ne fréquentes que des cons. » Ardelia referma la porte de la cabine.

Clarice se dit qu'elle devrait essayer de tirer plus d'informations de Lecter. Puisqu'il avait bien voulu lui parler, peut-être que Crawford lui permettrait d'y retourner. Elle composa le numéro du Dr Chilton, mais sa secrétaire fit le barrage.

« Le Dr Chilton est avec le coroner et le procureur adjoint, dit-elle. Il s'est entretenu avec votre patron et n'a plus rien à vous dire. Au revoir. »

Chapitre 7

« VOTRE ami Miggs est mort, dit Crawford. Vous ne m'avez rien caché, Starling ? » Le visage fatigué de son patron était aussi sensible aux signaux que la collerette hérissée d'un hibou, et aussi impitoyable.

« Comment ? » Elle lutta contre l'engourdissement qui l'envahit.

« Il a avalé sa langue, peu avant le lever du jour. Chilton pense que c'est Lecter qui le lui a suggéré. Le garde de nuit a entendu le psychiatre lui parler à voix basse. Lecter en savait long sur Miggs. Les chuchotements ont duré un bon moment, mais le garde n'a pas compris ce qu'il disait. Miggs a pleuré un bon moment, puis s'est tu. Vous m'avez vraiment tout dit, Starling ?

— Oui, monsieur. Entre le rapport et ma note de service, tout y est, presque mot pour mot.

— Chilton a appelé pour se plaindre de vous... » Crawford attendit, et parut content qu'elle ne pose pas de question. « Je lui ai dit que votre comportement me satisfaisait. Chilton se prépare à une enquête des Droits civiques.

— Il y en aura une ?

— Evidemment, si la famille de Miggs porte plainte. Le département des Droits civiques en comptera probablement huit mille cette année. Ils seront ravis d'ajouter Miggs à leur liste. » Crawford l'observait attentivement. « Ça va ?

— Je ne sais pas quoi en penser.

— Vous n'avez rien à en penser. Lecter a fait ça pour s'amuser. Il sait qu'on ne peut rien contre lui, alors pourquoi pas ? Chilton va lui enlever ses livres et le siège de ses waters

46

pendant un certain temps, et peut-être le priver de dessert. » Crawford joignit les mains sur son ventre et compara ses pouces. « Lecter vous a questionné à mon sujet ?

— Il m'a demandé si vous étiez très occupé. J'ai dit que oui.

— C'est tout ? Vous n'avez rien enlevé de personnel que vous ne vouliez pas que je voie ?

— Non. Il vous a traité de " stoïque ", mais je l'ai mis dans mon rapport.

— Oui, c'est vrai. Rien d'autre ?

— Non, je n'ai rien gardé pour moi. Vous ne croyez tout de même pas que je lui ai raconté des ragots et que c'est pour cela qu'il a accepté de me parler ?

— Non.

— Je ne sais rien de personnel sur vous et, même si c'était le cas, je n'en aurais pas discuté avec lui. Si vous ne me croyez pas, dites-le franchement.

— Je vous crois. Changeons de sujet.

— Vous pensiez à quelque chose, ou...

— Changeons de sujet, Starling.

— L'allusion de Lecter à la voiture de Raspail m'a menée à une impasse. Elle a été compressée il y a quatre mois à Number Nine Ditch, dans l'Arkansas, et vendue au recyclage. Peut-être que si je retournais lui parler, il m'en dirait plus.

— Vous avez exploité la piste jusqu'au bout ?

— Oui.

— Qui vous dit que Raspail ne possédait que la voiture qu'il conduisait ?

— Il n'y en avait qu'une d'immatriculée à son nom, et comme il était célibataire, je me suis imaginée que...

— Ah, ah, attendez. » L'index de Crawford se pointa sur quelque chose d'invisible, en l'air, entre eux. « Vous *imaginez*, Starling. » Crawford écrivit le mot *imaginer* sur son carnet de notes. Plusieurs des instructeurs de l'Ecole avaient piqué ce truc à Crawford et s'en servaient, mais Clarice ne dit pas qu'on lui avait déjà fait le coup.

Crawford entoura la racine du mot. « Si, quand je vous confie un travail, vous *imaginez*, vous allez donner une drôle d'*image* de l'Agence. » Il se laissa aller contre le dossier de son

47

siège. « Raspail collectionnait les voitures, vous ne le saviez pas?

— Non. Elles sont toujours dans la succession?

— Je ne sais pas. Vous pourriez vous en assurer?

— Certainement.

— Par où allez-vous commencer?

— Par son exécuteur testamentaire.

— Un avocat de Baltimore, un Chinois si je m'en souviens bien.

— Evrett Yow. Son numéro est dans l'annuaire.

— Vous est-il venu à l'idée qu'il vous faudrait peut-être un mandat pour fouiller la voiture de Raspail? »

Parfois le ton de Crawford rappelait à Clarice la chenille de Lewis Carroll, Mademoiselle Je-sais-tout.

Elle n'osait pas répliquer, pas vraiment. « Puisque Raspail est décédé et pur de tout soupçon, si son exécuteur testamentaire nous permet de fouiller la voiture, c'est une perquisition légale, et le fruit des recherches est une preuve recevable en justice, récita-t-elle.

— Tout à fait exact. Bien, je vais prévenir le bureau central de Baltimore que vous arrivez. Samedi, Starling, sur votre temps libre. Régalez-vous de ce fruit, si vous en récoltez un. »

Au prix d'un petit effort, Crawford réussit à ne pas la suivre des yeux lorsqu'elle sortit. De sa corbeille à papier, il tira entre deux doigts une boulette d'épais papier à lettres mauve. Il la défroissa sur son bureau. Rédigé dans une écriture élégante, cela parlait de sa femme :

Docteurs, qui vainement cherchez
Quel feu doit ce monde brûler,
N'avez-vous l'esprit de connaître
Que sa fièvre le pourrait être?

Jack, je suis vraiment désolé pour Bella.

Hannibal Lecter

Chapitre 8

Everett yow conduisait une Buick noire avec un autocollant de l'université De Paul sur la lunette arrière. Son poids faisait légèrement pencher la voiture sur la gauche, constata Clarice Starling qui le suivait sous la pluie, au sortir de Baltimore. Il faisait presque nuit ; sa journée d'investigation prendrait bientôt fin et elle n'en avait pas d'autre à sa disposition. Comme la circulation se traînait sur la 301, elle laissa un peu libre cours à son impatience en tapotant le volant au même rythme que les essuie-glaces.

Yow était gros, intelligent, et souffrait d'emphysème. Clarice lui donnait la soixantaine. Jusqu'à maintenant, il s'était montré accommodant. Ce n'était pas la faute de Yow si elle avait perdu sa journée ; de retour, en fin d'après-midi, d'un voyage d'affaires d'une semaine à Chicago, il était venu directement de l'aéroport à son bureau pour la recevoir.

La Packard de luxe appartenant à Raspail était déjà dans un entrepôt bien longtemps avant sa mort, lui expliqua Yow. Elle n'était pas immatriculée et n'avait jamais roulé. L'homme de loi l'avait vue une fois pour l'inclure dans l'inventaire établi peu après le meurtre de son client. Si l'enquêteur Starling était d'accord pour « lui laisser voir franchement et sur-le-champ » tout ce qu'elle trouverait et qui pourrait être préjudiciable aux intérêts de son client, il acceptait de lui montrer la voiture. Un mandat de perquisition, avec le retentissement qui s'ensuivrait, n'était pas nécessaire, avait-il dit.

Pour la journée, Clarice disposait d'une Plymouth du parc de voitures du FBI, équipée d'un téléphone, et d'une nouvelle carte d'identité fournie par Crawford, qui portait la mention

ENQUÊTEUR FÉDÉRAL ; elle expirait dans une semaine, remarqua Clarice.

Les deux voitures se dirigeaient vers les entrepôts de Split City, à environ six kilomètres de la ville. Tout en avançant comme un escargot, Clarice se servit du téléphone pour en apprendre le plus possible sur ces installations. Lorsqu'elle aperçut le panneau orange, ENTREPÔTS DE SPLIT CITY — CLEFS EN POCHE, elle possédait quelques faits nouveaux.

Split City avait accordé à un certain Bernard Gary une licence d'expédition de fret de la Commission du commerce entre Etats. Il avait failli être condamné pour transport de marchandises volées d'Etat à Etat par un tribunal fédéral, trois ans auparavant, et l'on était en train de revoir sa licence.

Yow tourna sous le panneau et montra ses clefs à un jeune homme boutonneux, en uniforme, qui se tenait à l'entrée. Celui-ci nota les numéros des voitures, ouvrit la barrière et leur fit signe de passer d'un air impatient, comme si d'autres tâches plus importantes l'attendaient.

C'était un endroit lugubre où soufflait le vent. Comme le vol dominical des divorcés de La Guardia à Juarez, ces entrepôts constituaient une industrie de service liée au stupide mouvement brownien de la population ; leur fonction consistait surtout à garder les biens dispersés après divorce. Les bâtiments étaient bourrés de salles à manger, de meubles de cuisine, de matelas tachés, de jouets et de photographies d'unions qui n'avaient pas marché. La police de Baltimore avait de bonnes raisons de supposer que les entrepôts de Split City abritaient aussi des objets de valeur soustraits aux tribunaux de commerce.

Cela ressemblait à des installations militaires : douze hectares de bâtiments en longueur, divisés par des cloisons ignifugées en locaux grands de la taille d'un beau garage, chacun fermé par un rideau de fer. Le tarif était raisonnable et certains objets restaient là pendant des années. La sécurité était assurée. Une double rangée de solides palissades entourait le site et des patrouilles de chiens circulaient entre elles vingt-quatre heures sur vingt-quatre.

Quinze centimètres de feuilles détrempées, de gobelets en carton et autres ordures s'étaient accumulés au pied du rideau de fer du local numéro 31, celui de la voiture de Raspail. Il était fermé, de chaque côté, par un gros cadenas. Le moraillon de gauche portait des scellés. Everett Yow se pencha avec difficulté pour les examiner. Clarice tenait le parapluie et l'éclairait avec une lampe de poche.

« On dirait que la porte n'a pas été ouverte depuis que je suis venu ici, il y a cinq ans, dit-il. Vous voyez, là, le sceau du notaire est intact. A l'époque, je ne pensais pas que la famille serait aussi chicanière et ferait traîner la succession pendant tant d'années. »

Yow prit à son tour le parapluie et la lampe pendant que Clarice photographiait la serrure et les scellés.

« M. Raspail avait un studio en ville, que j'ai libéré pour économiser le loyer aux héritiers, reprit-il. J'ai fait porter le mobilier ici et l'ai entreposé avec la voiture et d'autres choses qui y étaient déjà. Il y avait, je crois, un piano droit, des livres, des partitions et un lit. »

Yow essaya une clef. « La serrure est peut-être bloquée. En tout cas, elle est très dure. » Il avait du mal à se pencher et à respirer en même temps. Quand il tenta de s'accroupir, ses genoux craquèrent.

Clarice était contente de voir que les cadenas étaient d'un modèle standard en chrome. Ils étaient impressionnants, mais elle pourrait facilement faire sauter les cylindres métalliques avec un tournevis et un pied-de-biche — quand elle était enfant, son père lui avait montré comment opéraient les cambrioleurs. Le problème, c'était de trouver les outils ; elle ne disposait même pas du bric-à-brac qu'il y avait dans sa Pinto.

Elle fouilla dans son sac à main et trouva la bombe de dégivreur dont elle se servait pour la serrure de sa portière.

« Pas envie de vous reposer un peu dans votre voiture, monsieur Yow ? Vous pourriez vous asseoir au chaud, pendant que j'essaie ça. Gardez le parapluie, il bruine maintenant. »

Clarice rapprocha la Plymouth de la porte pour s'éclairer avec les phares. Elle sortit la jauge et mit un peu d'huile dans les serrures des cadenas, puis vaporisa du dégivreur pour la délayer. De sa voiture, M. Yow lui adressa un sourire approbateur. Clarice se réjouissait d'avoir affaire à un homme intelligent qui la laissait accomplir son travail en paix.

La nuit était tombée. Dans la lueur des phares, elle se sentait vulnérable ; la courroie du ventilateur crissait dans ses oreilles tandis que le moteur tournait au ralenti. Elle avait verrouillé la portière de la Plymouth. M. Yow semblait inoffensif, mais elle préférait ne pas courir le risque d'être écrasée contre la porte.

Le cadenas sauta comme une grenouille dans sa main et s'ouvrit, lourd et huileux. L'autre, ayant eu plus de temps pour s'imbiber, céda plus facilement.

Le rideau de fer résistait. Clarice tira sur la poignée jusqu'à ce que des taches brillantes dansent devant ses yeux. Yow vint à la rescousse mais, à cause de sa hernie, il ne fut pas d'une grande aide.

« Nous pourrions revenir la semaine prochaine, avec mon fils, ou quelques ouvriers, proposa-t-il. J'aimerais bien ne pas rentrer trop tard chez moi. »

Clarice n'était pas du tout sûre de pouvoir revenir ; ce serait plus facile, pour Crawford, de prendre son téléphone et de repasser l'affaire à leur agent de Baltimore. « Je vais me dépêcher. Auriez-vous un cric ? »

Mettant le cric sous la poignée, Clarice pesa de toute sa force sur la manivelle. Avec un horrible gémissement, le rideau se releva d'un centimètre. Il semblait voilé au centre. Elle le remonta de deux centimètres, puis encore de deux et put alors le maintenir en place avec son pneu de secours ; elle installa son cric et celui de M. Yow de chaque côté, près des rails où le rideau glissait.

En manœuvrant alternativement les deux appareils, elle le leva d'une cinquantaine de centimètres ; puis le rideau se bloqua et plus rien ne put l'ébranler.

M. Yow vint jeter un coup d'œil par l'ouverture. Il ne pouvait pas rester baissé plus de quelques secondes.

« Ça sent la souris, remarqua-t-il. On m'avait assuré qu'on mettrait du poison. Je crois que c'est spécifié dans le contrat. Pas de rongeurs, disaient-ils. Mais je les entends, pas vous ?

— Si. » A la lumière de la lampe de poche, elle aperçut des boîtes en carton et un gros pneu à flancs blancs dépassant d'une bâche. Il était à plat.

Elle fit reculer la Plymouth jusqu'à ce que le faisceau des

phares passe sous la porte et elle sortit l'un des tapis de sol en caoutchouc.

« Vous allez entrer là-dedans ?

— Il faut que je jette un coup d'œil. »

Il sortit son mouchoir. « Puis-je vous suggérer de serrer les revers de vos pantalons autour de vos chevilles ? Pour empêcher les souris d'y monter.

— Merci, monsieur, c'est une très bonne idée. Si le rideau se refermait, dit-elle en riant, ou si quelque chose d'autre se produisait, seriez-vous assez gentil pour appeler ce numéro ? C'est celui de notre bureau à Baltimore. Ils savent que je suis ici, avec vous, et ils s'inquiéteraient s'ils n'avaient pas de mes nouvelles d'ici peu. Vous comprenez ?

— Oui. Bien sûr. » Il lui tendit les clefs de la Packard.

Clarice étala le tapis de caoutchouc sur le sol mouillé, devant la porte, et, les revers de ses pantalons bien serrés grâce à son mouchoir et à celui de Yow, elle se coucha dessus, en protégeant les lentilles de son appareil-photo avec le paquet de sacs en plastique pour les pièces à conviction. La bruine fouetta son visage ; l'odeur de souris et de moisi assaillit ses narines. Chose absurde, ce fut du latin qui lui vint alors à l'esprit.

C'était la devise des médecins romains, écrite au tableau par son professeur de médecine légale, le premier jour des cours : *Primum non nocere*. En premier lieu, ne pas nuire.

Il ne dirait pas cela dans un garage plein de putains de souris.

Et brusquement, elle entendit la voix de son père s'adressant à elle, la main appuyée sur l'épaule de son frère : « Si tu ne peux pas jouer sans rouspéter, rentre à la maison. »

Clarice boutonna son corsage jusqu'en haut, rentra le cou dans les épaules et se glissa sous la porte.

Elle se retrouva sous l'arrière de la Packard. La voiture était garée sur la gauche, presque contre le mur. A droite, des cartons empilés remplissaient l'espace laissé libre. Clarice rampa sur le dos jusqu'à ce que sa tête surgisse dans l'étroit intervalle entre les boîtes et le véhicule. Elle éclaira de sa lampe de poche la face escarpée de l'empilement. Beaucoup d'araignées s'y étaient installées. C'était surtout des épeires, aux toiles parsemées de petits cadavres ratatinés.

Bon, la seule dangereuse, c'est la veuve noire et elle ne s'installerait pas en plein air. Les piqûres des autres ne laissent même pas de trace.

Il devait y avoir de la place près du pare-chocs arrière. Elle se tortilla pour sortir de sous la voiture et se retrouva le visage contre le gros pneu à flancs blancs. Il était hachuré de pourriture sèche. On pouvait lire dessus les mots GOODYEAR DOUBLE EAGLE. Elle se mit debout, avec précaution, une main devant la figure pour écarter les toiles. Est-ce ce que l'on éprouve lorsqu'on est obligée de porter un voile ?

« Ça va, mademoiselle Starling ? lui demanda Yow.

— Ça va. » Le son de sa voix déclencha des galopades et une souris, à l'intérieur du piano, grimpa sur les notes hautes. Les phares éclairaient ses jambes jusqu'au mollet.

« Vous avez trouvé le piano, à ce que j'entends ? cria M. Yow.

— Ce n'était pas moi.

— Oh ! »

La voiture était haute et longue. Une limousine de 1938, d'après l'inventaire de Yow. Un tapis la recouvrait, côté pelucheux en dedans. Elle fit courir le faisceau lumineux dessus.

« C'est vous qui l'avez recouverte d'un tapis ?

— Je l'ai trouvée comme cela et je n'ai touché à rien, dit Yow par-dessus le rideau de fer. Je ne voulais pas remuer un tapis plein de poussière. C'est Raspail qui avait fait ça. Je me suis contenté de constater que la voiture était là. Mes déménageurs ont poussé le piano contre le mur, l'ont recouvert d'une bâche, ont ajouté quelques piles de boîtes et sont partis. Je les payais à l'heure. Les cartons sont pleins de livres et de partitions. »

Le tapis était épais et lourd ; lorsqu'elle tira dessus, la poussière dansa dans le faisceau de sa lampe. Elle éternua deux fois. Debout sur la pointe des pieds, elle le replia sur le toit de la voiture. Les rideaux des vitres arrière étaient fermés. Elle dut se pencher par-dessus les cartons pour atteindre la poignée couverte de poussière. Elle essaya de l'ouvrir. Fermée. Il n'y avait pas de serrure à l'arrière. Il lui faudrait déplacer pas mal de boîtes pour arriver jusqu'à la portière avant et elle manquait d'espace où les mettre. Le rideau de la vitre arrière n'était pas complètement tiré.

Clarice se pencha par-dessus les cartons pour mettre son œil au carreau et éclairer l'intérieur. Elle ne vit que son reflet jusqu'à ce qu'elle referme la main en coupe sur sa lampe. Un mince faisceau, diffusé par la vitre poussiéreuse, se déplaça sur le siège. Un album y était posé, ouvert. Elle vit des cartes de la Saint-Valentin, aux couleurs ternes à cause du mauvais éclairage, collées sur les pages. Des cartes postales anciennes, bordées de dentelle de papier.

« Merci beaucoup, docteur Lecter. » Quand elle parla, sa respiration agita les flocons de poussière du rebord de la vitre et embua celle-ci. Clarice ne voulait pas l'essuyer, aussi dut-elle attendre qu'elle s'évapore. La lumière, en bougeant, révéla un plaid chiffonné, tombé sur le plancher et, dessus, le miroitement terni d'une paire d'escarpins vernis. Plus haut, des socquettes de soie noire et, plus haut encore, un pantalon de smoking, avec des jambes dedans.

Personnen'estvenuicidepuiscinqans — du calme, du calme, Clarice.

« Monsieur Yow ? Vous êtes là, monsieur Yow ?

— Oui.

— On dirait qu'il y a quelqu'un, assis dans cette voiture.

— Oh, mon Dieu. Vous feriez peut-être mieux de sortir, mademoiselle Starling.

— Pas encore, monsieur Yow. Ne vous éloignez pas, je vous en prie. »

C'est le moment de réfléchir sérieusement. C'est plus important que toutes les conneries que tu pourras raconter à ton oreiller pendant le reste de ta vie. Essaie de piger et de ne pas te gourer, Clarice. Je n'ai pas envie de détruire les indices. J'ai besoin d'aide. Mais je ne veux surtout pas crier au loup. J'aurais l'air fine si je faisais venir les flics de Baltimore pour rien. Je vois quelque chose qui ressemble à des jambes. M. Yow ne m'aurait pas amenée ici s'il avait su qu'il y avait un macchabée dans la voiture. Elle réussit à sourire. « Un macchabée », c'était de la bravade. *Personne n'est venu ici depuis la dernière visite de Yow. Bon. Ça veut dire que lorsqu'on a mis les cartons, il était déjà dans la voiture. Et que je peux les déplacer sans perdre un indice important.*

« Tout va bien, monsieur Yow.

— Bon. Faut-il appeler la police ou pouvez-vous vous débrouiller toute seule, agent Starling ?

— Je vais bientôt le savoir. Ne bougez pas d'ici, je vous en prie. »

Le problème des cartons était aussi casse-tête qu'un Rubik's Cube. Elle essaya de travailler avec la lampe de poche sous le bras, la fit tomber deux fois et finit par la poser sur le toit de la voiture. Elle dut empiler des boîtes derrière elle, mais les plus petites, pleines de livres, tenaient sous la voiture. Elle se fit mal au pouce, probablement une coupure ou une écharde.

Maintenant, elle pouvait voir la place du chauffeur à travers la vitre poussiéreuse de la portière avant. Une araignée avait filé sa toile entre l'énorme volant et le levier de vitesses. La paroi vitrée, qui séparait l'avant de l'arrière, était fermée.

J'aurais dû penser à huiler la clef de la Packard avant d'entrer, se dit Clarice ; mais quand elle la mit dans la serrure, elle fonctionna.

Il n'y avait pas assez de place pour que la portière s'ouvre complètement. Elle heurta violemment les cartons, ce qui provoqua des grattements frénétiques, et tira encore quelques notes du piano. Une odeur de pourriture et de produits chimiques sortit de la voiture. Cela évoqua un souvenir que Clarice ne pouvait identifier.

Elle se pencha à l'intérieur, ouvrit la vitre derrière le siège du chauffeur, et éclaira le compartiment arrière. La lumière révéla d'abord les boutons d'une chemise de soirée, puis remonta rapidement du plastron au visage — pas de visage à voir —, redescendit de nouveau, fit briller les boutons et les revers de satin, descendit jusqu'à la braguette ouverte, puis remonta de nouveau vers le nœud papillon et le col d'où sortait le cou blanc d'un mannequin. Mais au-dessus, quelque chose d'autre reflétait un peu de lumière. Un morceau de tissu, une cagoule noire, là où aurait dû se trouver la tête, énorme ; on aurait dit que cela recouvrait une cage à perroquet. Du velours, se dit Clarice. L'objet était sur une planche en contre-plaqué posée sur le cou du mannequin et appuyée sur la lunette arrière.

Elle prit plusieurs photos, en fermant les yeux au moment du flash. Puis elle se redressa. Trempée, couverte de toiles d'araignée, elle réfléchit dans l'obscurité à ce qu'elle allait faire.

Ce qu'elle n'allait *pas* faire, c'était convoquer leur agent spécial en poste à Baltimore pour regarder un mannequin à la braguette ouverte et un album de cartes de la Saint-Valentin.

Lorsqu'elle eut décidé d'entrer dans la voiture et de soulever la cagoule, elle préféra ne plus y penser et agir sur-le-champ. Elle passa la main par-dessus le dossier du chauffeur, déverrouilla la portière arrière puis redéplaça encore des cartons pour l'ouvrir. Elle s'empara soigneusement de l'album, en le tenant par les coins, et le glissa dans un sac de plastique qu'elle posa sur le toit de la voiture. Elle étala un autre sac à pièces à conviction sur le siège.

Lorsqu'elle s'assit à l'intérieur, les ressorts grincèrent et le mannequin s'inclina vers elle. La main droite, dans son gant blanc, glissa de la cuisse jusque sur le siège. Clarice tâta le gant. A l'intérieur, la main était dure. Avec précaution, elle dégagea un peu le poignet ; il était en matière synthétique blanche. La protubérance qui gonflait le pantalon lui rappela certains événements de sa vie de lycéenne.

Des petites galopades se firent entendre sous le siège.

Doucement, comme une caresse, sa main tâta la cagoule. Le tissu bougeait facilement sur quelque chose de dur et de lisse. Quand elle sentit la grosse bosse, au sommet, elle comprit. C'était un grand bocal de laboratoire et elle savait ce qu'il y avait dedans. Avec appréhension, mais sans le moindre doute, elle tira sur l'étoffe.

La tête enfermée dans le bocal avait été tranchée net, juste sous la mâchoire. Elle tournait vers Clarice des yeux décolorés depuis longtemps par l'alcool. La bouche était ouverte et la langue, grise, dépassait un peu. Avec le temps, l'alcool s'était en partie évaporé et la tête reposait au fond du récipient ; le haut du crâne dépassait du liquide, formant une espèce de toque de pourriture. Tournée selon un angle impossible par rapport au corps qui était en dessous, elle regardait stupidement Clarice, bouche bée. Bien que celle-ci promenât dessus son faisceau de lumière, elle restait muette et morte.

Clarice étudia ses réactions. Elle était satisfaite. Grisée, même. Elle se demanda, brièvement, si c'étaient là des sentiments louables. Assise dans cette vieille voiture en compagnie d'une tête et de quelque souris, elle réussissait à penser clairement et en éprouvait de la fierté.

« Alors, Toto, on n'est plus en Arkansas. » Elle avait

toujours rêvé de se conduire ainsi, dans les moments difficiles, mais ces mots sonnaient faux et elle se réjouit que personne ne l'ait entendue. Au travail.

Elle s'appuya avec précaution contre le dossier du siège et regarda autour d'elle.

Cet environnement choisi, créé, par quelqu'un, était à un millier d'années-lumière de la circulation qui se traînait sur la 301.

Aux montants des banquettes étaient fixés des vases de cristal taillé dont les fleurs desséchées penchaient la tête. Sur la tablette de la limousine, dépliée et recouverte d'une nappe, une carafe brillait encore malgré la poussière. Une araignée avait tissé sa toile entre elle et le petit chandelier posé à côté.

Elle essaya de s'imaginer Lecter, ou quelqu'un d'autre, installé là avec son compagnon actuel, en train de boire un verre et de feuilleter un album de la Saint-Valentin. Et quoi d'autre ? Avec précaution, afin de ne rien déranger, elle fouilla le mannequin. Pas de papiers. Dans une poche de la veste, elle trouva les deux bandes de tissu qui étaient restées après que l'on eut retouché la longueur du pantalon — l'habit de soirée était probablement neuf, quand on en avait revêtu le mannequin.

Clarice posa la main sur la protubérance du pantalon. Trop dure, même pour un lycéen, pensa-t-elle. Elle écarta la braguette et braqua la lumière sur un godemiché de bois poli et marqueté. Il était de bonne taille, pensa-t-elle en se demandant si elle était dépravée.

Soigneusement, elle fit tourner le bocal et examina les côtés et l'arrière de la tête, à la recherche de blessures éventuelles. Rien de visible. Le nom du fabricant était moulé dans le verre.

Elle pensa avoir appris quelque chose de durable. Etudier ce visage, avec cette langue qui changeait de couleur là où elle touchait le verre, ce n'était pas aussi horrible que de rêver de Miggs avalant la sienne. Elle se croyait maintenant capable de regarder n'importe quoi, à condition d'avoir quelque chose de positif à faire. Clarice était vraiment naïve.

Dans les dix secondes qui suivirent l'arrêt de l'unité mobile de la chaîne télévisée WPIK, Jonetta Johnson mit ses boucles d'oreilles, poudra son joli visage brun et étudia la situation. Elle et son équipe du journal, toujours à l'écoute de la radio de la police, étaient arrivés les premiers aux entrepôts de Split City.

Tout ce que l'équipe voyait, à la lumière des phares, c'était Clarice Starling devant la porte du garage, les cheveux plaqués par la pluie, brandissant sa lampe de poche et sa carte d'identité plastifiée.

Jonetta Johnson repérait un bleu au premier coup d'œil. Elle descendit, suivie des cameramen, et s'approcha de Clarice. Les projecteurs s'allumèrent.

M. Yow s'enfonça dans le siège de sa Buick afin que seul son chapeau dépasse du pare-brise.

« Jonetta Johnson, des infos de la WPIK, vous avez signalé un homicide ? »

Clarice ne ressemblait guère à un représentant de la loi, et elle le savait. « Je suis un agent fédéral ; il s'agit d'un crime. Je dois garder les lieux jusqu'à ce que la police de Baltimore... »

L'assistant cameraman s'était emparé de la poignée du rideau de fer et tentait de le relever.

« Arrêtez, dit Clarice. C'est à vous que je parle. Arrêtez. N'insistez pas, s'il vous plaît. Je ne plaisante pas. Je vous demande de coopérer. » Elle aurait bien voulu avoir un badge, un uniforme, quelque chose.

« Ça suffit, Harry, dit la journaliste, puis se tournant vers Clarice : Nous sommes d'accord. Mais pour ne rien vous cacher, cette équipe coûte de l'argent et il faut que je sache si cela vaut la peine de rester ici jusqu'à l'arrivée de la police. Dites-moi, il y a un cadavre là-dedans ? Hors antenne, juste entre nous. Dites-le-moi et nous attendrons. Nous serons sages, je vous le promets. Alors ?

— Si j'étais vous, j'attendrais, répondit Clarice.

— Merci, vous ne le regretterez pas, dit Jonetta. Ecoutez, j'ai des tuyaux sur les entrepôts de Split City, qui peuvent vous être utiles. Vous voulez bien éclairer mon bloc-notes ? Voyons si je peux trouver ça.

— Joney, l'unité mobile WEYE vient d'arriver au portail, dit l'homme qui s'appelait Harry.

— Voyons. Il s'agit d'un scandale qui a éclaté il y a environ deux ans, quand on a essayé de prouver que ce lieu servait à entreposer... étaient-ce des feux d'artifice ? » Jonetta Johnson regarda une fois de trop par-dessus l'épaule de Clarice.

Celle-ci se retourna et vit le cameraman couché sur le dos, la tête et les épaules dans le garage, l'assistant accroupi à côté, prêt à lui passer la minicaméra sous la porte.

« Hé, vous ! » s'écria Clarice. Elle tomba à genoux sur le sol mouillé et tira le cameraman par la chemise. « Vous n'avez pas le droit d'entrer là-dedans. Hé ho ! Je vous dis de ne pas faire cela. »

Pendant qu'elle parlait, les hommes s'adressaient à elle, gentiment. « Nous ne toucherons à rien. Nous sommes des pros, vous n'avez rien à craindre. N'importe comment, les flics nous laisseront entrer. Tout va bien, ma jolie. »

Leur baratin enveloppant la mit hors d'elle.

Elle courut au cric qui était à l'extrémité de la porte et tourna la manivelle. La porte descendit de cinq centimètres en grinçant. Clarice continua jusqu'à ce que la porte touche la poitrine de l'homme. Comme il ne sortait pas, elle enleva la manivelle et revint près du cameraman couché sur le dos. D'autres projecteurs étaient maintenant allumés et, sous leurs feux, elle tapa dans le rideau de fer, au-dessus de lui, si fort qu'elle déclencha une pluie de poussière et de rouille.

« Faites un peu attention à ce que je vous dis. Vous m'écoutez, oui ou non ? Sortez de là. Immédiatement. Je vais vous arrêter pour entrave à l'action de la justice.

— Calmez-vous », dit l'assistant en posant la main sur son bras. Elle se tourna vers lui. Derrière les lumières éblouissantes, on criait des questions et elle entendit des sirènes.

« Bas les pattes et n'insistez pas, mec. » Elle mit le pied sur la cheville du cameraman et fit face à l'assistant, la manivelle à la main. Elle ne la brandit pas. Tant mieux pour elle. Elle fit déjà assez mauvaise impression comme ça, sur l'écran de télévision.

Chapitre 9

Dans la pénombre qui baignait le quartier des criminels, les odeurs semblaient plus intenses. Une télévision allumée, le son coupé, projetait l'ombre de Clarice Starling sur les barreaux de la cage du Dr Lecter.

Elle ne pouvait pas le voir, dans l'obscurité de sa cellule, mais elle ne demanda pas au gardien d'allumer. Il éclairerait tout le service et elle savait que la police de Baltimore avait, pendant des heures, hurlé ses questions, toutes lumières allumées. Lecter avait refusé de répondre et s'était contenté de leur fabriquer une cocotte en papier qui picorait quand on manœuvrait la queue. L'inspecteur, furieux, avait écrasé la cocotte en papier dans le cendrier du couloir tout en faisant signe à Clarice d'entrer en scène.

« Docteur Lecter ? » Elle entendait sa propre respiration et d'autres, plus loin, mais aucun bruit ne sortait de la cellule de Miggs, horriblement vide. Clarice sentait ce silence souffler comme un courant d'air.

Elle savait que Lecter la regardait dans l'ombre. Deux minutes s'écoulèrent. Ses jambes et son dos lui faisaient mal, à cause de la porte du garage, et ses vêtements étaient humides. Elle s'assit par terre sur son manteau, à distance respectueuse des barreaux, les pieds ramenés sous elle, et souleva ses cheveux mouillés et emmêlés, pour les décoller de sa nuque.

Derrière elle, sur l'écran de télé, un évangéliste faisait de grands gestes.

« Docteur Lecter, nous connaissons tous deux la situation. Ils croient que vous allez me parler. »

61

Silence. Plus loin, quelqu'un sifflota « Over the Sea to the Sky ».

Au bout de cinq minutes, elle dit : « C'était bizarre d'entrer là-dedans. J'aimerais bien vous en parler. »

Elle sursauta quand le passe-plat sortit de la cellule. Sur le plateau, il y avait une serviette propre, soigneusement pliée. Elle n'avait pas entendu Lecter bouger.

Elle la contempla puis, avec l'impression de déchoir, la prit et s'essuya les cheveux. « Merci.

— Pourquoi ne m'avez-vous pas questionné sur Buffalo Bill ? » Sa voix semblait proche et à peu près à son niveau. Il devait être assis par terre, lui aussi.

« Vous savez quelque chose sur lui ?

— Peut-être, si je voyais son dossier.

— Je ne l'ai pas.

— Celui-ci non plus, vous ne l'aurez pas, quand ils n'auront plus besoin de vous.

— Je sais.

— Vous pouvez obtenir certaines pièces du dossier de Buffalo Bill. Les rapports et les photos. J'aimerais bien les voir. »

Je m'en doute. « Docteur Lecter, c'est vous qui avez déclenché tout ça. Je vous en prie, parlez-moi de l'homme qui est dans la Packard.

— Vous avez trouvé un homme entier ? Bizarre. Je n'ai vu qu'une tête. D'où peut provenir le reste, à votre avis ?

— D'accord. La *tête*, elle appartenait à qui ?

— Que savez-vous ?

— On n'a que les renseignements préliminaires. Un mâle, blanc, d'environ vingt-sept ans, des soins dentaires effectués en Amérique et en Europe. Qui était-ce ?

— L'amant de Raspail. Le musicien, à la flûte gluante.

— Quels ont été les circonstances de... comment est-il mort ?

— On hésite, mademoiselle Starling ?

— Non. Je vous demanderai cela plus tard.

— Je vais vous faire gagner du temps. Ce n'est pas moi qui l'ai tué, mais peut-être Raspail. Il aimait les marins. Il s'agit d'un Scandinave prénommé Klaus. Raspail ne m'a jamais dit son nom de famille. »

La voix de Lecter paraissait venir de plus bas. Peut-être s'était-il allongé par terre, pensa-t-elle.

« Klaus débarqua d'un bateau suédois à San Diego. Raspail donnait des cours, pendant l'été, au conservatoire de la ville. Il tomba amoureux fou du jeune homme. Le Suédois y vit son intérêt et resta à terre. Ils achetèrent une espèce d'horrible camping-car et vécurent dans les bois, nus comme des sylphes. Raspail m'a dit que le marin lui étant infidèle, il l'avait étranglé.

— Raspail vous a dit ça ?

— Oui, sous le sceau du secret professionnel. Je pense que c'était un mensonge. Raspail embellissait toujours les faits. Il voulait avoir l'air dangereux et romantique. Le Suédois est probablement mort d'une banale asphyxie lors d'une séance érotique. Raspail était trop mou et trop faible pour l'étrangler. Avez-vous remarqué que la tête était coupée juste sous la mâchoire ? Sans doute pour dissimuler les marques d'une pendaison.

— Je vois.

— Le rêve de bonheur de Raspail était brisé. Il mit la tête de Klaus dans un sac de bowling et revint dans l'Est.

— Qu'a-t-il fait du corps ?

— Il l'a enterré dans les collines.

— Il vous a montré la tête, dans sa voiture ?

— Oh oui ; en cours de thérapie, il s'est mis à croire qu'il pouvait tout me dire. Il allait souvent s'asseoir près de Klaus et lui montrait ses cartes de la Saint-Valentin.

— Raspail aussi est... mort. Pourquoi ?

— Franchement, je ne supportais plus ses jérémiades. Ça valait mieux pour lui, d'ailleurs. La thérapie était inefficace. Je suppose que la plupart des psychiatres ont un ou deux patients qu'ils aimeraient bien me repasser. C'est la première fois que j'en parle et cela commence déjà à m'assommer.

— Et le dîner offert aux responsables de l'orchestre ?

— Cela ne vous est jamais arrivé, Clarice, de ne pas avoir le temps de faire des courses alors que vous attendez des invités ? Il faut se débrouiller avec ce qu'il y a dans le réfrigérateur. Vous permettez que je vous appelle Clarice ?

— Oui. Je peux vous appeler... ?

— Docteur Lecter — cela convient mieux à votre âge et à votre position.

— Bien.

— Qu'avez-vous éprouvé en entrant dans le garage?

— De la crainte.

— Pourquoi?

— A cause des souris et des araignées.

— Vous utilisez un truc pour vous donner du courage?

— Rien n'agit, que je sache, sauf le désir d'accomplir mon travail.

— Est-ce que des souvenirs vous viennent alors à l'esprit, que vous le vouliez ou non?

— Peut-être. Je n'y ai jamais pensé.

— Des choses de votre enfance.

— Il faudra que je fasse attention.

— Qu'avez-vous ressenti en apprenant ce qui est arrivé à mon ex-voisin, Miggs? Vous ne m'avez pas interrogé là-dessus.

— J'allais y venir.

— Vous n'avez pass été *contente* d'apprendre sa mort?

— Non.

— Ça vous a rendu *triste*?

— Non. C'est vous qui l'avez poussé à faire cela?»

Lecter rit doucement. «Vous me demandez si j'ai *incité* M. Miggs a commettre un suicide, c'est-à-dire un délit? Ne soyez pas stupide. Mais vous ne trouvez pas qu'il y a une certaine symétrie, assez agréable, dans le fait qu'il ait avalé cette langue si grossière?

— Non.

— Vous mentez, agent Starling. C'est votre premier mensonge avec moi. Un *triste* motif, comme aurait dit Truman.

— Le président Truman?

— Peu importe. Pourquoi croyez-vous que je vous ai aidée?

— Je n'en sais rien.

— Jack Crawford vous aime bien, n'est-ce pas?

— Je l'ignore.

— C'est probablement faux. Cela vous plairait qu'il vous aime bien? Dites-moi, éprouvez-vous le besoin de lui plaire et cela vous ennuie-t-il? Vous méfiez-vous de ce désir de lui plaire?

— Tout le monde a envie de plaire, docteur Lecter.

— Pas tout le monde. Croyez-vous que Jack Crawford vous désire sexuellement ? Je sais qu'il est très frustré. Croyez-vous qu'il imagine... des scénarios, des mises en scène... au cours desquels il baise avec vous ?

— Cela ne m'intéresse absolument pas, docteur Lecter ; de plus, c'est le genre de chose que Miggs demanderait.

— Il ne le fera plus.

— Lui auriez-vous conseillé d'avaler sa langue ?

— Ce conditionnel, plus votre accent, ça pue vraiment la provinciale. Il est clair que Crawford vous aime bien et vous juge compétente. Ce bizarre concours de circonstances ne vous a sûrement pas échappé. Clarice... vous avez bénéficié de l'aide de Crawford et de la mienne. Vous prétendez ne pas savoir pourquoi Crawford vous a aidée... alors, savez-vous pourquoi moi, je l'ai fait ?

— Non. Dites-le-moi.

— Croyez-vous que c'est parce que j'aime bien vous regarder et que je pense au goût que vous auriez si je vous mangeais ?

— C'est pour cela ?

— Non. Je veux quelque chose que Crawford peut me donner et je souhaite lui proposer un marché. Mais il ne viendra pas me voir. Il ne me demandera pas de l'aider, pour Buffalo Bill, bien qu'il sache que cela sauverait la vie de plusieurs jeunes femmes.

— J'ai du mal à vous croire, docteur Lecter.

— Ce que je veux est très simple et il peut me le procurer. » Lecter tourna lentement le curseur de sa lampe. Ses livres et ses dessins avaient disparu. Le siège de ses waters aussi. Chilton avait vidé sa cellule pour le punir du suicide de Miggs.

« Cela fait huit ans que je suis dans cette pièce, Clarice. Je sais qu'on ne me laissera jamais sortir. Ce que je veux, c'est une fenêtre d'où je pourrais voir un arbre, ou même de l'eau.

— Est-ce que votre avocat a déposé une demande... ?

— Chilton a fait mettre, devant ma cellule, cette télévision réglée sur une chaîne religieuse. Dès que vous serez partie, le garde remettra le son et mon avocat ne peut rien faire pour empêcher cela, étant donné les sentiments de la cour à mon égard. Je veux être transféré dans un établissement fédéral, je veux qu'on me rende mes livres et je veux une fenêtre. Je donnerai quelque chose d'important en échange. Crawford peut le faire. Demandez-le-lui.

— Je vais lui répéter ce que vous m'avez dit.

— Il n'en tiendra pas compte. Et Buffalo Bill continuera à tuer. Le jour où il en scalpera une, on verra si cela vous plaira. Hummmmm... Je vais vous dire une chose sur Buffalo Bill, même sans voir son dossier ; et dans quelques années, quand on l'attrapera, si jamais on y arrive, vous comprendrez que j'avais raison et que j'aurais pu vous aider. Que j'aurais pu sauver des vies. Clarice ?

— Oui ?

— Buffalo Bill habite une maison et non un appartement. »
Et Lecter éteignit sa lumière.

Il ne dirait plus rien.

Chapitre 10

CLARICE STARLING, appuyée contre une table du casino du FBI, s'efforçait d'écouter la conférence sur le blanchiment de l'argent dans le monde du jeu. Trente-six heures s'étaient écoulées depuis que la police de Baltimore avait enregistré sa déposition (via un agent qui fumait comme un sapeur et tapait avec deux doigts : « Vous n'avez qu'à essayer d'ouvrir cette fenêtre si la fumée vous gêne ») et l'avait congédiée en lui rappelant que le meurtre n'est pas un délit fédéral.

Au journal de dimanche soir, on avait vu Clarice aux prises avec les cameramen de la télévision et, maintenant, elle était sûrement dans le pétrin. Pas un mot de Crawford ou du bureau de Baltimore. On aurait dit que son rapport était tombé dans un trou.

Le petit casino où elle se trouvait avait fonctionné dans une remorque de camion jusqu'à ce que le FBI s'en empare et en fasse don à l'école, comme matériel pédagogique. La petite salle tout en longueur était pleine de policiers venus de tous les horizons ; Clarice avait poliment refusé les sièges de deux membres de la police montée du Texas et d'un détective de Scotland Yard.

Ses camarades étaient dans le hall du collège, en train de chercher des cheveux sur l'authentique moquette de la « Chambre du crime sexuel » et des empreintes dans la « Banque Américaine Standard ». Clarice avait déjà passé tant d'heures à ce genre de choses, en tant qu'étudiante en médico-légal, qu'on avait préféré l'envoyer à cette conférence destinée aux policiers de passage.

Elle se demanda si on ne l'avait pas séparée de ses camarades pour une autre raison : peut-être qu'on vous isolait avant de vous flanquer à la porte.

Accoudée à la table de dés, Clarice essaya de se concentrer sur le blanchiment de l'argent dans le monde du jeu. Mais elle ne cessait de se dire qu'en dehors des conférences de presse, le FBI détestait voir ses agents à la télévision.

Le Dr Hannibal Lecter, c'était une aubaine pour les médias, et la police de Baltimore avait, sans scrupules, livré son nom aux journalistes. Clarice ne cessait de se voir et de se revoir au journal de dimanche soir... « Starling du FBI », en train de taper dans la porte du garage à coups de manivelle tandis que le cameraman tentait de se glisser dessous. Et puis « l'agent fédéral Starling » menaçant l'assistant, la manivelle à la main.

Jonetta Johnson, de WPIK, révélait d'un bout à l'autre du pays que Starling avait fait cette macabre découverte grâce à « ses relations mystérieuses avec un homme que la police appelle un... *monstre !* ». Il était clair que quelqu'un de l'hôpital l'avait informée.

La FIANCÉE DE FRANKENSTEIN !! clamait le *National Tattler* sur les rayons des supermarchés.

Le FBI n'avait fait aucune déclaration officielle mais, à l'intérieur de l'Agence, les commentaires devaient aller bon train, Clarice en était sûre.

Au petit déjeuner, l'un de ses camarades, un jeune homme qui sentait l'after-shave Canoë à dix mètres, l'avait appelée « Melvin Pelvis », un stupide jeu de mots sur le nom de Melvin Purvis, l'agent numéro un du FBI sous Herbert Hoover, dans les années trente. Ardelia Mapp lui avait dit quelque chose qui l'avait fait pâlir et abandonner son petit déjeuner intact.

Clarice était dans ce curieux état d'esprit où l'on s'attend à tout. Depuis vingt-quatre heures, elle baignait dans le silence vibrant d'une plongée. Mais elle avait l'intention de se défendre, dans la mesure du possible.

Tout en parlant, le conférencier faisait tourner la roulette, mais ne laissait jamais tomber la balle. En le regardant, Clarice se dit qu'il n'avait jamais dû laisser lancer une balle de sa vie. Maintenant, il était en train de dire : « Clarice Starling. » Pourquoi disait-il « Clarice Starling » ? *C'est moi.*

« Oui », répondit-elle.

Le conférencier désigna, d'un geste du menton, la porte, derrière elle. Ça y était. Son avenir se dérobait sous elle lorsqu'elle se retourna. C'était Brigham qui la désignait du doigt, dans la foule. Il lui fit signe de le rejoindre.

Durant une seconde, elle se dit qu'on la virait, mais cela n'entrait pas dans les attributions de Brigham.

« En selle, Starling. Où est votre équipement de terrain ?

— Dans ma chambre, aile C. »

Elle devait marcher vite pour rester à son niveau.

Il portait la grosse trousse à empreintes — la bonne, pas le joujou qui servait aux exercices — et un petit sac en toile.

« Vous partez avec Jack Crawford. Prenez des affaires pour une nuit. Vous reviendrez peut-être ce soir, mais on ne sait jamais.

— Où allons-nous ?

— En Virginie. Au point du jour, des chasseurs de canards ont vu un cadavre flotter dans l'Elk River. Une victime du type Buffalo Bill. La police locale est en train de la tirer de l'eau. Ce sont de vrais bricoleurs, les flics de là-bas, et Jack ne peut pas compter sur eux pour les détails. » Brigham s'arrêta à la porte de l'aile C. « Il a besoin de quelqu'un qui sache, entre autres, prendre les empreintes d'une noyée. Vous avez été troufion dans un labo, vous pouvez faire ça, non ?

— Oui, laissez-moi vérifier le matériel. »

Brigham maintint la trousse à empreintes ouverte pendant que Clarice en soulevait les plateaux. Les fines aiguilles hypodermiques et les flacons étaient là, mais pas la caméra.

« J'ai besoin d'un Polaroïd macro, le CU-5, de pellicules et de piles.

— Je vais vous trouver ça. »

Il lui tendit le petit sac en toile et, au poids, elle comprit pourquoi c'était lui qui était venu la chercher.

« Vous n'êtes pas encore armée, hein ?

— Non.

— Il vous faut le grand jeu. C'est le harnachement que vous portiez sur le stand de tir. Le pistolet, c'est le mien. Un Smith comme celui avec lequel vous vous entraînez, mais entièrement révisé. Entraînez-vous sans balle ce soir dans votre chambre.

J'arrive en voiture dans dix minutes avec la caméra, derrière l'aile C. Ecoutez, il n'y a pas de chiottes dans le Canoë Bleu. Je vous conseille d'y aller pendant que vous le pouvez encore. Au trot, Starling. »

Elle tenta de lui poser une question, mais il était déjà parti.

Si Crawford se dérangeait lui-même, il s'agissait de Buffalo Bill. Que diable pouvait bien être le Canoë Bleu ? Mais quand on fait son sac, il vaut mieux ne pas penser à autre chose. Elle s'y attela, vite et bien.

« Ce n'est pas très...

— Ça va, l'interrompit Brigham lorsqu'elle monta dans la voiture. Quelqu'un qui chercherait à savoir si vous êtes armée verrait la crosse sous votre veste, mais ça va pour le moment. » Elle portait le pistolet à canon court dans un étui plat, serré contre ses côtes, plus un chargeur rapide enfilé à sa ceinture, de l'autre côté.

Brigham fonça vers la piste d'atterrissage de Quantico, juste à la limite de la vitesse permise.

Il s'éclaircit la gorge : « Une bonne chose, Starling, c'est qu'on ne fait pas de politique sur le champ de tir.

— Vraiment ?

— Vous aviez raison de protéger le garage, là-bas, à Baltimore. Vous vous faites du souci au sujet de la télé ?

— J'aurais raison de m'en faire ?

— Ce que je vais dire restera entre nous, d'accord ?

— D'accord. »

Brigham rendit son salut au Marine qui dirigeait la circulation.

« En vous emmenant aujourd'hui, Jack fait savoir à tout le monde qu'il a confiance en vous, dit-il. Au cas où un type du Service du personnel aurait votre dossier devant lui et les boyaux en révolution, vous comprenez ce que je veux dire ?

— Mmmmmm.

— Crawford est un gars qui n'a pas peur d'afficher ses opinions. Il a montré clairement, à qui de droit, que vous aviez bien fait de protéger les lieux. Il vous avait laissée y aller toute nue... je veux dire, sans signe d'autorité visible, et cela aussi il l'a dit. De plus, les flics de Baltimore ont mis un bon moment pour arriver. Crawford a besoin d'aide, tout de suite, et il aurait dû attendre une heure pour que Jimmy Price lui trouve quelqu'un du labo. Vous tombiez à pic, Starling. Une noyée, ce n'est pas non plus une partie de plaisir. Il ne s'agit pas d'une punition, mais si quelqu'un a envie de le prendre comme ça... Vous voyez, Crawford est un type très subtil, mais il n'aime pas s'expliquer, c'est pour cela que je vous dis tout ça. Si on travaille avec Crawford, il faut savoir de quoi il retourne, vous comprenez ?

— Pas vraiment.

— Il a bien d'autres soucis que Buffalo Bill. Sa femme, Bella, est très malade... mourante, même. Il l'a ramenée chez lui. Sans Buffalo Bill, il aurait pris un congé pour raisons de famille.

— Je n'étais pas au courant.

— On n'en parle pas. Ne lui dites pas que vous êtes désolée, cela ne changerait rien... Ils ont passé de bons moments ensemble.

— Merci de m'avoir dit ça. »

Brigham reprit la parole lorsqu'ils arrivèrent à la piste d'envol. « A la fin de mes cours sur les armes à feu, je dis deux ou trois choses importantes, essayez d'y être, Starling. » Il prit un raccourci entre les hangars.

« J'y serai.

— Ecoutez, ce que je vous apprends, j'espère que vous n'en aurez jamais besoin. Je l'espère vraiment. Mais vous êtes plutôt douée, Starling. Si vous étiez obligée de tirer, vous en seriez capable. Faites bien vos exercices.

— D'accord.

— Ne le mettez jamais dans votre sac.

— Entendu. »

Un vénérable Beechcraft bimoteur attendait sur la piste, les feux anti-collision allumés et la porte ouverte. Une hélice tournait, couchant l'herbe qui avoisinait le bitume.

« C'est ça, le Canoë Bleu ?

— Ouais.

— Il est vieux, et petit.

— Il est vraiment vieux, dit gaiement Brigham. La Brigade des stupéfiants s'en est emparée en Floride, il y a des années, quand il est tombé dans les Everglades. J'espère que Gramm et

Rudman ne savent pas que nous nous en servons — nous sommes censés voyager en car. » Il s'arrêta à côté de l'avion et sortit les bagages de Clarice du siège arrière. Il réussit à les lui donner tout en lui serrant la main.

Puis, sans en avoir eu l'intention, Brigham dit : « Que Dieu vous protège, Starling. » Ces paroles semblaient bizarres dans la bouche du Marine. Elles lui avaient échappé, et il rougit.

« Merci... merci, monsieur Brigham. »

Crawford, en manches de chemise et lunettes de soleil, était installé sur le siège du copilote. Il se tourna vers Clarice quand il entendit claquer la porte.

Elle ne voyait pas ses yeux derrière les verres fumés et se rendit compte qu'en fait elle ne le connaissait pas. Crawford était pâle et dur, comme une racine qu'un bulldozer remonte au jour.

« Asseyez-vous et lisez », dit-il en guise de salutation.

Un gros dossier était posé sur le siège à côté de lui. Sur la couverture, il y avait écrit BUFFALO BILL. Clarice le serra contre sa poitrine tandis que le Canoë Bleu, pétaradant et trépidant, commençait à rouler

Chapitre 11

LES bords de la piste s'estompèrent et disparurent. A l'est, le soleil matinal jeta une flèche de lumière sur la baie de Chesapeake tandis que le petit avion s'extirpait du trafic.

Clarice Starling aperçut l'Ecole et la base militaire de Quantico. Sur le parcours du combattant, de minuscules silhouettes de Marines couraient à toute vitesse.

Alors, c'était comme ça, vu d'en haut.

Un soir, après un exercice de tir, alors qu'elle marchait, pour réfléchir, dans Hogan's Alley sombre et déserte, elle avait entendu des avions passer en rugissant puis, dans le silence revenu, des voix crier dans le ciel noir, au-dessus de sa tête — des parachutistes s'exerçant au saut nocturne et se hélant les uns les autres tandis qu'ils descendaient dans les ténèbres. Elle s'était demandé quelle impression cela faisait d'attendre l'ordre de sauter, puis de plonger dans l'obscurité et le mugissement du vent.

Cela ressemblait peut-être à cela.

Elle ouvrit le dossier.

Pour autant qu'on le sache, Bill était cinq fois meurtrier. Durant ces dix derniers mois, il avait, au moins cinq fois, enlevé, tué et écorché une femme. (Clarice parcourut des yeux les rapports d'autopsie en s'attardant sur les dosages d'histamine libre qui confirmaient qu'il les avait tuées avant de faire le reste.)

Une fois la chose terminée, il jetait le cadavre dans l'eau courante. Jamais dans la même rivière, en aval d'un croisement d'autoroutes, et chaque fois dans un Etat différent. Tout le monde savait que Buffalo Bill voyageait beaucoup. Et rien de

73

plus, sauf qu'il possédait au moins un pistolet. Avec six cloisons et six rayures à pas gauche — peut-être un Colt ou une copie de Colt. Les traces de dérapage, sur les balles que l'on avait retrouvées, montraient qu'il préférait tirer avec du calibre 38 spécial, dans la chambre plus longue d'un 357.

L'eau courante efface les empreintes, ne laisse aucun vestige de cheveux ou de bribes de tissu qui puissent servir de preuve.

Ce devait être un Blanc; parce que, généralement, les meurtriers en série tuent à l'intérieur de leur groupe ethnique et que toutes les victimes étaient des Blanches; mâle parce que les meurtrières en série n'existent pratiquement pas, à notre époque.

Deux échotiers new-yorkais avaient tiré leur manchette d'un petit poème d'E.E. Cummings, « Buffalo Bill » : ... *comment l'aimes-tu, ton garçon aux yeux bleus, Madame la Mort?*

Quelqu'un, peut-être Crawford, avait collé la citation à l'intérieur de la couverture du dossier.

Il n'y avait aucun lien logique entre l'endroit où Bill enlevait les jeunes femmes et celui où il se débarrassait de leur corps.

Parfois, on retrouvait le cadavre assez tôt pour déterminer avec précision le jour et l'heure de la mort; ce qui permit à la police d'apprendre autre chose sur l'assassin : Bill ne tuait ses victimes que sept à dix jours après leur enlèvement. Il disposait donc d'un lieu où les garder, un endroit où il pouvait agir dans le secret. Ce n'était pas un clochard. Plutôt un cténizidé — une araignée qui possède un terrier; il avait une cachette. Quelque part.

C'était ce qui horrifiait le plus les gens : qu'il garde ces jeunes femmes une semaine ou plus, en sachant qu'il allait les tuer.

Deux avaient été pendues, trois tuées par balle. Apparemment, il ne les avait ni violées ni maltraitées, et les rapports d'autopsie ne signalaient aucune « altération spécifiquement génitale »; mais, faisaient remarquer les médecins légistes, il était presque impossible d'établir cela avec certitude sur les corps les plus abîmés.

Toutes avaient été retrouvées nues. Dans deux cas, on avait découvert les vêtements des victimes fendus dans le dos, au bord d'une route, non loin de leur domicile.

Clarice regarda les photographies sans se troubler. Les noyés sont les morts les plus difficiles à affronter. Ils sont encore pathétiques, comme c'est souvent le cas pour les victimes d'homicide en plein air. Les outrages qu'ils ont subis, cette exposition aux éléments et aux regards indifférents, vous mettent en colère, si vous pouvez vous permettre ce genre de sentiment.

Dans le meurtre à domicile, les preuves des mœurs déplaisantes de la victime, et parfois ses propres victimes — épouse battue, enfants maltraités — s'unissent pour vous chuchoter que le mort l'avait bien cherché ; et c'est souvent le cas.

Mais ici, personne ne l'avait cherché. Les victimes n'avaient même plus de peau, lorsqu'on les retrouvait sur les berges jonchés d'ordures d'une rivière, parmi les jerricanes d'essence des hors-bord et les sacs de plastique. Le visage de celles tuées par temps froid était en grande partie intact. Clarice dut se remémorer que ce n'était pas la douleur qui retroussait leurs lèvres ; les tortues et les poissons, en se nourrissant, avaient créé cette grimace. Bill écorchait les torses, mais ne touchait presque jamais aux membres.

Ce serait moins pénible à regarder, se dit Clarice, s'il ne faisait pas si chaud dans la cabine et si ce fichu avion ne se cabrait pas chaque fois que l'une des hélices captait mieux l'air que l'autre, et si ce sacré soleil ne se réfractait pas sur les vitres rayées pour venir la lanciner comme une migraine.

On va l'attraper. Clarice s'accrochait à cette idée pour supporter cette cabine de plus en plus étouffante et les terribles informations entassées sur ses genoux. Elle les aiderait à mettre fin à cela. On pourrait alors ranger ce dossier à la couverture souple, un peu collante, dans un tiroir et n'y plus penser.

Elle contempla la nuque de Crawford. Elle faisait partie d'une bonne équipe, celle qu'il fallait pour lutter contre Buffalo Bill. Le patron avait réussi à arrêter trois coupables de meurtres en série. Non sans dégâts. A l'Ecole, on considérait Will Graham, le plus fin limier de la meute de Crawford, comme un héros ; c'était aussi un rentier alcoolique, en Floride, au visage atrocement défiguré.

Le chef sentit peut-être le regard de Clarice fixé sur sa nuque. Il s'extirpa de son siège. Le pilote effleura le volant de compensation tandis que Crawford venait s'installer dans le fauteuil à côté d'elle. Lorsqu'il rangea ses lunettes de soleil et mit celles à double foyer, elle retrouva l'homme qu'elle connaissait.

Ses yeux passèrent de Clarice au dossier, puis du dossier à Clarice, et quelque chose de fugace passa sur son visage. Un type moins renfermé que lui aurait montré son émotion.

« J'ai chaud, pas vous ? dit-il. Bobby, on crève de chaud ici ! » cria-t-il au pilote. Celui-ci toucha une commande et de l'air froid entra. Quelques flocons de neige se formèrent dans l'atmosphère humide de la cabine et retombèrent sur les cheveux de Clarice.

C'était maintenant Jack Crawford le chasseur, aux yeux comme une belle journée d'hiver.

Il ouvrit le dossier sur une carte des régions du centre et de l'est des Etats-Unis. Des petits points éparpillés marquaient les endroits où l'on avait trouvé les corps, constellation aussi muette et tortueuse qu'Orion.

Crawford sortit un stylo de sa poche et marqua le dernier emplacement, leur destination.

« Elk River, à dix kilomètres environ au sud de la nationale 79, dit-il. Cette fois, nous avons de la chance. Le corps s'est accroché à une ligne de fond installée par des pêcheurs du coin. La police locale pense qu'elle n'est pas restée trop longtemps dans l'eau. Ils l'ont amenée à Potter, le chef-lieu du comté. Il faut qu'on trouve rapidement son identité pour chercher des témoins de l'enlèvement. Dès que nous aurons les empreintes, nous les enverrons par téléfax. » Crawford pencha la tête pour regarder Clarice par-dessus ses lunettes. « Jimmy Price a dit que vous saviez prendre des empreintes de noyé.

— Je n'ai jamais eu affaire directement à un noyé. J'ai pris les empreintes des mains que M. Price reçoit tous les jours dans son courrier. Mais un bon nombre d'entre elles provenaient de noyés. »

Ceux qui n'avaient jamais travaillé sous la direction de Jimmy Price le prenaient pour un aimable bourru. En fait, c'était un vieil homme vraiment méchant. Pendant ses études médico-légales, Clarice avait souffert sous les ordres de ce directeur du service des empreintes du laboratoire de Washington.

« Ce brave Jimmy, dit affectueusement Crawford. Comment on appelle ce boulot, déjà... ?

— " L'abomination ", bien que certains préfèrent " Igor " — c'est ce qui est écrit sur le tablier en caoutchouc qu'on vous donne.

— Je m'en souviens, maintenant.

— On vous dit : vous n'avez qu'à imaginer que vous disséquez une grenouille.

— Je vois.

— Et puis on vous apporte un paquet. Ils vous regardent tous — certains se dépêchent de revenir du distributeur de boissons, dans l'espoir qu'on va dégueuler. Je suis tout à fait capable de prendre les empreintes d'un noyé. En fait...

— Bon, maintenant, regardez. Sa première victime connue a été retrouvée dans la Blackwater River, Missouri, près de Lone Jack, en juin dernier. Une certaine Bimmel, dont la disparition avait été signalée deux mois avant à Belvedere, Ohio, le 15 avril. On ne peut pas en dire grand-chose — il a fallu trois mois rien que pour l'identifier. La suivante, il l'a kidnappée à Chicago, la troisième semaine d'avril. On l'a retrouvée dans la Wabash, Indiana, dix jours après, si bien que l'on peut dire ce qui lui est arrivé. Ensuite, nous avons une Blanche, d'une vingtaine d'années, jetée dans la Rolling Fork près de la 75, à environ soixante kilomètres au sud de Louisville, Kentucky. On ne l'a jamais identifiée. Puis une certaine Varner, enlevée à Evansville, Indiana, retrouvée dans l'Embarras, juste à côté de la 70, dans l'est de l'Illinois.

« Ensuite il est allé plus au sud et s'est débarrassé de la cinquième dans la Conasauga, près de Damascus, Géorgie, non loin de la 75 ; une certaine Kittridge de Pittsburgh ; voilà sa photo lors de la remise des diplômes. Il a une veine pas possible — personne ne l'a jamais vu. A part le fait que l'on retrouve toujours les cadavres à proximité d'une autoroute, nous n'avons aucun indice.

— Si vous remontez les autoroutes depuis les sites où il s'est débarrassé des corps, est-ce qu'elles convergent ?

— Non.

— Et si l'on présumait qu'il se débarrasse d'un corps et enlève une autre victime au cours du même voyage ? Il commence par jeter le cadavre à l'eau, au cas où il aurait des ennuis lors du prochain enlèvement. Si on l'arrêtait pour voies de fait, il pourrait se faire libérer sous caution, à condition de ne pas avoir de cadavre dans sa voiture. Si l'on traçait une ligne entre l'endroit où l'on a retrouvé un corps et celui de l'enlèvement suivant ? Vous avez dû essayer.

— C'est une bonne idée, mais il l'a eue aussi. S'il fait vraiment les deux au cours d'un même voyage, il se déplace en zigzag. Nous avons effectué des simulations sur ordinateur : d'abord comme s'il se dirigeait vers l'ouest par l'autoroute, ensuite vers l'est, puis diverses combinaisons avec les meilleures dates que nous puissions attribuer aux abandons de cadavres et aux enlèvements. Si l'on introduit cela dans un ordinateur, il en sort de la fumée. Il vit dans l'Est, nous dit-il. Ça ne suit pas le cycle lunaire. Les enlèvements ne correspondent pas aux dates des conventions qui ont lieu dans les villes concernées. Rien que du vent. Non, Starling, il a tout prévu.

— Vous pensez qu'il est trop malin pour être suicidaire. »

Crawford fit un signe d'acquiescement. « Beaucoup trop prudent. Il a trouvé un moyen de satisfaire ses besoins et compte bien l'exploiter. Je ne mise absolument pas sur un suicide. »

Crawford versa, d'une thermos, un verre d'eau qu'il passa au pilote. Il en donna un autre à Clarice et mit un Alka-Seltzer dans le sien.

Clarice sentit son estomac se soulever lorsque l'avion amorça sa descente.

« Une ou deux remarques, Starling. J'attends de vous une expertise de premier ordre, mais ce n'est pas tout. Vous ne parlez pas beaucoup, mais moi non plus, et c'est très bien. Pourtant, n'attendez pas de trouver un fait nouveau pour me dire ce que vous pensez. Il n'y a pas de question stupide. Vous verrez des choses qui m'échappent, et je veux que vous me le disiez. Peut-être êtes-vous douée pour cela. C'est une occasion de l'apprendre. »

Le cœur au bord des lèvres, mais l'air profondément attentif, Clarice se demandait depuis combien de temps Crawford souhaitait la mettre sur cette affaire, et s'il avait attendu que son désir de faire ses preuves s'exacerbe. C'était un chef, avec tout ce que cela comportait aussi de négatif.

« A force de penser à lui, de voir où il est allé, on établit un certain lien avec lui, poursuivit Crawford. C'est difficile à croire, mais on ne le déteste pas tout le temps. Alors, si vous avez de la chance, maintenant que vous avez vu le dossier, quelque chose va peut-être attirer votre attention. Si cela arrive, dites-le-moi, Starling.

« Encore une chose. Un crime, c'est déjà assez déroutant sans que l'enquête vienne compliquer les choses. Ne vous laissez pas impressionner par quelques policiers. Vivez dans votre tête. Réfléchissez. Isolez le crime de ce qui se passe autour de vous. N'essayez pas de projeter un modèle sur ce type, ou de prêter une logique à ses actes. Gardez l'esprit ouvert et il viendra à vous.

« Dernière remarque : une enquête comme celle-là, c'est tout un cirque. Elle recoupe diverses juridictions qui sont parfois dirigées par des perdants. Il faut savoir s'entendre avec eux, pour qu'ils ne nous cachent rien. Nous allons à Potter, à l'ouest de la Virginie. Je ne connais pas ceux qui nous y attendent. Ils sont peut-être très bien ; mais ils peuvent aussi nous traiter en agents du Fisc. »

Le pilote souleva son casque et dit, sans se retourner : « On arrive, Jack. Vous restez derrière ?

— Ouais. L'école est finie, Starling. »

Chapitre 12

POTTER FUNERAL HOME, la plus grande demeure à charpente de bois, peinte en blanc, de Potter Street, à Potter, Virginie, servait aussi de morgue à la police du comté de Rankin. Le coroner était un médecin généraliste de la ville, le Dr Akin. Si une mort lui semblait suspecte, on envoyait le corps au Centre médical régional de Claxton, dans le comté voisin, où exerçait un médecin légiste expérimenté.

Dans la voiture de police qui était venue les chercher à l'aéroport, Clarice avait dû faire le trajet, penchée contre la grille isolant l'arrière du véhicule, afin d'entendre le conducteur, adjoint du shérif, expliquer les faits à Jack Crawford.

Des funérailles allaient commencer. Sur les marches du perron et sur le trottoir orné de buis dégarnis, les parents et amis du défunt attendaient dans leurs habits du dimanche. L'escalier et la maison, récemment repeinte, penchaient légèrement, chacun de leur côté.

Dans le parking privé derrière le bâtiment, là où se garaient les corbillards, deux jeunes agents et un plus vieux attendaient sous un orme dénudé, en compagnie de deux gendarmes. Il ne faisait pas assez froid pour que leur haleine se condense.

Clarice en savait long sur leur vie, elle s'en rendit compte au premier coup d'œil. Ils venaient de maisons où l'on avait des chiffonniers au lieu d'armoires et elle connaissait bien leur contenu. Les parents de ces hommes suspendaient leurs habits dans des housses, à l'arrière de leur remorque. Elle savait que durant l'enfance du plus vieux des trois, une pompe trônait sur le porche et qu'au printemps, il pataugeait dans la boue jusqu'à la route pour prendre le car du ramassage scolaire, ses souliers suspendus autour du cou par les lacets, comme son père l'avait fait avant lui. Ils emportaient leur repas dans des sacs en papier, tout maculés de graisse à force d'avoir servi, qu'après déjeuner ils repliaient et fourraient dans la poche arrière de leur jean.

Elle se demanda si Crawford savait cela.

Il n'y avait pas de poignée intérieure aux portières arrière du véhicule, comme le découvrit Clarice lorsqu'elle vit le conducteur et Crawford descendre et s'éloigner vers le bâtiment de derrière. Elle dut cogner à la vitre jusqu'à ce que l'un des adjoints qui étaient sous l'arbre l'aperçoive et que le conducteur revienne sur ses pas, rouge de honte.

Les hommes la regardèrent passer et l'un d'eux dit : « M'dame. » Elle les salua d'un signe de tête et d'un sourire contraint, et rejoignit Crawford sur le porche.

Quand elle fut suffisamment loin, l'un des plus jeunes, marié depuis peu, se gratta le menton et dit : « Elle se croit mieux qu'elle n'est.

— Eh bien, si elle se croit bien foutue, moi je suis d'accord avec elle, répliqua l'autre. Je me la mettrais bien en guise de masque à gaz.

— Moi, je préfère une grosse pastèque bien fraîche », conclut l'autre, dans sa barbe.

Crawford avait déjà entamé la conversation avec le premier adjoint du shérif, un petit homme nerveux, portant des lunettes à monture d'acier et des bottes dont le modèle s'appelait « Roméo » sur les catalogues.

Ils pénétrèrent dans un couloir faiblement éclairé où bourdonnait un distributeur de boissons ; divers objets voisinaient contre le mur — une machine à coudre à pédales, un tricycle, un rouleau de gazon artificiel, un store en toile enroulé autour de ses montants. Une gravure sépia, suspendue au mur, représentait sainte Cécile à l'orgue. Ses nattes étaient attachées autour de sa tête et une pluie de roses tombait sur le clavier.

« Merci bien de nous avoir prévenus aussi rapidement », dit Crawford.

Ça ne marchait pas avec le premier adjoint. « C'est quelqu'un du bureau du district attorney qui vous a appelé. Je sais que ce n'est pas le shérif — Perkin est parti en voyage organisé à Hawaii avec Mme Perkin. Je l'ai eu au téléphone ce matin à huit heures — ce qui fait trois heures du matin là-bas. Il me rappellera dans la journée, mais il m'a dit : l'important c'est de voir s'il s'agit ou non d'une fille du comté. C'est peut-être quelque chose que des éléments extérieurs sont venus jeter chez nous. Ce sera ça notre premier objectif. On a déjà eu des cadavres amenés de Phenix City, dans l'Alabama.

— C'est en cela que nous pouvons vous aider. Si...

— J'ai eu le commandant de Charleston au téléphone. Il m'envoie des hommes de la Section des enquêtes criminelles — la SEC. Ils nous apporteront toute l'aide dont nous avons besoin. » Le couloir était plein d'adjoints du shérif et de policiers ; l'auditoire du premier adjoint était trop nombreux. « Nous nous occuperons de vous dès que nous le pourrons et nous coopérerons dans *toute* la mesure du possible, mais pour le moment...

— Shérif, ce genre de crime sexuel présente certains aspects dont j'aimerais mieux discuter entre hommes, vous me comprenez ? » dit Crawford en désignant Clarice d'un signe de tête. Il poussa le petit homme dans un bureau en désordre et referma la porte. Clarice s'efforça de cacher son ressentiment aux yeux du troupeau de policiers. Les dents serrées, elle fixa sainte Cécile et lui rendit son sourire éthéré tout en épiant ce qui se disait derrière la porte. Elle les entendit hausser le ton, puis saisit des bribes d'une conversation téléphonique. Ils revinrent dans le couloir, moins de quatre minutes plus tard.

Le premier adjoint avait la bouche pincée. « Oscar, allez me chercher le Dr Akin. Il est pour ainsi dire obligé d'assister aux obsèques, mais je ne pense pas que ce soit déjà commencé. Dites-lui que nous avons Claxton au téléphone. »

Le coroner entra dans le petit bureau, et, le pied sur une chaise, se tapotant les dents avec un éventail du Bon Berger, il eut un bref entretien téléphonique avec le médecin légiste de Claxton. Ensuite, il fut d'accord sur tout.

Dans la salle d'embaumement tapissée d'un papier à fleurs — de grosses roses — et dont le haut plafond était orné de moulures, dans une maison à charpente de bois d'un type qu'elle connaissait bien, Clarice Starling rencontra sa première preuve palpable de l'existence de Buffalo Bill.

Le sac en plastique vert muni d'une fermeture Eclair contenant le corps constituait le seul objet moderne de la pièce. Il était couché sur une vieille table d'embaumement en porcelaine qui se reflétait plusieurs fois dans les vitres de meubles contenant des trocarts et des flacons de solutions formolées.

Crawford alla chercher le transmetteur d'empreintes dans la voiture pendant que Clarice déballait son matériel sur la paillasse d'un grand évier double, contre le mur.

Il y avait beaucoup trop de monde dans la pièce. Le premier adjoint et quelques autres les avaient accompagnés et ne semblaient pas disposés à partir. *Pourquoi Crawford ne vient-il pas les mettre à la porte ?*

Le papier mural ondula lorsque le docteur mit en marche un vieux ventilateur poussiéreux.

Clarice Starling, debout devant l'évier, avait besoin de plus de courage qu'un Marine sautant en parachute. L'image qui lui vint à l'esprit l'aida un peu, mais lui transperça le cœur :

Sa mère, debout devant l'évier, lavait le sang qui tachait le chapeau de son père, et tout en faisant couler l'eau froide dessus disait : « Ne t'inquiète pas, Clarice, tout va bien. Dis à tes frères et à ta sœur de se laver les mains et de se mettre à table. Nous allons causer un peu et puis on mangera. »

Elle ôta son foulard et le noua autour de sa tête, comme une sage-femme de province. Elle sortit une paire de gants chirurgicaux de sa trousse. Quand elle ouvrit la bouche pour la première fois depuis son arrivée à Potter, sa voix était anormalement nasillarde et si forte que Crawford vint à la porte pour l'écouter. « Messieurs. Messieurs ! Ecoutez-moi, je vous prie. Maintenant, j'aimerais que vous me laissiez seule avec elle. » Elle tendit les mains vers eux tout en enfilant les gants. « J'ai une tâche à accomplir, pour son bien. Vous l'avez amenée ici et je sais que ses parents vous remercieraient s'ils étaient là. Maintenant, je vous en prie, sortez et laissez-moi m'occuper d'elle. »

Crawford les vit devenir soudain calmes et respectueux, les entendit murmurer : « Allez, viens, Jess. Sortons dans la cour. » Crawford constata aussi que l'atmosphère avait changé en présence de la mort : quelle que soit la victime, d'où qu'elle vienne, la rivière l'avait charriée jusqu'à ce coin perdu ; elle reposait maintenant, totalement impuissante, dans ce funérarium de province et Clarice Starling avait avec elle une relation privilégiée. En ce lieu, elle était l'héritière de femmes pleines de sagesse, d'aïeules qui guérissaient avec des simples, de vaillantes paysannes qui avaient toujours fait le nécessaire, qui veillaient les malades et, après, lavaient et habillaient les morts.

Crawford, Clarice et le docteur étaient enfin seuls avec la victime. Le Dr Akin et Clarice se regardèrent comme s'ils se reconnaissaient. Curieusement, tous deux semblaient à la fois satisfaits et gênés.

Crawford sortit de sa poche un pot de Vicks VapoRub et le leur tendit. Voyant que le docteur et son patron s'en mettaient au bord des narines, elle les imita.

Le dos tourné, elle tira l'appareil-photo de son sac, posé sur l'évier. Derrière elle, elle entendit le bruit de la fermeture Eclair que l'on ouvrait.

Clarice cligna des yeux en fixant les roses, sur le mur, prit une grande bouffée d'air et expira. Elle se retourna et regarda le cadavre sur la table.

« On aurait dû enfermer ses mains dans des sacs en papier, dit-elle. C'est ce que je ferai quand nous aurons fini. » Soigneusement, en mode manuel pour dédoubler ses clichés, elle photographia le corps.

La victime était une jeune femme aux hanches fortes qui mesurait un mètre soixante-dix, d'après le mètre à ruban de Clarice. Là où la peau manquait, la rivière avait décoloré la chair, mais l'eau était froide et le corps n'y avait visiblement séjourné que quelques jours. A partir d'une ligne droite tracée sous les seins et jusqu'aux genoux, plus de peau ; cela correspondait à la partie du corps recouverte par le pantalon et la large ceinture d'un torero.

Entre ses petits seins, au-dessus du sternum, se trouvait la cause apparente de la mort, une plaie déchiquetée en forme d'étoile, large comme la main.

La tête ronde était scalpée.

« Le Dr Lecter l'a dit, qu'il allait se mettre à les scalper », dit Clarice.

Crawford, les bras croisés, la regardait photographier. « Prenez les oreilles au Polaroïd. »

Il fit le tour du cadavre en se permettant une petite moue. Clarice ôta son gant pour passer un doigt sur le mollet de la victime. Une partie de la ligne de fond et des hameçons triples, qui s'étaient emmêlés et avaient retenu le cadavre dans l'eau courante, entouraient toujours la partie inférieure de la jambe.

« Que voyez-vous, Starling ?

— Elle n'est pas d'ici — ses oreilles ont été percées trois fois et elle a du vernis à ongles nacré. A mon avis, elle habitait en ville. Les poils de ses jambes, vous voyez comme ils sont fins ? Je pense qu'elle s'épilait et que la dernière fois remonte à deux semaines environ. Les aisselles aussi. Regardez, elle décolorait le duvet de sa lèvre supérieure. C'est une femme qui prenait soin d'elle-même, mais qui n'a pas pu le faire ces derniers temps.

— Et la blessure ?

— Je ne sais pas. Je dirais que c'est la sortie d'une balle sans cet anneau d'abrasion et cette empreinte de canon, là, en haut.

— Bien, Starling. C'est une plaie d'entrée, à bout portant sur le sternum. Les gaz de l'explosion, s'introduisant entre l'os et la peau, ont fait éclater les chairs en étoile autour du trou. »

De l'autre côté de la cloison, la soufflerie d'un orgue se mit en marche ; la cérémonie commençait.

« Une vilaine mort, commenta le Dr Atkin en hochant la tête. Il faut que j'assiste au moins en partie à ce service. La famille attend de moi que j'accompagne mon client jusqu'au bout. Lamar viendra vous aider dès qu'il aura fini de jouer l'offrande musicale. Vous me gardez les indices intacts pour le médecin légiste de Claxton, n'est-ce pas, monsieur Crawford ? »

Lorque le docteur fut parti, Clarice dit : « Elle a deux ongles cassés à la main gauche, jusqu'au sang, et on dirait qu'il y a de la terre, ou d'autres particules dures, sous les autres. Puis-je prélever des échantillons ?

— Prenez un peu de sable, et quelques écailles de vernis. Nous en parlerons lorsque nous aurons les résultats. »

Lamar, l'employé du funérarium, maigre avec un teint fleuri, sans doute au whisky, entra tandis qu'elle s'exécutait. « Vous avez dû être manucure, avant », dit-il.

C'est avec satisfaction qu'ils constatèrent qu'il n'y avait pas de marque d'ongles dans les paumes — signe que, comme les autres, elle était morte avant le reste.

« Pour prendre les empreintes, vous préférez qu'elle soit sur le ventre ? lui demanda Crawford.

— Ce serait plus facile.

— Commençons par les dents ; ensuite Lamar vous aidera à la retourner.

— Juste des photos ou un schéma dentaire ? » Clarice fixa le matériel spécial à l'avant de l'appareil à photographier les empreintes, soulagée de voir que tous les accessoires étaient bien dans le sac.

« Les photos suffiront. Sans radio, un schéma dentaire peut induire en erreur. Les photos nous permettront d'éliminer deux ou trois disparues. »

Obéissant aux instructions de Clarice, Lamar ouvrit doucement, de ses mains d'organiste, la bouche de la victime et retroussa les lèvres pendant qu'elle plaçait le Polaroïd contre le visage afin de prendre les détails des dents de devant. Pour les molaires, elle dut utiliser un réflecteur palatal et guetter la lueur, au travers des joues, qui l'assura que le flash annulaire éclairait bien l'intérieur de la bouche. Elle avait seulement vu le professeur de médico-légal en faire la démonstration, en cours.

Clarice attendit que sorte la première photo des molaires pour régler la lumière et recommencer. La seconde était mieux ; la troisième excellente.

« Elle a quelque chose dans la gorge », dit Clarice.

Crawford regarda la photo. Elle révélait la présence d'un objet sombre, cylindrique, juste derrière le voile du palais. « Passez-moi la lampe.

— Souvent, quand on tire un corps de l'eau, dit Lamar tout en aidant Crawford à regarder, il y a des feuilles et des choses comme ça dans la bouche. »

Clarice sortit les forceps de son sac et regarda Crawford par-dessus le cadavre. Il hocha la tête. Il ne lui fallut qu'une seconde pour extraire l'objet.

« Qu'est-ce que c'est, une espèce de cosse ? dit Crawford.

— Non, monsieur, c'est un cocon d'insecte. » Lamar avait raison. Clarice le mit dans un bocal.

« Faudrait que l'ingénieur agronome voie ça », dit Lamar.

Une fois le corps retourné, prendre les empreintes fut un jeu d'enfant. Clarice s'était préparée au pire, mais elle n'eut pas besoin d'appliquer les méthodes d'injection délicates et fastidieuses, elle ne fut même pas obligée d'utiliser un doigtier. Elle se servit de fines cartes maintenues dans un appareil en forme de chausse-pied. Elle recueillit aussi une série d'empreintes plantaires, au cas où l'on n'aurait, pour référence, que celles prises à l'hôpital sur le pied du bébé.

Deux morceaux de peau, triangulaires, manquaient au niveau des omoplates. Clarice prit encore des photos.

« Mesurez-les aussi, dit Crawford. Il a blessé la jeune fille d'Akron en fendant ses vêtements ; ce n'était guère plus que des égratignures, mais elles correspondaient aux coupures du corsage retrouvé au bord de la route. Ça, c'est nouveau. Je ne l'ai jamais vu.

— On dirait qu'elle a une brûlure au mollet, dit Clarice.

— Les vieux en ont souvent, intervint Lamar.

— Quoi ? s'exclama Crawford.

— JE DIS QUE LES VIEUX EN ONT SOUVENT.

— Je vous avais entendu, je voulais que vous m'expliquiez. Qu'est-ce que c'est que cette histoire de vieux ?

— Souvent les vieux meurent avec un coussin chauffant sur le ventre, et ça les brûle, bien que ce soit pas si chaud que ça. Quand vous êtes mort, un coussin chauffant ça brûle. Y a plus de circulation en dessous.

— Nous demanderons au médecin légiste de Claxton de vérifier si c'est *post mortem*, dit Crawford à Clarice.

— Un pot d'échappement, probablement, intervint encore Lamar.

— Quoi ?

— UN POT D'E... un pot d'échappement. Une fois, Billy Petrie s'est fait descendre et ils l'ont fourré dans le coffre de sa voiture. Sa femme, qui le cherchait partout, a parcouru les routes pendant deux ou trois jours. Quand on l'a amené ici, le pot d'échappement avait chauffé, sous le coffre, et l'avait brûlé tout à fait comme ça, seulement c'était sur la hanche. Je ne mets jamais mes provisions dans le coffre parce que ça fait fondre les glaces.

— Voilà une bonne idée, Lamar ; j'aimerais que vous travailliez pour moi. Vous connaissez ceux qui l'ont trouvée dans la rivière ?

— C'est Jabbo Franklin et son frère, Bubba.

— Que font-ils ?

— Ils cherchent la bagarre, au Moose ; ils se paient la tête de gens qui ne leur ont rien fait — quelqu'un entre au Moose pour prendre un verre, fatigué d'avoir vu, toute la journée, des familles éplorées, et c'est : " Assieds-toi là, Lamar, et joue-nous ' Filipino Baby '. " Obliger un type à jouer et rejouer " Filipino Baby " sur ce vieux piano de bar déglingué, il aime ça, Jabbo. " Invente les paroles, bon Dieu, si tu les sais pas, dit-il, et tâche que ça rime cette fois. " Il touche sa pension de vétéran du Vietnam et va se faire désintoxiquer tous les ans, au moment de Noël. Ça fait quinze ans que j'attends de le voir sur cette table.

— Il nous faudra un dosage de sérotonine aux endroits où les hameçons sont entrés dans la chair, dit Crawford. Je vais faire un mot au médecin légiste.

— Les hameçons sont trop rapprochés, fit remarquer Lamar.

— Que voulez-vous dire ?

— Les frères Franklin utilisent une ligne de fond dont les hameçons sont trop rapprochés. C'est illégal. C'est pour ça qu'ils ont attendu ce matin pour téléphoner.

— Le shérif a dit qu'ils chassaient le canard.

— Ça ne m'étonne pas qu'ils lui aient raconté ça. Ils vous diront aussi qu'ils ont lutté une fois avec Duke Keomoka, à Honolulu, et fait équipe avec le Satellite Monroe. Vous pouvez croire ça aussi, si ça vous fait plaisir. Baladez-vous avec une gibecière et ils vous emmèneront chasser la bécasse, si c'est votre oiseau préféré. Et ils vous donneront un verre de tord-boyaux, en plus.

— Qu'est-il arrivé, selon vous ?

— Les Franklin utilisent une ligne de fond, et celle-là, c'est la leur, avec les hameçons illégaux, et ils étaient en train de la relever pour voir s'il y avait du poisson.

— Qu'est-ce qui vous fait croire ça ?

— Cette petite dame n'était pas encore prête à flotter.

— C'est vrai.

— S'ils n'avaient pas relevé leur ligne, on ne l'aurait jamais trouvée. Ils sont rentrés chez eux, morts de trouille, et puis ils ont fini par appeler la police. Je suppose que vous allez prévenir le garde-pêche ?

— Je pense que oui.

— Souvent, ils se trimbalent avec un téléphone à manivelle sous le siège de leur Ramcharger ; ça vous vaut une grosse amende par ici, quand ce n'est pas de la tôle. »

Crawford haussa les sourcils.

« Pour téléphoner aux poissons, expliqua Clarice. Les poissons sont électrocutés par le courant si vous plongez les fils dans l'eau et que vous tournez la manivelle. Ils flottent à la surface et il n'y a plus qu'à les ramasser.

— Tout juste, dit Lamar ; vous êtes du coin ?

— Ça se fait dans beaucoup d'endroits », répliqua Clarice.

Elle avait très envie de dire quelque chose avant qu'ils ne referment le sac, de faire un geste ou de montrer qu'elle n'était pas indifférente. Mais elle se contenta de secouer la tête et s'affaira à ranger les échantillons dans sa mallette.

Maintenant que le cadavre et les problèmes qu'il posait avaient disparu, elle prenait conscience de ce qu'elle venait de faire. Clarice ôta ses gants, ouvrit le robinet de l'évier et fit couler l'eau sur ses poignets. Elle n'était pas assez fraîche. Lamar, qui la regardait, sortit dans le couloir. Il revint avec une boîte de soda glacée, non ouverte, et la lui tendit.

« Non, merci. Pas maintenant, dit-elle.

— Ce n'est pas pour boire, mettez-la sur la petite bosse qu'on a, sur la nuque. Le froid va vous faire du bien. Moi, ça me réussit toujours. »

Le temps que Clarice fixe sur le corps, avec du scotch, la note destinée au médecin légiste, le transmetteur d'empreintes de Crawford se mit à cliqueter, sur le bureau.

Retrouver la victime si vite après le crime, ce serait un vrai coup de veine. Crawford voulait l'identifier rapidement pour commencer à chercher des témoins de l'enlèvement. Sa méthode mettait pas mal de monde à contribution, mais elle était efficace.

Crawford possédait un transmetteur d'empreintes Litton Policefax. A l'inverse des machines à fac-similé du FBI, le

Policefax est compatible avec la plupart des systèmes des commissariats des grandes villes. La carte d'empreintes que Clarice avait assemblée était à peine sèche.

« Chargez la machine, Starling, vous êtes habile de vos doigts. »

Ne la salissez pas, voilà ce que signifiait cette phrase, et Clarice obéit. C'était difficile d'enrouler la carte, faite de morceaux collés ensemble, autour du petit tambour, tandis que six téléscripteurs attendaient.

Crawford était en communication avec le standard du FBI et le téléscripteur de Washington. « Dorothy, tout le monde est prêt ? Bien, messieurs, nous allons le brancher à une heure vingt — une heure vingt, vous êtes tous d'accord ? Atlanta, vous y êtes ? Bien, transmettez l'image... top. »

La machine tournait lentement pour que l'image reste nette, envoyant les empreintes de la morte à la fois au téléscripteur du FBI et à celui de la police de la région Est. Si Chicago, Detroit, Atlanta ou l'une des autres cités avait le renseignement, l'enquête commencerait dans quelques minutes.

Crawford envoya ensuite des images des dents de la victime et des photos de son visage, la tête enveloppée dans une serviette, au cas où la presse à sensation mettrait la main sur ces documents.

Trois inspecteurs de la police criminelle de Virginie arrivèrent de Charleston au moment où ils partaient. Crawford serra des mains et distribua des cartes portant le numéro confidentiel du *National Crime Information Center.* Clarice observa avec intérêt l'effet qu'il obtenait en exploitant la camaraderie masculine. Ils l'appelleraient dès qu'ils auraient quelque chose, il pouvait compter sur eux. Entendu, merci mille fois. Ce n'était peut-être pas de la camaraderie masculine, se dit-elle ; ça marchait aussi avec elle.

Lamar, sur le porche, fit des signes d'adieu tandis que Crawford et Clarice s'éloignaient avec l'adjoint du shérif vers Elk River. Le soda était encore bien frais. Lamal l'emporta à l'office et se prépara une boisson rafraîchissante.

Chapitre 13

« Déposez-moi au labo, Jeff, ordonna Crawford au chauffeur. Puis vous attendrez l'agent Starling devant le Smithsonian. Elle rentrera ensuite à Quantico.

— Bien, inspecteur. »

Ils arrivaient de l'aéroport et traversaient le Potomac, à contre-courant du trafic du soir.

Le jeune homme qui était au volant semblait craindre Crawford et conduisait avec une prudence excessive. Clarice le comprenait ; tout le monde savait, à l'Ecole, que le dernier agent qui, sous les ordres de Crawford, avait commis quelques conneries, enquêtait maintenant sur les chapardages commis dans les installations radar du Cercle polaire.

Crawford était de mauvaise humeur. Neuf heures s'étaient écoulées depuis la transmission des empreintes et des photos et la victime n'était toujours pas identifiée. Clarice et lui avaient, en vain, examiné le pont et le bord de la rivière, avec les gendarmes de Virginie, jusqu'à la tombée de la nuit.

A l'aéroport, Crawford avait téléphoné pour demander qu'une infirmière de nuit vienne chez lui.

La limousine du FBI semblait merveilleusement silencieuse après le Canoë Bleu ; on pouvait enfin parler sans crier.

« En portant vos empreintes aux services d'identification, je les passerai au télétype direct et au *Latent Descriptor Index*, dit Crawford. Vous me préparerez une insertion pour le dossier. Une insertion, pas un 302 — vous savez faire ça ?

— Oui.

— Supposons que je sois l'Index, qu'avez-vous de neuf à me dire ? »

Il lui fallait quelques secondes pour rassembler les données. Heureusement Crawford parut s'intéresser à l'échafaudage du Jefferson Memorial devant lequel ils passaient.

Le *Latent Descriptor Index* de l'ordinateur des services d'identification compare les caractéristiques d'un crime non résolu aux petites manies, connues, des criminels enregistrés dans sa mémoire. S'il trouve des similitudes, il propose des suspects et sort leurs empreintes digitales. On les compare alors à celles trouvées sur le lieu du crime. La police n'avait pas encore d'empreintes de Buffalo Bill, mais Crawford ne voulait pas être pris au dépourvu.

Le système exigeait des énoncés brefs et concis. Clarice essaya de s'en tirer au mieux.

« Femme, blanche, de vingt-huit à trente-deux ans, tuée par balle, abdomen et cuisses dépiautés...

— Starling, l'Index sait déjà qu'il tue de jeunes Blanches et les écorche — il faut dire " écorché " et non " dépiauté ", mot qui s'emploie pour les animaux ; je ne suis pas sûr que cette sacrée bécane connaisse tous les synonymes. Elle sait déjà qu'il les jette dans des rivières, mais ignore ce qu'il y a de *nouveau* dans ce dernier cas. Qu'y a-t-il de nouveau, Starling ?

— C'est la sixième victime, la première à être scalpée, la première à laquelle il manque des morceaux de peau triangulaires sur les omoplates, la première avec une balle dans la poitrine, la première avec un cocon dans la gorge.

— Vous avez oublié les ongles cassés.

— Non, monsieur ; c'est la seconde avec des ongles cassés.

— Vous avez raison. Ecoutez, dans votre rapport, il faut noter que le cocon doit rester une donnée confidentielle. Nous l'utiliserons pour éliminer les faux aveux.

— Je me demande s'il a déjà fait ça — mettre un cocon ou un insecte. On pourrait facilement ne pas le voir à l'autopsie, surtout s'il s'agit d'une noyée. Vous savez ce que c'est, le médecin qui pratique l'autopsie voit la cause du décès, il a hâte d'en finir... on pourrait peut-être revérifier ça ?

— Si cela s'avère nécessaire. Les médecins légistes diront sûrement que rien n'a pu leur échapper. Jane Doe, la fille de Cincinnati, est toujours au frigo de la morgue. Je vais leur demander de jeter un coup d'œil, mais les quatre autres sont enterrées. Un ordre d'exhumation, ça bouleverse tout le monde. Nous avons été obligés d'y recourir avec les quatre patients décédés du Dr Lecter, pour savoir avec certitude de quoi ils étaient morts. Je peux vous assurer que cela nous a causé pas mal d'ennuis, rien qu'avec les familles. S'il le faut, je le ferai, mais avant, attendons de voir ce que nous allons trouver au Smithsonian.

— Un tueur qui scalpe sa victime... c'est rare, non ?

— Pas très courant, oui.

— Mais le Dr Lecter a dit que Buffalo Bill allait le faire. Comment a-t-il pu savoir ?

— Il n'en savait rien.

— Il l'a dit, en tout cas.

— Il n'y a rien d'extraordinaire à ça, Starling. Personnellement, cela ne m'a pas surpris. J'aurais pu dire que c'était rare jusqu'à l'affaire Mengel. Vous vous en souvenez ? Il a scalpé cette femme. Deux ou trois criminels l'ont aussitôt imité. Les journaux ont fait remarquer, dans leurs articles sur Buffalo Bill, que ce tueur n'avait pas scalpé ses victimes. Pas étonnant que cela lui en ait donné l'idée. Lecter n'a fait qu'émettre une hypothèse. Il n'a pas dit *quand* cela se produirait, aussi il n'avait guère de chances de se tromper. Si nous avions arrêté Bill sans qu'aucune de ses victimes soit scalpée, Lecter aurait dit que nous l'avions attrapé juste *avant* qu'il le fasse.

— Le Dr Lecter a dit aussi que Buffalo Bill habitait une maison et pas un appartement. Nous n'avons aucun indice là-dessus. Pourquoi a-t-il dit ça ?

— Ce n'est pas du tout pareil. Il a probablement raison et il aurait pu vous dire pourquoi, mais il voulait vous épater. C'est la seule faiblesse que je lui connaisse — il veut toujours avoir l'air plus malin que les autres.

— Vous m'avez dit de poser des questions, si je ne comprenais pas... eh bien, expliquez-moi ça.

— D'accord. Deux des victimes ont été pendues, n'est-ce pas ? Marques de ligature autour du cou, cervicales démises... tous les signes d'une pendaison. Comme le sait, et pour cause, le Dr Lecter, il est très difficile de pendre quelqu'un contre sa volonté. Des tas de gens se pendent à des boutons de porte. Ils se pendent même assis. Mais c'est dur de pendre quelqu'un d'autre... même si la victime est ligotée, elle réussira à prendre appui quelque part, avec les pieds. Une échelle, ça ne marche pas non plus. Elle ne pourra pas la gravir les yeux bandés et n'y grimpera pas si elle voit le nœud coulant. Le seul moyen, c'est d'utiliser un escalier. Cela ne fait pas peur. On peut lui dire qu'on l'emmène aux toilettes, par exemple, ou la faire monter avec une cagoule sur la tête ; on lui passe un nœud coulant attaché à la rampe et on la fait tomber à coups de pied quand elle est sur la dernière marche. On ne peut faire ça que dans une maison. Un type de Californie a rendu ce scénario populaire. Si Bill n'avait pas d'escalier, il les aurait tuées autrement. Maintenant, donnez-moi les noms du premier adjoint et de ce type de la police de l'Etat, le supérieur hiérarchique. »

Clarice les trouva dans son carnet de notes en tenant son stylo lampe entre les dents.

« Bon, dit Crawford. Quand vous rédigez un avis de recherche, n'oubliez jamais d'appeler les flics par leur nom. S'ils entendent leur nom, cela les aide à se souvenir de vous ; s'ils apprennent quelque chose, ils vous appelleront. Qu'est-ce que vous pensez de cette brûlure à la jambe ?

— Tout dépend si elle est *post mortem*.

— Et si c'est le cas ?

— Alors, il a une camionnette, un fourgon ou un break.

— Pourquoi ?

— Parce que la brûlure est sur le mollet. »

Ils étaient arrivés devant le nouveau QG du FBI, que personne n'appelait jamais le J. Edgar Hoover Building.

« Arrêtez-moi ici, Jeff, dit Crawford. Pas la peine d'entrer. Restez dans la voiture, ouvrez juste le coffre. Venez me montrer, Starling. »

Elle descendit pendant que Crawford récupérait sa serviette et son téléfax.

« Buffalo Bill a transporté le cadavre dans un véhicule assez grand pour qu'il soit étendu sur le dos, dit-elle. C'est le seul moyen qui permette au mollet de la victime de reposer sur le plancher, au-dessus du pot d'échappement. Dans un coffre comme celui-ci, elle aurait été recroquevillée sur le côté et...

— Oui, c'est comme cela que je vois la chose. »

Clarice comprit alors qu'il l'avait fait descendre de voiture afin de pouvoir lui parler en tête à tête.

« Quand j'ai dit à l'adjoint que je ne voulais pas discuter de certains détails devant une femme, cela vous a vexée, n'est-ce pas ?

— Bien sûr.

— C'était un prétexte. Je voulais être seul avec lui.

— Je sais.

— Bon. » Crawford referma le coffre et s'éloigna.

« C'est grave, monsieur Crawford. »

Il se retourna vers elle, chargé du téléfax et de sa serviette, et lui prêta toute son attention.

« Ces flics vous connaissent, dit-elle. Ils observent tous vos faits et gestes. » Elle haussa les épaules, tendit ses mains ouvertes. C'était vrai, il ne pouvait pas le nier.

Crawford étudia froidement le problème, avec logique et objectivité.

« J'en prends bonne note, Starling. Maintenant, allez vous occuper de votre bestiole.

— Oui, monsieur. »

Elle le regarda s'éloigner, un homme mûr chargé de bagages, aux vêtements froissés par le voyage, aux bas de pantalon alourdis par la boue d'une rivière, qui rentrait chez lui pour affronter ce qui l'y attendait.

A cet instant, Clarice aurait fait n'importe quoi pour lui. Cela faisait partie du charisme de Crawford.

Chapitre 14

LE Smithsonian, muséum d'histoire naturelle de Washington, était fermé depuis plusieurs heures, mais un gardien attendait Clarice Starling à l'entrée, Crawford ayant téléphoné à l'avance.

Le bâtiment était faiblement éclairé et l'air curieusement immobile. Seule la silhouette colossale d'un chef de tribu des mers du Sud, qui faisait face à l'entrée, était assez grande pour que la faible lueur tombant du plafond brille sur son visage.

Le guide de Clarice, un grand Noir, portait l'uniforme immaculé des gardiens du Smithsonian. Lorsqu'il leva la tête vers la lumière de l'ascenseur, Clarice trouva qu'il ressemblait à la statue. Cette idée oiseuse la détendit un peu, comme le massage d'une crampe.

Le second niveau, au-dessus du grand éléphant empaillé, était fermé au public et abritait les départements d'anthropologie et d'entomologie. Les anthropologues l'appelaient le troisième étage ; pour les entomologistes, c'était simplement le deuxième. Quelques savants appartenant au département agriculture disaient qu'ils détenaient la preuve que c'était le cinquième. Chaque faction disposait d'une partie du vieux bâtiment avec ses dépendances et ses subdivisions.

Clarice suivit le gardien dans un dédale de couloirs mal éclairés, entre des caisses en bois pleines de spécimens anthropologiques. Seules de petites étiquettes révélaient leur contenu.

« Il y a des milliers de gens dans ces boîtes, dit le gardien. Quarante mille spécimens. »

Tout en avançant, il éclairait de sa lampe de poche les

numéros des bureaux et faisait courir le pinceau lumineux sur les étiquettes.

Les porte-bébés et les crânes de cérémonie des Dayaks cédèrent la place aux aphidés et ils quittèrent l'Homme pour le monde plus ancien et plus ordonné de l'Insecte. Maintenant les murs étaient couverts de grandes boîtes métalliques peintes en vert pâle.

« Trente millions d'insectes — plus les araignées. Il ne faut pas les mettre dans le même sac, lui recommanda le gardien. Les spécialistes des araignées ne vous le pardonneraient pas. Voilà, vous y êtes ; c'est le bureau éclairé. N'essayez pas de repartir toute seule. Si ils ne vous reconduisent pas, appelez ce numéro, c'est le bureau des gardiens. Je viendrai vous chercher. » Il lui tendit une carte et la laissa.

Elle était au cœur du département d'entomologie, sur une galerie en rotonde qui surplombait de très haut le grand éléphant empaillé. La porte du seul bureau éclairé était ouverte.

« A toi, Pilch ! cria une voix d'homme que l'excitation rendait perçante. A toi ! »

Clarice s'arrêta sur le seuil. Deux hommes, assis à une table de laboratoire, jouaient aux échecs. Ils avaient la trentaine, l'un était maigre et brun, l'autre rondouillard avec d'épais cheveux roux. Toute leur attention était fixée sur l'échiquier. Ils ne semblaient pas s'apercevoir de la présence de Clarice. Pas plus que de celle de l'énorme scarabée rhinocéros qui se frayait lentement un chemin entre les pièces.

Lorsque l'insecte franchit le bord de l'échiquier, le maigre s'écria : « A toi, Roden. »

Le rondouillard avança son fou et retourna immédiatement le scarabée qui commença à se traîner dans l'autre sens.

« Si l'insecte se contente de traverser le coin, c'est la même chose ?

— Bien sûr, s'exclama le roux sans la regarder. Bien sûr que c'est pareil. Comment vous jouez, vous ? Vous lui faites traverser tout l'échiquier ? C'est qui votre adversaire, un paresseux ?

— J'apporte le spécimen au sujet duquel l'inspecteur Crawford vous a téléphoné.

— Je ne comprends pas pourquoi nous n'avons pas entendu

la sirène, reprit le rondouillard. On nous a fait attendre toute la nuit afin d'identifier un *insecte* pour le FBI. Les insectes, c'est notre partie. Personne n'a parlé du *spécimen* de l'inspecteur Crawford. Il devrait plutôt montrer son *spécimen* à son médecin. A toi, Pilch !

— Je veux bien vous regarder jouer une autre fois, dit Clarice, mais il s'agit d'une affaire urgente. A vous, Pilch. »

Le brun tourna la tête et la vit appuyée contre le chambranle de la porte, sa serviette à la main. Il mit le scarabée dans une boîte contenant du bois pourri et le recouvrit d'une feuille de laitue.

Lorsqu'il se leva, elle découvrit qu'il était grand.

« Je m'appelle Noble Pilcher, dit-il. Lui, c'est Albert Roden. Vous avez besoin de faire identifier un insecte ? A votre service. » L'expression de son visage chevalin était amicale, mais il y avait quelque chose d'inquiétant dans ses yeux noirs et trop rapprochés, peut-être parce que l'un d'eux, louchant très légèrement, reflétait différemment la lumière. Il ne lui tendit pas la main. « Vous êtes... ?

— Clarice Starling.

— Voyons ce que vous nous apportez. »

Pilcher leva le petit bocal vers la lumière.

Roden s'approcha pour regarder. « Où l'avez-vous trouvé ? Vous l'avez tué avec votre *revolver* ? Avez-vous vu sa *maman* ? »

Clarice se dit que Roden aurait grand besoin d'un bon coup de coude dans la mâchoire.

« Chut, intervint Pilcher. Dites-nous où vous l'avez trouvé. Etait-il attaché à quelque chose — une brindille ou une feuille — ou reposait-il sur le sol ?

— Je vois que personne ne vous a rien dit.

— Le directeur nous a demandé de rester après la fermeture afin d'identifier un insecte pour le FBI.

— Nous a *dit*, pas demandé, rectifia Roden. Il nous a *dit* de rester après la fermeture.

— Cela nous arrive tout le temps, ajouta Pilcher. Pour les Douanes ou le ministère de l'Agriculture.

— Mais pas jusqu'au milieu de la nuit, insista Roden.

— Il faut que je vous révèle deux ou trois choses sur une affaire criminelle. Je ne suis autorisée à le faire que si vous promettez de ne rien divulguer avant qu'elle soit résolue. C'est très important. Des vies humaines sont en jeu. Pouvez-vous me promettre, docteur Roden, que vous garderez le silence ?

— Je ne suis pas docteur. Devrai-je signer un papier ?

— Non, votre parole me suffira. Il faudra seulement me signer un reçu si vous avez besoin de garder le spécimen.

— Bien sûr que je vais vous aider. Je ne suis pas *insoucieux*.

— Docteur Pilcher ?

— C'est vrai. Il n'est pas *insoucieux*.

— Je peux vous faire confiance ?

— Je ne dirai rien.

— Pilcher n'est pas plus docteur que moi. Au point de vue diplôme, nous sommes sur un pied d'égalité. Mais vous remarquerez qu'il vous a laissé l'appeler *docteur*. » Roden posa l'extrémité de son index sur son menton, comme pour souligner son air grave. « Donnez-nous tous les détails. Ce qui *vous* paraît sans importance peut être une information essentielle pour un expert.

— Cet insecte se trouvait derrière le voile du palais d'une femme assassinée. J'ignore pourquoi. On a trouvé le corps dans l'Elk River, en Virginie ; elle n'était morte que depuis quelques jours.

— C'est Buffalo Bill, je l'ai entendu à la radio, dit Roden.

— A-t-on parlé de l'insecte ?

— Non, mais ils ont dit que c'était dans l'Elk — vous venez de là-bas, c'est pour cela que vous arrivez si tard ?

— Oui.

— Vous devez être fatiguée. Voulez-vous du café ? proposa Roden.

— Non, merci.

— Un verre d'eau ?

— Non.

— Un Coca ?

— Rien, merci. Nous voulons savoir où cette femme a été séquestrée et où elle a été tuée. Nous espérons que cet insecte a un habitat spécifique, ou limité géographiquement, vous comprenez, ou bien qu'il vit sur une certaine espèce d'arbre — nous voulons savoir d'où il vient. Je vous demande de garder le secret parce que, si l'assassin a délibérément placé cet insecte

99

où nous l'avons trouvé, lui seul connaît ce fait et nous pouvons l'utiliser pour éliminer de faux aveux qui nous feraient perdre du temps. Il a tué au moins six femmes. Il faut le prendre de vitesse.

— Croyez-vous qu'il détienne une autre femme en ce moment même, pendant que nous regardons cet insecte ? » lui demanda Roden. Il avait les yeux écarquillés et la bouche ouverte, si bien qu'elle put voir dedans, ce qui lui rappela un souvenir récent.

« *Je n'en sais rien.* » Un peu criarde, sa voix. « Je ne sais pas, répéta-t-elle pour rendre sa phrase moins émotionnelle. Il recommencera dès qu'il pourra.

— Dans ce cas, mettons-nous rapidement au travail, dit Pilcher. N'ayez crainte, nous nous y connaissons. Vous êtes dans de bonnes mains. » Il sortit l'objet brun du flacon avec de longues pinces et le mit sur une feuille de papier blanc, sous la lumière. Il attira à lui une loupe, sur un bras flexible.

L'insecte longiforme ressemblait à une momie. Une gaine semi-transparente dont les contours évoquaient l'idée d'un sarcophage l'enveloppait. Les appendices, collés au corps, paraissaient gravés dedans. Le minuscule visage était empreint d'une certaine sagesse.

« Tout d'abord, ce n'est pas quelque chose qui, normalement, s'introduirait dans un cadavre, et il n'a rien d'aquatique, dit Pilcher. Je ne sais pas si vous vous y connaissez un peu en insectes et si vous avez envie qu'on vous donne tous les détails.

— Mettons que je suis totalement ignorante et dites-moi tout.

— D'accord. C'est une pupe, un insecte immature, dans sa chrysalide — le cocon qui le contient pendant qu'il se transforme de larve en individu adulte, dit Pilcher.

— Une pupe chitineuse, Pilch ? » Roden fronça le nez pour remonter ses lunettes.

« Oui, je crois. Tu veux consulter le *Chu* sur les insectes immatures ? Bon, c'est la nymphe d'un grand spécimen. La plupart des insectes évolués connaissent ce stade pupal. Beaucoup d'entre eux passent l'hiver ainsi.

— Le livre ou la loupe, Pilch ?

— La loupe. » Pilcher plaça le spécimen sur la platine du

microscope et se pencha, une sonde dentaire à la main. « Allons-y : pas d'organe respiratoire visible dans la région dorso-céphalique, stigmates sur le mésothorax et sur l'abdomen ; commençons avec ça.

— Hummmmm, dit Roden en feuilletant un petit manuel. Des mandibules fonctionnelles ?

— Non.

— Des galéas de maxillaire, par paires, sur la partie ventro-mésiale ?

— Oui, oui.

— Où sont les antennes ?

— Adjacentes au bord mésial des ailes. Deux paires d'ailes, l'interne complètement recouverte. Seuls les trois segments abdominaux postérieurs sont libres. De petits crémasters pointus — sans doute un lépidoptère.

— C'est ce que dit le *Chu,* confirma Roden.

— C'est la famille des papillons, expliqua Pilcher. On en trouve partout.

— Ça ne va pas être facile si les ailes sont trempées. Je vais chercher des bouquins. Je suppose que je ne peux pas vous empêcher de parler de moi pendant que je ne suis pas là.

— Je suppose, répliqua Pilcher. Roden est un type bien, dit-il à Clarice dès que son compagnon eut quitté la pièce.

— Je n'en doute pas.

— Vraiment. » Pilcher semblait amusé. « Nous avons fait nos études ensemble ; nous prenions tous les petits boulots universitaires que nous pouvions dégoter. Roden en a trouvé un où il devait rester au fond d'une mine de charbon à guetter la désintégration des protons. Il est seulement demeuré dans le noir trop longtemps. Mais il va bien. A condition qu'on ne lui parle pas de protons.

— J'essaierai d'éviter ce sujet. »

Pilcher s'écarta de la lumière éblouissante. « C'est une grande famille, les lépidoptères. Environ trente mille papillons de jour et cent trente mille de nuit. J'aimerais bien le sortir de sa chrysalide — il va bien falloir, pour restreindre notre champ d'investigation.

— D'accord. Vous pouvez le faire sans l'abîmer ?

— Je pense. Voyez, il avait déjà commencé à se libérer avant de mourir. Il y a une fracture irrégulière dans la chrysalide, là. Ça peut prendre un petit moment. »

Pilcher élargit la fente naturelle et sortit délicatement l'insecte. Les ailes, collées au corps, étaient détrempées. Les étendre, c'était aussi difficile que de déplier un Kleenex mouillé et roulé en boule. Il n'y avait aucun dessin visible.

Roden était de retour, avec les livres.

« Prêt ? lui demanda Pilcher. Bon. Le fémur prothoracique est caché.

— Et les pilifères ?

— Pas de pilifères. Pourriez-vous éteindre la lumière, mademoiselle Starling ? »

Elle attendit, près de l'interrupteur mural, que Pilcher ait allumé son crayon lumineux. Il s'éloigna de la table et le braqua sur le spécimen. Les yeux de l'insecte brillaient dans le noir, reflétant l'étroit faisceau de lumière.

« Une noctuelle, dit Roden.

— Probablement, mais laquelle ? Vous pouvez rallumer, s'il vous plaît. C'est un noctuidé, agent Starling — un papillon de nuit. Combien y a-t-il de noctuidés, Roden ?

— Deux mille six cents et... autant de décrits.

— La plupart ne sont pas aussi grands. Bon, montre-nous ce que tu sais faire, mon vieux. »

La tignasse rousse de Roden recouvrit le microscope.

« Il faut étudier sa chétotaxie maintenant — sa peau —, pour trouver son espèce. Roden est très fort pour ça. »

Clarice avait l'impression qu'une certaine amabilité imprégnait maintenant l'atmosphère.

Roden réagit en entamant une vive discussion avec Pilcher au sujet de la disposition circulaire ou non des excroissances larvaires du spécimen. Qui se déchaîna à propos de l'implantation des poils sur l'abdomen.

« L'*Erebus odora,* conclut enfin Roden.

— Allons voir », dit Pilcher.

Emportant le spécimen avec eux, ils descendirent en ascenseur jusqu'au niveau qui surplombait directement l'éléphant et entrèrent dans un énorme quadrilatère rempli de boîtes vert pâle. C'était un grand hall qui avait été divisé en deux étages afin d'offrir plus d'espace aux insectes du Smithsonian. Ils passèrent devant ceux de la néogée et arrivèrent aux noctuelles. Pilcher consulta ses notes et s'arrêta devant l'une des boîtes, haute d'environ un mètre cinquante.

« Il faut faire attention avec ces trucs-là ; dit-il en ôtant la lourde porte de métal et en la posant par terre. Si on s'en fait tomber une sur le pied, on ne peut plus le poser sur le sol pendant des semaines. »

Il fit courir son doigt sur les tiroirs empilés, en choisit un et l'ouvrit.

Clarice vit les minuscules œufs conservés, la chenille dans un tube d'alcool, un cocon qui ressemblait à celui de son spécimen, et un adulte — un gros papillon brun foncé, au corps velu, aux antennes fines, qui devait faire une quinzaine de centimètres d'envergure.

« L'*Erebus odora*, dit Pilcher. La sorcière noire. »

Roden tournait déjà les pages. « Une espèce tropicale qui, en automne, remonte parfois jusqu'au Canada, lut-il. Les larves se nourrissent sur les acacias et les plantes analogues. Originaire des Antilles et du sud des Etats-Unis, considéré comme nuisible à Hawaii. »

Merdibus, pensa Clarice. « C'est dingue, dit-elle à voix haute. Il y en a partout.

— Mais pas tout le temps. » Pilcher se tripotait le menton. « Ont-ils deux pontes par an, Roden ?

— Un instant... oui, dans l'extrême sud de la Floride et au sud du Texas.

— Quand ?

— En mai et en août.

— Voyons... Votre spécimen est mieux développé que le nôtre et tout récent. Il avait commencé à briser son cocon pour sortir. Aux Antilles et à Hawaii, j'aurais compris, mais ici on est en hiver. Il aurait dû attendre encore trois mois avant de s'envoler. A moins que ce ne soit arrivé accidentellement dans une serre, ou alors quelqu'un l'a élevé.

— Elevé comment ?

— Dans une cage, au chaud, avec des feuilles d'acacia pour nourrir les larves jusqu'à ce qu'elles soient prêtes à s'enfermer dans leurs cocons. Ce n'est pas bien difficile.

103

— C'est un passe-temps répandu ? En dehors des profession-nels, beaucoup de gens s'y adonnent ?

— Non, c'est surtout des entomologistes qui essaient d'obte-nir des spécimens parfaits, peut-être quelques collectionneurs. Il y a aussi l'industrie de la soie, on y élève des papillons de nuit, mais qui n'appartiennent pas à cette espèce-là.

— Il doit y avoir des revues spécialisées, des sociétés qui vendent du matériel.

— Bien sûr, et nous recevons la plupart de ces publications.

— Je vais vous en préparer un paquet, dit Roden. Deux ou trois de nos collègues sont abonnés, à titre personnel, à de petits bulletins — ils les gardent enfermés à clef et vous font payer vingt-cinq cents rien que pour y jeter un coup d'œil. Pour ceux-là, il faudra attendre demain matin.

— Je les ferai prendre, merci, monsieur Roden. »

Pilcher photocopia les références concernant l'*Erebus odora* et les lui donna avec l'insecte. « Je vous raccompagne en bas. »

Ils attendaient l'ascenseur. « La plupart des gens aiment les papillons diurnes et détestent les nocturnes, dit-il. Mais ces derniers sont beaucoup plus... intéressants, attachants.

— Et destructeurs.

— Certains oui, beaucoup même, mais ils ont des modes de vie variés. Comme nous. » Silence pendant un étage. « Il y en a un — plus d'un en fait — qui ne se nourrit que de larmes. C'est tout ce qu'ils mangent et boivent.

— Quelle sorte de larmes ? Les larmes de qui ?

— Celles des grands mammifères terrestres. Comme nous. Autrefois, tout ce qui était nocturne passait pour maléfique... C'est votre occupation principale — traquer Buffalo Bill ?

— Je m'y applique de mon mieux. »

Pilcher passa la langue sur ses dents ; on aurait dit un chat se glissant sous une couverture. « Vous sortez parfois pour prendre un cheeseburger et une bière, ou un verre de bon vin ?

— Pas ces derniers temps.

— Cela vous dirait de prendre un pot avec moi, mainte-nant ? Il y a un bar pas loin d'ici.

— Non, mais je vous inviterai quand ce sera fini — M. Roden aussi, naturellement.

— Cela n'a rien de naturel », répliqua Pilcher. Et sur le seuil de la porte, il ajouta : « J'espère que vous en aurez bientôt terminé avec cette affaire, mademoiselle Starling. »

Elle se hâta de rejoindre la voiture qui l'attendait.

Clarice trouva sur son lit le courrier et une demi-barre de chocolat. Ardelia Mapp dormait.

Elle descendit sa machine à écrire dans la buanderie, la posa sur la planche à plier le linge et inséra une feuille de papier et un carbone. Elle avait mis en ordre, mentalement, ses notes sur l'*Erebus odora* pendant le retour à Quantico, et rédigea rapidement son rapport.

Puis elle mangea la barre de chocolat et écrivit un mot à Crawford pour lui suggérer de confronter les listings d'abonnés aux publications d'entomologie, dans les villes les plus proches des enlèvements, avec ceux des délinquants connus du FBI, plus les dossiers des criminels et délinquants sexuels de Metro Dade, San Antonio et Houston, où les papillons de nuit étaient les plus fréquents.

Il y avait aussi autre chose dont elle devait reparler : *Demandez au Dr Lecter pourquoi il pensait que l'assassin allait se mettre à scalper ses victimes.*

Elle remit sa copie au gardien de nuit et se mit enfin au lit, les voix de la journée chuchotant encore dans sa tête, plus doucement que la respiration d'Ardelia. Dans le fourmillement des ténèbres, elle voyait le petit visage plein de sagesse du papillon de nuit. Ces yeux phosphorescents avaient vu Buffalo Bill.

Hors de la gueule de bois cosmique que laisse toujours le Smithsonian jaillit une dernière pensée, la coda de sa journée : *Dans ce monde singulier, cette moitié du monde actuellement plongée dans l'obscurité, il faut que je parte en quête d'une chose qui se nourrit de larmes.*

Chapitre 15

A Memphis, dans le Tennessee, Catherine Baker Martin et son petit ami préféré étaient au domicile de celui-ci, en train de regarder un film à la télévision en tirant quelques bouffées d'une pipe à eau bourrée de marijuana. Les spots publicitaires se faisaient plus longs et de plus en plus fréquents.

« J'ai un petit creux, tu veux que j'aille chercher du pop-corn ? dit-elle.

— J'y vais, donne-moi tes clefs.

— Ne bouge pas. N'importe comment, il faut que je voie si maman a appelé. »

Elle se leva du divan. C'était une grande jeune femme fortement charpentée et bien en chair, presque lourde, avec un beau visage et une abondante chevelure. Elle retrouva ses chaussures sous la table basse et sortit.

Cette soirée de février était plus humide que froide. Un peu de brouillard venu du Mississippi flottait, presque à hauteur d'homme, sur le vaste parking. Au zénith, elle aperçut un mince croissant de lune, pâle et crochu comme un hameçon en os. Lever ainsi la tête lui donna un peu le vertige. Elle s'engagea dans le parking, droit vers sa propre porte, à une centaine de mètres de là.

La camionnette marron était garée près de son appartement, entre des camping-cars et des remorques à bateaux. Elle la remarqua parce que ce véhicule ressemblait aux voitures de livraison qui lui apportaient souvent des colis de sa mère.

Comme elle passait à proximité, une lampe s'alluma dans le brouillard. Sur l'asphalte, derrière la camionnette, il y avait un lampadaire avec un abat-jour, éclairant un fauteuil rembourré, couvert de chintz imprimé de grosses fleurs écarlates qui semblaient s'épanouir dans la brume. Cela évoquait une vitrine de magasin.

Catherine Baker Martin cligna plusieurs fois des yeux et continua son chemin. *C'est surréaliste*, pensa-t-elle en mettant cela sur le compte de l'herbe. Mais la vision persista. Quelqu'un devait emménager. Ou déménager. Il y avait beaucoup d'allées et venues à Stonehinge Villas. Le rideau de sa fenêtre remua et elle vit son chat qui se frottait contre la vitre, le dos arqué.

Au moment d'introduire la clef dans la serrure, elle se retourna. Un homme descendait de l'arrière de la camionnette. Elle vit, à la lumière de la lampe, qu'il avait une main plâtrée et le bras en écharpe. Elle entra et ferma la porte derrière elle.

Catherine écarta le rideau ; l'homme s'efforçait de hisser le fauteuil dans la camionnette. Il le tenait de sa main indemne et essayait de le soulever avec son genou. Le siège retomba. Il le redressa, se lécha le doigt et frotta le tissu pour ôter une tache de boue.

Elle ressortit.

« Je vais vous aider. » Elle avait le ton qu'il fallait, uniquement serviable.

« Vous voulez bien ? Merci. » Une voix curieusement tendue. Pas l'accent du coin.

La lampe éclairait son visage d'en bas, déformant ses traits, mais elle voyait clairement son corps. Il portait un pantalon kaki au pli impeccable et une espèce de chemise en daim ouverte sur sa poitrine pleine de taches de rousseur. Son menton et ses joues étaient totalement glabres, lisses comme ceux d'une femme ; ses yeux n'étaient que des points brillants, à l'ombre de ses pommettes.

Il la regardait aussi et cela ne la laissait pas indifférente. Lorsqu'elle s'approchait d'eux, les hommes étaient souvent surpris par sa stature et certains dissimulaient mieux leur réaction que d'autres.

« Bon », dit-il.

Il dégageait une odeur désagréable et elle remarqua avec répugnance que sa chemise avait des poils, dont certains sur les épaules et sous les bras étaient frisés.

Ils hissèrent facilement le fauteuil sur le plancher bas de la camionnette.

« Nous allons le faire glisser vers l'avant, si vous voulez bien. » Il grimpa à l'intérieur et écarta divers objets, les grands récipients plats que l'on engage sous un véhicule pour vidanger l'huile et un petit treuil à bras.

Ils poussèrent le fauteuil jusqu'aux sièges.

« Vous faites du quarante-quatre ? dit-il.

— Pardon ?

— Vous pouvez me passer la corde ? Juste à vos pieds. »

Tandis qu'elle se penchait, il la frappa sur la nuque, avec son plâtre. Elle crut s'être cogné la tête et leva la main au moment ou le plâtre s'abattait à nouveau sur elle, lui écrasant les doigts contre le crâne. Il continua à frapper, cette fois derrière l'oreille, mais pas trop fort, jusqu'à ce qu'elle s'écroule en travers du fauteuil. Elle glissa sur le plancher et resta étendue sur le côté.

L'homme la surveilla un instant, puis ôta le plâtre et l'écharpe. Il se hâta d'aller récupérer la lampe et ferma les portes arrière.

Il retourna le col de Catherine et, à la lumière d'une lampe de poche, lut la taille du corsage.

« Bien », dit-il.

Il fendit le vêtement dans le dos avec des ciseaux à pansements et le retira, puis il lui attacha les mains sur les reins avec des menottes. Il étendit une bâche de déménageur sur le plancher et la fit rouler sur le dos.

Elle ne portait pas de soutien-gorge. Il tâta ses gros seins du bout des doigts, appréciant leur poids et leur élasticité.

« Bien. »

Elle avait un suçon rose sur le sein gauche. Il lécha son doigt pour le frotter, comme il avait fait avec le fauteuil, et hocha la tête quand la tache livide céda à la douce pression. Il la fit rouler sur le ventre et examina le crâne en écartant l'épaisse chevelure. Le plâtre rembourré ne l'avait pas blessée.

« Bieeeen », répéta-t-il. Il avait un long trajet à faire pour regagner sa maison et il préférait ne pas avoir besoin de lui mettre un pansement.

A la fenêtre, le chat de Catherine Baker Martin regarda s'éloigner les feux arrière de la camionnette.

Derrière lui, le téléphone sonna. Dans la chambre à coucher, le répondeur enregistra la communication, sa petite lumière rouge clignotant dans l'obscurité.

L'appel provenait de la mère de Catherine, sénateur du Tennessee, le plus jeune des Etats-Unis.

Chapitre 16

Dans les années quatre-vingt, âge d'or du terrorisme, tout était prévu pour faire face à un enlèvement qui toucherait de près un membre du Congrès.

A deux heures quarante-cinq, l'agent responsable du bureau du FBI à Memphis signala au QG de Washington que la fille unique du sénateur Ruth Martin était portée disparue.

A trois heures, deux fourgonnettes banalisées sortirent du garage souterrain de Buzzard's Point, la base opérationnelle de Washington. L'une gagna le Congrès où des techniciens mirent les téléphones du bureau du sénateur Martin sur table d'écoute, ainsi que les cabines publiques avoisinantes. Le ministère de la Justice réveilla le plus jeune membre de la Sécurité du Sénat pour lui faire signer l'autorisation indispensable.

L'autre véhicule, équipé de vitres réflectorisées et de tout un matériel de surveillance, se gara sur Virginia Avenue pour couvrir l'entrée principale de Watergate West, la résidence du sénateur Martin. Deux de ses occupants entrèrent dans l'immeuble pour installer du matériel d'écoute sur les téléphones personnels du sénateur.

Selon Bell Atlantic, le temps moyen de repérage de tout appel de rançon passant par le central téléphonique électronique était estimé à soixante-dix secondes.

La Brigade d'intervention rapide doubla ses équipes dans l'éventualité d'un dépôt de rançon dans la région de Washington. Tous les échanges radio se faisaient en code afin d'éviter l'arrivée des hélicoptères de la télé lors d'une remise éventuelle de rançon — les médias se montraient rarement aussi irresponsables, mais c'était déjà arrivé.

La Brigade anti-terroriste resta en état d'alerte permanente, prête à décoller.

Tout le monde espérait que Catherine Baker Martin avait été kidnappée par des professionnels en quête d'une rançon, car cette hypothèse lui laissait les meilleures chances de survie.

Personne ne mentionna la pire des éventualités.

Puis, peu après l'aube, un agent de police de Memphis, à la recherche d'un rôdeur aperçu par les habitants de Winchester Avenue, interpella un vieil homme qui ramassait des boîtes de conserve et d'autres détritus sur le bas-côté de la route. Dans sa charrette à bras, il trouva un corsage de femme encore boutonné devant et fendu dans le dos. La marque du teinturier permit de déduire qu'il appartenait à Catherine Baker Martin.

Jack Crawford venait de quitter son domicile et il était six heures trente lorsque le téléphone de sa voiture sonna pour la seconde fois en deux minutes.

« Neuf vingt-deux quarante.

— Quarante, je vous passe Alpha 4. »

Crawford repéra une aire de repos et s'y gara afin d'accorder toute son attention à l'appel. Alpha 4, c'était le directeur du FBI.

« Jack, vous êtes au courant, pour Catherine Martin ?

— L'officier de garde vient de m'appeler.

— Alors, qu'est-ce que vous pensez du corsage ?

— Buzzard's Point est sur le pied de guerre. Je préférerais qu'ils restent en état d'alerte. Et qu'ils continuent la surveillance téléphonique. Corsage fendu ou non, nous ne sommes pas sûrs qu'il s'agisse de Bill. Si c'est un type qui l'imite, il va demander une rançon. Qui s'occupe de l'écoute et de fouille de l'appartement, eux ou nous ?

— Eux. La police de l'état. Ils sont très efficaces. Phil Adler a appelé de la Maison Blanche pour me dire que le président " suivait attentivement " l'enquête. Un succès ne nous ferait pas de mal, Jack.

— J'y ai pensé. Où est le sénateur ?

— En route pour Memphis. Elle vient de m'appeler chez moi. Je n'ai pas besoin de vous en dire plus.

— J'imagine. » Crawford avait rencontré le sénateur Martin à des séances de budget.

« Elle va user de toute son influence.

— On ne peut pas le lui reprocher.

— Bien sûr. Je lui ai dit que nous nous engagerions à fond, comme nous l'avons toujours fait. Elle est... elle connaît votre situation personnelle et met un Lear à votre disposition. Utilisez-le. Rentrez chez vous le soir, si c'est possible.

— Bien. Le sénateur est quelqu'un de coriace. Si elle essaie de s'en mêler, on va s'affronter.

— Je sais. Si nécessaire, n'hésitez pas à faire appel à moi. Combien de temps avons-nous, Jack ? Six à sept jours ?

— Je ne sais pas. S'il panique en découvrant qui est Catherine, il peut la tuer et larguer le cadavre.

— Où êtes-vous ?

— A trois kilomètres de Quantico.

— Un Lear peut se poser sur la piste de Quantico ?

— Oui.

— Dans vingt minutes.

— Bien, monsieur. »

Crawford composa un numéro de téléphone et démarra.

Chapitre 17

CONTRARIÉE d'avoir mal dormi, Clarice Starling attendait en peignoir et en mules, la serviette sur l'épaule, que la salle de bains qu'elle et Ardelia partageaient avec leurs voisines soit libre. La nouvelle de l'enlèvement de Memphis, qu'elle entendit à la radio, lui coupa le souffle.

« Mon Dieu ! s'exclama-t-elle. Oh, non. ÇA SUFFIT LÀ-DEDANS ! LA SALLE DE BAINS EST ENCERCLEE. SORTEZ CULOTTES EN L'AIR. CECI N'EST PAS UN EXERCICE ! » Elle entra dans la cabine de douche occupée par sa voisine stupéfaite. « Tire-toi, Gracie, et laisse-moi le savon s'il te plaît. »

L'oreille tendue vers le téléphone, elle prépara un sac de voyage et posa sa trousse médico-légale près de la porte. Elle prévint le standard qu'elle était dans sa chambre et ne descendit pas déjeuner. Aucun appel. A dix minutes du début des cours, elle se précipita avec ses bagages au département des Sciences du comportement.

« M. Crawford s'est embarqué pour Memphis il y a trois quarts d'heure, lui dit la secrétaire d'une voix douce. Burroughs aussi. Et Stafford, du labo, est parti de National.

— J'ai déposé un rapport pour lui, hier soir. A-t-il laissé un message à mon nom ? Je m'appelle Clarice Starling.

— Oui, je sais qui vous êtes. J'ai trois cartes avec votre numéro de téléphone et il y en a d'autres sur son bureau, je crois. Non, il n'a rien laissé pour vous. » La femme regarda les bagages de Clarice. « S'il appelle, dois-je lui dire quelque chose ?

— A-t-il laissé un numéro de téléphone à Memphis ?

113

« — Non, c'est lui qui appellera. Vous n'avez pas cours aujourd'hui ? Vous êtes encore étudiante, n'est-ce pas ?

— Oui. Oui. Bien sûr. »

L'arrivée tardive de Clarice dans la salle de cours ne fut pas facilitée par la présence de Gracie Pitman, la jeune femme qu'elle avait délogée de la douche et qui était assise juste derrière elle. Le chemin lui parut long jusqu'à sa place. La langue de Gracie Pitman eut le temps de faire deux révolutions dans sa joue duveteuse avant que Clarice ne se fonde dans la classe.

Le ventre vide, elle passa deux heures à écouter un cours sur « le mandat de bonne foi, exception à la règle d'exclusion en cas de perquisition et d'arrestation », avant de pouvoir s'acheter quelque chose à la machine distributrice.

A midi, elle alla regarder dans sa case, mais il n'y avait aucun message. Elle se dit, et ce n'était pas la première fois, qu'une intense frustration avait le même goût que l'huile de foie de morue qu'on lui faisait prendre quand elle était petite.

Certains jours, on se réveille transformé. C'était le cas aujourd'hui. Le cadavre du funérarium de Potter avait provoqué en elle un glissement tectonique.

Clarice était diplômée de psychologie et de criminologie. La vie lui avait appris avec quelle désinvolture hideuse le monde détruit certaines choses. Mais elle ne l'avait jamais vraiment *expérimenté*. Maintenant, elle savait : parfois un couple humain donne naissance à un enfant au visage normal, mais dont l'esprit est si tordu que l'assouvissement de ses désirs aboutit à ce qu'elle avait vu sur une table en porcelaine, à Potter, en Virginie, dans cette pièce ornée de roses grosses comme des choux. Cet esprit devait être encore pire que les rapports d'autopsie. Il fallait qu'elle s'endurcisse contre cette connaissance qui s'était gravée en elle, sinon la plaie ne guérirait jamais.

La routine de l'Ecole ne l'aida en rien. Elle avait l'impression que la réalité quotidienne restait là-bas, à l'horizon ; elle entendait son immense murmure comme la rumeur d'un stade éloigné. Un rien la faisait sursauter, un groupe passant dans le couloir, l'ombre des nuages se déplaçant sur le sol, le bruit d'un avion.

Après les cours, Clarice fit en courant trop de tours de piste, puis elle nagea. Jusqu'à ce que des images de noyés lui rendent le contact de l'eau insupportable.

Elle regarda le journal de sept heures avec Ardelia et une douzaine d'autres étudiants. On ne parla pas de l'enlèvement de la fille du sénateur Martin en premier, mais tout de suite après la conférence de Genève sur le désarmement.

Cela commença par une vue de Stonehinge Villas, prise à la lumière du gyrophare d'une voiture de police. Les médias tentaient d'exploiter l'histoire au maximum et comme il n'y avait rien de nouveau, les journalistes s'interviewaient mutuellement sur le parking. Les autorités de Memphis et du comté de Shelby, mal à l'aise devant ces rangées de micros, baissaient la tête sous l'agression brutale et bruyante des flashes et des effets Larsen, et énuméraient les choses qu'ils ignoraient. Lorsque les enquêteurs entraient chez Catherine Baker Martin ou en sortaient, des photographes à l'affût se penchaient par l'entre-bâillement de la porte, puis reculaient vivement entre les minicaméras de la télé.

Une brève acclamation ironique s'éleva dans le foyer de l'Ecole lorsque le visage de Crawford apparut brièvement à la fenêtre de l'appartement. Clarice eut un petit sourire.

Est-ce que Buffalo Bill regardait l'émission ? Que pensait-il du visage de Crawford ? Il ne savait peut-être même pas qui c'était.

Les autres pensaient que Buffalo Bill regardait aussi.

Puis on vit le sénateur Martin, en direct, seule dans la chambre de sa fille ; au mur, un fanion de la Southwestern University, des posters en faveur de Wile le Coyote et le texte sur l'égalité des droits.

C'était une grande femme aux traits forts et sans grâce.

« Je m'adresse à la personne qui détient ma fille. » Elle se rapprocha de la caméra, provoquant un flou qui n'était pas prévu, et parla comme elle ne l'aurait pas fait à un terroriste.

« Vous pouvez, si vous le voulez, libérer ma fille saine et sauve. Elle s'appelle Catherine. Elle est très gentille et large d'idées. Je vous en prie, laissez partir ma fille ; je vous en prie, relâchez-la sans lui faire de mal. Vous êtes maître de la situation. C'est vous qui commandez. Je sais que vous pouvez

115

faire preuve d'amour et de compassion. Vous pouvez la protéger contre tout ce qui pourrait lui faire du mal. Vous avez la possibilité merveilleuse de prouver au monde entier que vous êtes capable de bonté, que vous êtes assez généreux pour traiter les autres mieux que le monde ne vous a traité. Elle s'appelle Catherine. »

Le sénateur Martin détourna les yeux de la caméra tandis que la télé passait un film d'amateur montrant une petite fille qui faisait ses premiers pas accrochée à la toison d'un grand colley.

« Ce film montre Catherine lorsqu'elle était bébé. Libérez Catherine, reprit le sénateur. Libérez-la saine et sauve, n'importe où, et je vous promets mon aide et mon amitié. »

Ce fut ensuite une série d'instantanés. Catherine Martin, à huit ans, à la barre d'un voilier ; le bateau était sur cales et le père repeignait la coque. Deux photos récentes de la jeune femme, l'une en pied et l'autre en gros plan.

Le visage du sénateur emplit de nouveau l'écran. « Je promets, devant tout le pays, de vous aider sans aucune restriction chaque fois que vous en aurez besoin. Je suis bien placée pour le faire. Je suis sénateur des Etats-Unis. Et membre du Comité des forces armées. Je participe activement à ce qu'on appelle la " Guerre des Etoiles ". Si vous avez des ennemis, je les combattrai. Si quelqu'un s'ingère dans vos affaires, j'y mettrai fin. Vous pouvez m'appeler n'importe quand, de nuit comme de jour. Ma fille s'appelle Catherine. Je vous en prie, montrez-nous votre force. » Le sénateur Martin se rapprocha du micro : « Libérez Catherine saine et sauve. »

« Bon sang, c'est astucieux », dit Clarice. Elle tremblait comme un fox-terrier. « Qu'est-ce que c'est astucieux !

— Quoi, le coup de la Guerre des Etoiles ? demanda Ardelia. Si des extra-terrestres essaient de contrôler les pensées de Buffalo Bill depuis une lointaine planète, le sénateur Martin peut le protéger contre eux — c'est ça son boniment ? »

Clarice acquiesça en hochant la tête. « Beaucoup de schizo- phrènes paranoïdes ont ce genre d'hallucinations : ils croient qu'ils sont contrôlés par des extra-terrestres. Si c'est comme ça que fonctionne Bill, peut-être que cet argument le fera sortir de son antre. Elle a été formidable, non ? Au pire, cela peut donner quelques jours de plus à Catherine. Ainsi qu'à la police. Peut-être que non. Crawford pense qu'il va les garder de moins en moins longtemps. Mais on peut *essayer* ça, et d'autres choses aussi.

— J'essaierais *tout*, s'il s'agissait de ma fille. Pourquoi disait-elle tout le temps " Catherine "? Pourquoi répéter ainsi son nom?

— Elle essaie de lui faire voir Catherine comme une personne. On pense qu'il est obligé de les dépersonnaliser, de les considérer comme des objets pour pouvoir les dépecer. Des meurtriers en série, interrogés en prison, l'ont dit, du moins certains d'entre eux. Ils avaient l'impression de faire cela à une poupée.

— Crois-tu que Crawford est à l'origine de la déclaration du sénateur Martin?

— Peut-être, ou bien le Dr Bloom — tiens, le voilà. » On passait à l'écran une interview du Dr Alan Bloom, de l'université de Chicago, sur les meurtres en série, enregistrée quelques semaines auparavant.

Il refusait de comparer Buffalo Bill à Francis Dolarhyde ou à Garrett Hobbs, ou à d'autres coupables du même type. Il n'utilisait pas le terme « Buffalo Bill ». En fait, il ne dit pas grand-chose de neuf, mais c'était un expert, probablement le meilleur en la matière, et la chaîne voulait montrer son visage.

Le reportage se termina sur ses dernières phrases : « Nous ne pouvons pas le menacer de quelque chose de pire que ce qu'il affronte chaque jour. Mais ce que nous *pouvons* faire, c'est lui demander de venir à nous. Nous lui promettons, en toute sincérité, un traitement doux et un apaisement total. »

« Qui d'entre nous n'a pas besoin d'apaisement? dit Ardelia. Moi la première. Une douce éclipse de ma lucidité et quelques foutaises superficielles, j'adore ça. Il ne leur a rien dit, mais il n'a sans doute pas énervé Bill non plus.

— Je ne peux pas m'arrêter de penser à cette gosse de Virginie; pendant un petit moment, une demi-heure mettons, et puis ça me reprend à la gorge. Le vernis nacré de ces ongles — aide-moi à pas ressasser ça. »

Pendant le dîner, Ardelia, puisant dans ses nombreux engouements, réussit à dissiper la mélancolie de Clarice et à fasciner les oreilles indiscrètes en comparant les rimes croisées de Stevie Wonder et celles d'Emily Dickinson.

En montant dans sa chambre, Clarice trouva un message dans sa boîte : *Prière d'appeler Albert Roden,* et un numéro de téléphone.

« C'est la preuve que ma théorie est valable, dit-elle à Ardelia tandis qu'elles s'affalaient sur leurs lits avec un livre.

— Quelle théorie ?

— Tu fais la connaissance de deux types — et ce n'est pas le bon qui t'appelle.

— Je connais ça. »

Le téléphone sonna.

Mapp toucha le bout de son nez avec son crayon. « Si c'est Hot Bobby Lowrance, dis-lui que je suis à la bibliothèque. Je l'appellerai demain. »

C'était Crawford qui téléphonait d'un avion. « Starling, emportez ce qu'il vous faut pour deux nuits et rejoignez-moi dans une heure. »

Elle crut qu'il était parti, il n'y avait plus qu'un bourdonnement caverneux sur la ligne quand sa voix revint brusquement : « ... pas besoin de la trousse, juste des vêtements.

— Je vous retrouve où ?

— Au Smithsonian. » Il se mit à parler à quelqu'un d'autre avant même de raccrocher.

« C'était Jack Crawford », dit Clarice en posant son sac de voyage sur le lit.

Mapp passa la tête par-dessus le *Federal Code of Criminal Procedure.* Elle regarda Clarice faire son sac, l'un de ses grands yeux noirs à demi fermé.

« Je ne veux pas me mêler de ce qui ne me regarde pas, dit-elle.

— Je m'en doute. » Clarice savait à quoi s'attendre.

Ardelia avait assuré la publication de la *Law Review* à l'université de Maryland, en travaillant la nuit. Elle était la seconde de sa classe et dévorait littéralement les manuels.

« Théoriquement, tu as un examen de Code criminel demain et le test d'éducation physique dans deux jours. Il faut que Monseigneur Crawford sache que tu risques d'être recyclée s'il n'y prend pas garde. S'il dit : « C'était du bon travail, élève

118

Starling », ne lui réponds pas : « Tout le plaisir était pour moi. » Regarde bien en face son cher visage de l'île de Pâques, et dis-lui : « Je compte sur vous pour veiller *personnellement* à ce que je ne sois pas recyclée pour avoir manqué les cours. » Tu m'écoutes ?

— Je peux passer un examen de rattrapage, pour le Code, répliqua Clarice en ouvrant une barrette avec les dents.

— Bon, et si tu le rates parce que tu n'as pas eu le temps d'étudier, crois-tu qu'ils ne te recycleront pas ? Tu te fous de moi ? Ma vieille, ils te jetteront sur le fumier comme un poussin mort. La reconnaissance a une courte demi-vie, Clarice. Fais-lui promettre : *pas de recyclage*. Tu as eu de bonnes notes — qu'il le dise. Je ne trouverai jamais de compagne de chambre qui repasse un corsage aussi vite que toi, une minute avant d'aller au cours. »

Sur l'autoroute à quatre voies, Clarice conduisait sa vieille Pinto un peu en dessous de la vitesse à laquelle les roues directrices commençaient à flotter. Les odeurs d'huile chaude et de moisi, le bruit de ferraille sous le plancher, le gémissement de la transmission lui rappelaient de vagues souvenirs du pick-up de son père ; elle se glissait à côté de lui tandis que ses frères et sa sœur chahutaient.

C'était elle qui conduisait, maintenant, qui conduisait de nuit, et les bandes blanches défilaient sous elle. Elle avait le temps de penser. Ses peurs lui soufflaient dans le cou ; d'autres souvenirs récents se tortillaient à côté d'elle.

Clarice craignait qu'on ait retrouvé le cadavre de Catherine Baker Martin. En découvrant son identité, Bill avait peut-être paniqué. Il l'avait peut-être tuée et jeté son corps avec un insecte au fond de la gorge.

Peut-être Crawford ramenait-il cet insecte pour qu'on l'identifie. Sinon, pourquoi ce rendez-vous au Smithsonian ? Mais n'importe quel agent aurait pu apporter l'insecte au musée, un messager du FBI par exemple. Et il lui avait dit de préparer un sac pour deux nuits.

Elle comprenait que Crawford ne se soit pas expliqué sur une ligne non protégée, mais cette incertitude l'exaspérait.

Elle capta une station de radio consacrée aux infos et tomba au moment du bulletin météo. Les informations ne lui apprirent rien de nouveau. Ce n'était qu'une resucée du journal télévisé de sept heures. La fille du sénateur Martin avait disparu. On avait trouvé son corsage fendu dans le dos, dans le style de Buffalo Bill. Pas de témoins. La victime trouvée en Virginie n'était toujours pas identifiée.

La Virginie. Parmi ses souvenirs du funérarium de Potter, il y en avait un de valable. Quelque chose de durable qui brillait au cœur des sombres révélations et qu'il ne fallait pas oublier. Clarice l'évoqua et s'aperçut qu'elle pouvait le serrer comme un talisman. Là-bas, debout devant l'évier, elle avait puisé sa force à une source inattendue et satisfaisante : le souvenir de sa mère. Clarice avait survécu parmi ses frères et acquis de l'expérience grâce aux quelques faveurs tombées de la main de son défunt père ; elle était surprise, émue par ce trésor qu'elle se devait de découvrir.

Elle gara la Pinto derrière le J. Edgar Hoover Building. Deux équipes de la télévision campaient sur le trottoir ; à la lumière des projecteurs, les journalistes semblaient trop élégants. Ils débitaient leurs reportages sur fond de QG du FBI. Clarice contourna les lumières et fit à pied les quelques centaines de mètres qui la séparaient du *Smithsonian's National Museum of Natural History*.

Quelques fenêtres étaient éclairées tout en haut du vieux bâtiment. Une camionnette de la police du comté de Baltimore était garée dans l'allée en demi-cercle. Derrière elle, Jeff, le chauffeur de Crawford, attendait au volant d'une nouvelle fourgonnette de surveillance. Quand il vit Clarice arriver, il parla dans un talkie-walkie.

Chapitre 18

LE gardien conduisit Clarice au second, au-dessus du grand éléphant empaillé du Smithsonian. La porte de l'ascenseur s'ouvrit sur le vaste couloir mal éclairé où Crawford attendait, seul, les mains dans les poches de son imperméable.

« Bonsoir, Starling.

— Bonsoir », dit-elle.

Crawford s'adressa au gardien, resté derrière elle. « Nous connaissons le chemin, merci. »

Crawford et Clarice avancèrent, côte à côte, entre les piles de boîtes de spécimens anthropologiques. Quelques rares plafonniers étaient allumés. Tout en adoptant la posture un peu voûtée, réfléchie, d'une balade sur le campus, Clarice prit conscience que Crawford souhaitait mettre la main sur son épaule, ce qu'il aurait fait si un contact physique avait été possible entre eux.

Elle attendait qu'il dise quelque chose. Elle finit par s'arrêter, mit aussi les mains dans les poches, et ils se tournèrent l'un vers l'autre, dans le silence des ossements.

Crawford s'appuya contre les caisses et respira profondément par le nez. « Catherine Martin est probablement encore en vie », dit-il.

Clarice hocha la tête et ne la releva pas. Il aurait peut-être moins de mal à lui parler si elle ne le regardait pas. Il avait l'air solide, mais quelque chose devait le tracasser. Elle se demanda si sa femme n'était pas morte. C'était peut-être simplement le fait d'avoir passé toute une journée avec la mère éplorée de Catherine.

« Pas le moindre indice à Memphis, dit-il. Je pense qu'il l'a enlevée dans le parking. Personne n'a rien vu. Elle est entrée chez elle, puis elle est ressortie pour une raison inconnue. Elle n'avait pas l'intention de rester longtemps dehors — elle a laissé la porte entrouverte, en tirant le verrou pour qu'elle ne se referme pas derrière elle. Ses clefs étaient sur la télévision. Dans l'appartement, rien n'a été dérangé. Je ne pense pas qu'elle y soit restée longtemps. Elle n'est même pas allée jusqu'au répondeur, qui est dans sa chambre. Il clignotait encore lorsque son petit ami a fini par appeler la police. » Crawford posa négligemment la main sur une boîte d'ossements, puis la retira rapidement.

« Elle est donc entre ses mains. Les médias sont d'accord pour ne pas présenter le compte à rebours aux informations du soir — le Dr Bloom pense que cela ne ferait que le pousser à la tuer. N'importe comment, quelques torchons vont le faire. »

Lors d'un précédent enlèvement, on avait trouvé le vêtement fendu dans le dos assez tôt pour identifier une victime de Buffalo Bill alors qu'elle était encore vivante. Clarice se souvint du compte à rebours encadré de noir s'étalant sur la page de titre des journaux à sensation. Dix-huit jours s'écoulèrent avant que le corps flotte dans une rivière.

« Catherine Baker attend dans la loge de Bill, et nous avons peut-être une semaine, Starling. Au grand maximum — Bloom estime que le délai se raccourcit de plus en plus. »

C'était un long discours, pour Crawford. La référence théâtrale à une « loge » agaça Clarice ; elle attendait qu'il en vienne à l'essentiel.

« Mais cette fois, Starling, cette fois-ci, nous avons peut-être une petite chance. »

Elle leva les yeux, attentive et pleine d'espoir.

« Nous avons trouvé un autre insecte. Vos copains, Pilcher et... l'autre...

— Roden.

— ... sont en train de l'examiner.

— Où était-ce ?... à Cincinnati ? La fille qu'on a gardée au frigo ?

— Non. Venez que je vous montre. J'aimerais savoir ce que vous en pensez.

— L'entomologie, c'est de l'autre côté, monsieur Crawford.

— Je sais. »

Ils atteignirent les portes du département d'anthropologie. De la lumière et des voix filtraient à travers la porte en verre. Elle entra.

Au centre de la pièce, trois hommes en blouse blanche travaillaient autour d'une table éclairée d'une lumière vive. Clarice ne vit pas ce qu'ils faisaient. Jerry Burroughs, des Sciences du comportement, regardait par-dessus leurs épaules et prenait des notes. Une odeur familière imprégnait la pièce.

L'un des hommes se leva pour mettre quelque chose dans l'évier et elle put enfin voir, sur un plateau en acier inoxydable posé sur la paillasse, « Klaus », la tête qu'elle avait trouvée dans l'entrepôt de Baltimore.

« L'insecte était dans la gorge de Klaus, dit Crawford. Attendez une minute, Starling. Jerry, vous êtes en contact avec le central ? »

Burroughs lisait ses notes au téléphone. Il couvrit le micro de la main. « Oui, Jack, ils sont en train de faire sécher le portrait de Klaus. »

Crawford s'empara du combiné. « Bobby, n'attendez pas Interpol. Transmettez la photo par télex, avec le rapport médical. Aux pays scandinaves, à la RFA et aux Pays-Bas. N'oubliez pas de dire que Klaus est peut-être un gars de la marine marchande qui n'a pas rejoint son navire. Mentionnez aussi que leur Service national de santé a peut-être un dossier sur la fracture de la pommette. Appelez ça, comment déjà... l'arcade zygomatique. Transmettez aussi les deux schémas dentaires, l'universel et celui de la Fédération dentaire. Ils lui attribuent un âge, mais soulignez bien qu'il ne s'agit que d'une estimation approximative — on ne peut pas faire mieux à partir des sutures crâniennes. » Il rendit le téléphone à Burroughs. « Où sont vos affaires, Starling ?

— Dans le bureau du gardien.

— C'est Johns-Hopkins qui a trouvé l'insecte, dit Crawford pendant qu'ils attendaient l'ascenseur. Ils examinaient la tête pour la police de Baltimore. Il était dans la gorge, exactement comme à Potter.

— Comme à Potter.

— Vous gloussez. Johns-Hopkins l'a trouvé aujourd'hui à

dix-neuf heures. Le district attorney m'a appelé dans l'avion. Ils ont tout envoyé, Klaus et le reste, afin que nous puissions le voir — *in situ*. Ils voulaient aussi l'opinion du Dr Angel sur l'âge de Klaus et savoir à quel âge il s'était fracturé la pommette. Ils font comme nous, ils consultent le Smithsonian.

— Attendez une seconde, il faut que je réfléchisse. Vous êtes en train de me dire que Buffalo Bill a peut-être tué Klaus ? Il y a des années ?

— Ça vous paraît tiré par les cheveux ? Une coïncidence trop extraordinaire ?

— Sur le moment, oui.

— Mijotez ça une minute.

— C'est grâce au Dr Lecter que j'ai trouvé Klaus.

— Oui.

— Il m'a dit que son patient, Benjamin Raspail, prétendait l'avoir assassiné. Mais Lecter a ajouté qu'il s'agissait plutôt d'un cas d'asphyxie érotique accidentelle.

— C'est ce qu'il a dit.

— Vous pensez que le Dr Lecter sait comment Klaus est mort, que ce n'est pas Raspail et que ce n'est pas non plus une asphyxie due à un acte érotique ?

— Klaus avait un insecte dans la gorge, cette fille de Potter avait un insecte dans la gorge. C'est la première fois que je vois cela. Je n'en ai jamais entendu parler, je n'ai lu ça nulle part. Qu'en pensez-vous ?

— Je pense que vous m'avez dit de préparer des affaires pour deux jours. Vous voulez que j'aille interroger le Dr Lecter, n'est-ce pas ?

— Vous êtes la seule à laquelle il parle. » Crawford avait l'air tellement triste lorsqu'il ajouta : « Je suppose que vous êtes d'accord. »

Elle hocha la tête.

« Allons-y, nous discuterons en cours de route. »

Chapitre 19

« AVANT que nous l'arrêtions pour meurtre, le Dr Lecter a brillamment pratiqué la psychiatrie pendant des années, dit Crawford. Il a fait beaucoup d'expertises psychiatriques pour les tribunaux du Maryland, de Virginie, et d'autres de la côte Est. Il a vu pas mal de fous criminels. Qui sait s'il n'en a pas fait libérer, juste pour le plaisir ? C'est peut-être ça, sa source de renseignements. Et puis, il connaissait personnellement Raspail, qui a dû lui révéler certaines choses au cours de sa thérapie. Peut-être que Raspail lui a dit qui avait tué Klaus. »

Crawford et Clarice étaient assis l'un en face de l'autre, à l'arrière de la fourgonnette de surveillance qui roulait à toute allure sur la 95, en direction de Baltimore. Jeff avait manifestement reçu l'ordre d'appuyer sur le champignon.

« Lecter a proposé son aide, sans que je la lui aie demandé. Il l'a déjà fait, et cela n'a rien apporté de bon ; la dernière fois, il a " aidé " Will Graham à prendre des coups de couteau dans la figure. Parce que cela l'amusait.

« Mais un insecte dans la gorge de Klaus, un insecte dans la gorge de la fille de Potter, je suis obligé d'en tenir compte. Alan Bloom n'a jamais entendu parler de ça, et moi non plus. Etes-vous tombée sur quelque chose du même genre, Starling ? Vous avez lu plus de périodiques que moi, ces derniers temps.

— Non, jamais. L'introduction d'objets, oui, mais un insecte, jamais.

— Deux choses, pour commencer. D'abord, nous posons l'hypothèse que le Dr Lecter sait réellement quelque chose de concret. Deuxièmement, nous savons qu'il ne cherche que son

125

plaisir. N'oublions jamais ça. Il faut qu'il ait envie que Buffalo Bill soit arrêté avant de tuer Catherine Martin. Le plaisir et les avantages qu'il peut en tirer doivent être envisagés dans cette perspective. Nous n'avons aucun moyen de le menacer — on lui a déjà enlevé ses livres et le siège de ses waters.

— Qu'arriverait-il si nous lui expliquions la situation en lui offrant quelque chose — une cellule avec une fenêtre ? C'est ce qu'il a demandé, en proposant de nous aider.

— De nous aider. Pas de dénoncer quelqu'un. Le mouchardage ne lui permettrait pas d'étaler sa science. Vous ne semblez pas convaincue. Vous voulez lui dire la vérité. Ecoutez-moi. Lecter n'est pas pressé. Il suit cela comme un match. Si nous lui demandons de moucharder, il attendra. Il ne le fera pas tout de suite.

— Même pour obtenir une récompense ? Quelque chose qu'il n'aurait pas si Catherine Martin mourait ?

— Supposons que nous lui disions que nous *savons* qu'il connaît le coupable et que nous voulons qu'il le dénonce. Ce qui l'amuserait le plus, ce serait de faire comme s'il essayait de se souvenir, pendant des jours et des jours, en attisant l'espoir du sénateur Martin et en laissant mourir Catherine. Et puis, il tourmenterait la mère de la victime suivante et encore une autre, en feignant d'être sur le point de se souvenir — ce serait bien mieux que d'avoir une fenêtre. C'est de ça qu'il vit. Qu'il se nourrit.

« Je ne suis pas certain qu'on devienne plus sage en vieillissant, Starling, mais on apprend à éviter pas mal de choses. Et cela nous est possible, dans le cas présent.

— Alors, je dois faire croire au Dr Lecter que je viens le voir uniquement pour son intuition et ses connaissances.

— Parfaitement.

— Pourquoi m'avez-vous donné toutes ces explications ? Pourquoi ne pas me dire simplement ce que je dois lui demander ?

— Je suis franc avec vous. Vous ferez la même chose lorsque vous occuperez un poste à responsabilités. A long terme, il n'y a que ça qui marche.

— Alors il ne faut pas lui parler de l'insecte qui est dans la gorge de Klaus, ni du lien entre Klaus et Buffalo Bill.

126

— Non. Vous revenez le voir parce que le fait qu'il ait prédit que Buffalo Bill allait se mettre à scalper vous a impressionnée. Je ne veux plus entendre parler de lui, Alan Bloom non plus. Mais je vous laisse quartier libre. Vous avez la possibilité de lui procurer quelques privilèges que seul quelqu'un d'aussi puissant que le sénateur Martin peut obtenir. Il faut qu'il comprenne qu'il doit se hâter parce que cette offre prendra fin si Catherine meurt. Dans ce cas, le sénateur se désintéressa totalement de lui. Et s'il échoue, c'est parce qu'il n'est pas assez intelligent et pas assez informé pour faire ce qu'il a promis — et non parce qu'il a différé ses révélations pour nous contrarier.

— Est-ce que le sénateur se désintéressera de lui ?

— Il est préférable que vous puissiez déclarer, sous serment, que vous ignorez la réponse à cette question.

— Je vois. » Ainsi, le sénateur n'était pas au courant. Il allait lui falloir un sacré culot. Il était clair que Crawford avait peur d'une interférence, peur que le sénateur puisse commettre l'erreur de s'adresser au Dr Lecter.

« Vous voyez vraiment ?

— Oui. Comment peut-il être assez explicite pour nous diriger vers Buffalo Bill sans montrer qu'il sait des choses précises ? Comment peut-il faire cela rien qu'avec ses connaissances théoriques et son intuition ?

— Je l'ignore, Starling. Il a eu le temps d'y réfléchir. Le temps que nous en arrivions à la sixième victime. »

Le téléphone à brouilleur bourdonna et clignota pour la première série d'appels que Crawford avait demandés au standard du FBI.

Pendant les vingt minutes qui suivirent, il parla à des inspecteurs de la police d'Etat néerlandais et de la Maréchaussée royale qu'il connaissait, à un *Overstelojtnant* de la police danoise qui avait étudié à Quantico, à une relation personnelle qui était assistant du *Rigsopolitichef* de la police danoise, et il étonna Clarice lorsqu'il s'adressa en français aux services de nuit de la police criminelle belge. A chacun, il expliqua qu'il était nécessaire d'identifier Klaus et ses collègues le plus rapidement possible. Chaque juridiction devait déjà avoir reçu la requête envoyée sur son télex d'Interpol, mais, avec un appel personnel, elle ne resterait pas accrochée à la machine pendant des heures.

Clarice comprit que Crawford avait choisi cette fourgonnette pour son radiotéléphone pourvu du nouveau système de brouillage, mais il aurait travaillé plus facilement de son bureau. Il devait jongler avec son carnet de notes sur une minuscule tablette à l'éclairage insuffisant et tous deux sautaient chaque fois que les pneus heurtaient une bande de bitume. Clarice n'avait que peu d'expérience du terrain, mais elle savait que, d'habitude, un chef de département ne se transbahutait pas dans une fourgonnette pour une course comme celle-ci. Il aurait pu lui transmettre ses instructions par radiotéléphone. Elle était bien contente qu'il ne l'ait pas fait.

Clarice avait l'impression que le silence et le calme de ce véhicule, le temps accordé pour que cette mission s'effectue d'une façon méthodique, il les avait payés très cher. Ce que disait Crawford au téléphone le confirma.

Il parlait maintenant au directeur. « Non, monsieur. Ça les a secoués ?... Combien de temps ? Non, monsieur. Non. Pas de micro. Tommy, j'en prends la responsabilité et j'y tiens. Je ne *veux* pas qu'elle ait de micro sur elle. Le Dr Bloom est du même avis. Il est retenu à O'Hare par le brouillard. Il viendra dès que possible. D'accord. »

Puis Crawford eut une conversation sibylline avec l'infirmière de nuit qui était chez lui. Lorsqu'il eut raccroché, il regarda par la fenêtre de la fourgonnette, opaque extérieurement, pendant une minute environ, une main sur son genou, tenant ses lunettes entre deux doigts ; son visage, balayé par les phares des véhicules circulant en sens inverse, semblait nu. Puis il remit ses lunettes et se tourna vers Clarice.

« Lecter est à nous pour trois jours. Si nous n'obtenons aucun résultat, la police de Baltimore le harcèlera pour le faire parler jusqu'à ce que le tribunal les éjecte.

— Le harceler ? cela n'aboutira pas plus que la dernière fois.

— Qu'est-ce qu'il leur a donné, une cocotte en papier ?

— Oui, un pliage origami. » Il était encore dans le sac à main de Clarice. Elle le défroissa et le fit picorer sur la petite tablette.

« Je ne blâme pas les flics de Baltimore. C'est leur prisonnier.

Si on retrouve Catherine dans la rivière, il faudra qu'ils puissent dire à la mère qu'ils ont tout essayé.

— Comment va le sénateur Martin ?

— Elle est courageuse, mais elle souffre. C'est une femme intelligente et énergique, pleine de bon sens. Elle vous plairait, Starling.

— Est-ce que Johns-Hopkins et la Criminelle de Baltimore ont gardé le silence sur l'insecte trouvé dans la gorge de Klaus ? Pouvons-nous empêcher les journaux d'en parler ?

— Au moins pendant trois jours.

— Cela n'a pas dû être facile.

— On ne peut pas faire confiance à Frederick Chilton, ou au personnel de l'hôpital. Si Chilton l'apprend, le monde entier aussi. Il saura forcément que vous êtes là, mais c'est simplement un service que vous rendez à la Criminelle de Baltimore, en essayant de conclure l'affaire Klaus — cela n'a rien à voir avec Buffalo Bill.

— Et c'est pour cela que je viens si tard ?

— C'était le seul moment que je pouvais vous accorder. A propos, l'histoire de l'insecte dans la gorge de la fille de Potter sera dans les journaux du matin. La fuite provient du bureau du coroner de Cincinnati, aussi ce n'est plus un secret. Lecter peut apprendre ce détail de vous, et c'est sans importance tant qu'il ne sait pas que nous en avons trouvé un dans la gorge de Klaus.

— Qu'est-ce que nous avons à lui offrir ?

— J'y travaille », dit Crawford en reprenant le téléphone.

Chapitre 20

UNE grande salle de bains au carrelage blanc, avec des lucarnes et des accessoires italiens brillants qui se détachaient sur les vieilles briques nues. Une coiffeuse raffinée, flanquée de plantes vertes et chargée de cosmétiques, dont le miroir s'emperlait de buée. De la douche sortait une voix étrange qui fredonnait un octave trop haut « Cash for Your Trash » de Fats Waller, tiré de la comédie musicale *Ain't Misbehavin'*. Parfois, la voix chantait les paroles :

Save up all your old newsPA-PERS,
Save and pile'em like a high skySCRAPER
DAH DAHDAHDAH DAH DAH DAHDAH DAH
DAH...

Chaque fois qu'elle chantait, une petite chienne grattait à la porte de la salle de bains.

Sous la douche, il y avait Jame Gumb, un Blanc de trente-quatre ans, quatre-vingt-treize kilos, brun aux yeux bleus, sans signe particulier. Il prononçait son nom comme *James* mais sans *s*. Jame. Il y tenait.

Après s'être rincé une première fois, Gumb se frictionna avec une lotion tonifiante, en se servant d'un gant pour les parties de son corps qu'il n'aimait pas toucher. Ses jambes et ses pieds étaient un peu poilus, mais il décida qu'il n'était pas nécessaire de les épiler.

Gumb se frictionna jusqu'à ce que sa peau rosisse, puis s'enduisit d'une bonne crème émolliente. Son grand miroir en pied était dissimulé par un rideau coulissant sur une tringle.

Gumb se servit du gant pour fourrer son pénis et ses testicules entre ses cuisses. Il tira le rideau et se regarda dans le miroir en prenant une pose déhanchée, bien que cela écrasât douloureusement ses organes sexuels.

« *Do something for me, honey. Do something for me SOON.* » Il se servait du registre le plus aigu de sa voix, naturellement grave, et croyait que c'était mieux ainsi. Les hormones qu'il avait prises — du Premarin durant quelque temps, puis du diéthyl-stilbestrol, par voie orale — ne pouvaient rien pour sa voix, mais elles avaient un peu éclairci les poils sur ses seins qui s'arrondissaient. Un traitement électrolytique avait débarrassé Gumb de sa barbe et dessiné ses cheveux en V sur le front, mais il ne ressemblait pas à une femme. Il avait l'air d'un homme qui se battrait plutôt avec ses ongles qu'avec ses poings.

Il aurait fallu le fréquenter longtemps pour savoir s'il s'agissait d'une tentative sérieuse et maladroite pour changer de sexe ou d'une caricature haineuse. Mais personne ne le fréquentait jamais longtemps.

« *Watcha gonna do for meeee ?* »

La chienne gratta à la porte en entendant sa voix. Gumb passa un peignoir et la fit entrer. Il prit le petit caniche champagne dans ses bras et posa un baiser sur ses reins dodus.

« Ouiiiii. Tu es *affamée*, Précieuse ? Moi aussi. »

Il changea la chienne de bras pour ouvrir la porte de la chambre. Elle se tortillait pour qu'il la lâche.

« Une seconde, ma douce. » De sa main libre, il ramassa une carabine Mini-14 posée par terre, à côté du lit, et la mit sur les oreillers. « *Allons*. Allons. On va souper dans une minute. » Il posa la chienne sur la moquette et chercha ses vêtements de nuit. Elle le suivit avec impatience dans l'escalier jusqu'à la cuisine.

Jame Gumb sortit trois plateaux repas de son four à micro-ondes. Deux « Homme affamé » pour lui et un « Cuisine légère » pour le caniche.

La chienne dévora son entrée et son dessert, mais ne toucha pas aux légumes. Jame Gumb ne laissa que les os de ses deux plateaux.

Il fit sortir la petite chienne par la porte de derrière, en tenant son peignoir bien fermé contre le froid, et la regarda s'accroupir dans l'étroit faisceau de lumière du seuil.

« Tu n'as pas fait ta grosse commission. Bon, je ne regarde pas. » Mais il l'épia furtivement entre ses doigts. « Oh, *super,* tu es une grande fille. Viens. Allons nous coucher. »

M. Gumb aimait bien aller au lit. Chaque soir, il se couchait à plusieurs reprises. Il aimait aussi se lever et s'asseoir dans l'une de ses nombreuses pièces sans allumer la lumière, ou bien travailler un petit peu en pleine nuit, quand il se sentait inspiré.

Au moment d'éteindre la lumière de la cuisine, il s'arrêta et fit la moue en regardant les restes du souper. Il rassembla les trois plateaux et essuya la table.

Un interrupteur, en haut des marches, allumait les lampes dans la cave. Jame Gumb, portant les plateaux, s'engagea dans l'escalier. Le petit caniche jappa dans la cuisine et rouvrit la porte derrière lui.

« Bien fait pour toi, stupide Billy. » Il ramassa la chienne et la descendit. Elle gigotait et fourrageait du nez dans les plateaux. « Non, tu as assez mangé. » Il la mit par terre et elle le suivit dans le sous-sol, plein de coins et de recoins, qui s'étendait sur plusieurs niveaux.

Juste sous la cuisine, il y avait un puits, asséché depuis longtemps. Sa margelle de pierre, renforcée avec du ciment, s'élevait à soixante centimètres au-dessus du sol sablonneux. Le couvercle en bois, trop lourd pour qu'un enfant le soulève, était toujours en place. Il y avait dedans une ouverture, assez grande pour laisser passer un seau. Elle était ouverte et Jame Gumb y jeta les restes de ses plateaux et de celui du chien.

Les os et les morceaux de légumes disparurent dans l'obscurité totale du puits. La petite chienne s'assit et quémanda.

« Non, non, il n'y a plus rien, dit Gumb. Tu es bien assez grasse comme ça. »

Il remonta les marches en sifflant « Gros boudin, gros boudin » à sa petite chienne. Rien n'indiquait qu'il avait entendu la voix, encore joliment forte et sensée, qui montait du trou noir :

« JE VOUS EN PRIIIIIIIIE ! »

Chapitre 21

CLARICE STARLING se présenta, seule, à l'hôpital d'Etat de Baltimore un peu après vingt-deux heures. Elle avait espéré que le Dr Frederick Chilton ne serait plus là, mais il l'attendait dans son bureau.

Il portait une veste sport de coupe anglaise, à gros carreaux. Les deux fentes et les pans faisaient un peu péplum, se dit Clarice. Pourvu qu'il ne se soit pas habillé pour elle.

Devant le bureau, il n'y avait pour tout siège qu'une chaise droite vissée au sol. Clarice resta debout à côté et son « Bonjour » n'éveilla aucun écho. Elle sentit l'odeur âcre, froide, des pipes de Chilton rangées dans leur râtelier, à côté de l'humidificateur.

Il finit d'examiner sa collection d'images de locomotives Franklin Mint et se tourna vers elle.

« Vous voulez une tasse de déca ?

— Non, merci. Excusez-moi de vous déranger aussi tard.

— Vous travaillez encore sur cette histoire de tête.

— Oui. Le bureau du district attorney de Baltimore m'a dit qu'ils avaient tout réglé avec vous.

— Oh, oui. Je coopère *main dans la main* avec la police, mademoiselle Starling. Vous écrivez un article ou une thèse ?

— Non.

— Vous n'avez jamais publié dans une revue profession-nelle ?

— Non, jamais. C'est juste une petite mission dont m'a chargée le bureau du coroner pour la Brigade criminelle du comté de Baltimore. Nous les avions laissés avec une affaire sur les bras et nous ne faisons que régler les détails qui restent. »

133

Clarice s'aperçut que l'antipathie qu'elle éprouvait pour le Dr Chilton l'aidait à mentir.

« Avez-vous un magnéto, mademoiselle Starling ?

— Si j'ai...

— Avez-vous un micro caché afin d'enregistrer ce que vous dira le Dr Lecter ?

— Non. »

Le Dr Chilton sortit un petit Pearlcorder d'un tiroir et mit une cassette dedans. « Alors, mettez ça dans votre sac. Je vous donnerai une copie de la transcription. Cela peut nous servir pour compléter nos notes.

— Non, je ne peux pas, docteur Chilton.

— Pourquoi diable ? Les autorités de Baltimore me demandent d'analyser tout ce que dit Lecter sur cette affaire Klaus. »

Essayez d'embobiner Chilton, lui avait dit Crawford. *Je peux obtenir quand je veux un ordre du tribunal, mais Lecter s'en rendrait compte. Il lit en Chilton comme un scanner.*

« Le coroner m'a recommandé de tenter d'abord une approche informelle. Si j'enregistrais le Dr Lecter en cachette et qu'il l'apprenne, ce serait la fin de l'atmosphère de travail qui règne entre nous. Je suis sûre que vous comprenez cela.

— Comment l'apprendrait-il ? »

Il le lirait dans le journal avec tout ce que tu sais d'autre, foutu connard. Elle ne répondit pas à la question. « Si je gagne et qu'il fasse une déposition, vous serez le premier à la voir et je suis sûre qu'on vous demandera de témoigner en qualité d'expert. Pour le moment, nous attendons seulement de lui qu'il nous fournisse une piste.

— Savez-vous pourquoi il vous parle, mademoiselle Starling ?

— Non, docteur. »

Il regarda chacun des certificats et des diplômes qui s'étalaient sur les murs de son bureau. Puis il se tourna lentement vers Clarice. « Est-ce que vous savez — vraiment ce que vous faites ?

— Bien sûr. » Les jambes de Clarice tremblaient d'avoir trop couru. Elle ne voulait pas se disputer avec le Dr Chilton et gaspiller l'énergie dont elle avait besoin pour affronter Lecter.

« Eh bien, vous venez dans mon hôpital pour interroger un

de mes patients et vous refusez de me communiquer des informations.

— J'obéis aux ordres que j'ai reçus, docteur Chilton. J'ai le numéro de téléphone personnel du coroner. Alors, je vous en prie, soit vous en discutez avec lui, soit vous me laissez faire mon travail.

— Je ne suis pas un geôlier, mademoiselle Starling. Je ne viens pas ici le soir, rien que pour faire entrer ou sortir les gens. J'avais un billet pour *Holiday on Ice.* »

Il s'aperçut qu'il avait dit *un* billet. Clarice venait d'appréhender ce qu'était sa vie, et il s'en rendit compte.

Elle vit son réfrigérateur vide, les miettes sur le plateau repas qu'il mangeait seul, les affaires empilées pendant des mois jusqu'à ce qu'il les range — elle devina l'existence misérable et solitaire qui se cachait derrière ses sourires aux dents jaunes — et se dit qu'elle ne devait ni l'épargner, ni parler, ni détourner les yeux. Elle le regarda bien en face et, avec un imperceptible hochement de tête, elle le transperça, comme d'une lance, de sa propre beauté et de la connaissance qu'elle avait de sa vie, sachant qu'il n'aurait qu'un désir, mettre fin à la conversation.

Il la fit accompagner par un garçon de salle qui s'appelait Alonzo.

Chapitre 22

En traversant l'asile avec Alonzo, en direction du tout dernier cachot, Clarice réussit à se fermer aux cris et aux claquements de portes, bien qu'elle sentît l'air frissonner contre sa peau. La pression ne cessait de s'accroître, comme si elle s'enfonçait de plus en plus profondément dans l'eau.

La proximité des malades mentaux — la pensée de Catherine Martin, ligotée et livrée à l'un d'eux, qui la reniflait en tâtant sa poche pour vérifier la présence de ses outils — donnait du courage à Clarice. Mais avoir du courage, cela ne suffisait pas. Il fallait être calme, tranquille, être le plus aiguisé des instruments. Elle devait faire preuve de patience, résister à son terrible besoin de se hâter. Si le Dr Lecter connaissait la réponse, il faudrait aller la chercher parmi les vrilles de sa pensée.

Clarice s'aperçut qu'elle s'imaginait Catherine Baker Martin sous les espèces de la petite fille du film, de l'enfant sur le voilier.

Alonzo sonna à la dernière des lourdes portes.

« Apprends-nous l'amour et le détachement, apprends-nous à être en repos.

— Pardon ? » dit Alonzo, et Clarice comprit qu'elle avait parlé tout haut.

Il la laissa en compagnie du grand aide-soignant qui ouvrit la porte. Elle vit qu'en s'en allant, Alonzo se signait.

« Content de vous revoir, dit l'homme en refermant les verrous derrière elle.

— Bonjour, Barney. »

Il tenait un livre, l'index glissé à la page qu'il était en train de lire. C'était *Bon sens et sensibilité* de Jane Austen ; Clarice était d'une humeur à tout remarquer.

« Vous voulez plus de lumière ? » demanda-t-il.

Le couloir était mal éclairé. Tout au bout, la lumière vive de la dernière cellule éclairait le sol.

« Le Dr Lecter ne dort pas ?

— La nuit, jamais — même quand sa lumière est éteinte.

— Alors, ne changez rien.

— Restez bien au milieu du couloir et ne touchez pas aux barreaux d'accord ?

— Je voudrais éteindre cette télé. » On avait déplacé le poste qui maintenant faisait face au centre du couloir. Certains prisonniers pouvaient voir l'écran en appuyant la tête contre les barreaux.

« Bien sûr, coupez le son, mais s'il vous plaît, laissez l'image. Il y en a qui aiment bien la regarder. La chaise est là-bas, si vous la voulez. »

Clarice suivit le couloir mal éclairé, sans regarder ni à droite ni à gauche. Son pas lui parut trop sonore. Il n'y avait guère d'autres bruits, sauf un ronflement sortant d'une cellule, peut-être de deux, et un petit ricanement qui jaillit d'une autre.

La cellule de Migg avait un autre occupant. Elle vit de longues jambes étendues sur le sol, le sommet d'une tête appuyée contre les barreaux. Elle regarda dedans en passant. Un homme était assis par terre sur un monceau de bouts de papier déchirés. Son visage était dénué d'expression. La télévision se reflétait dans ses yeux et un filet de salive brillait du coin de sa bouche jusqu'à son épaule.

Elle évita de regarder dans la cellule du Dr Lecter tant qu'il ne l'eut pas aperçue. Elle la dépassa, avec une démangeaison entre les omoplates, et alla couper le son de la télé.

Dans sa cellule toute blanche, le Dr Lecter portait le pyjama blanc de l'asile. Les seuls couleurs étaient ses cheveux, ses yeux et sa bouche, rouge dans un visage depuis si longtemps privé de soleil qu'il se fondait dans la blancheur environnante ; au-dessus du col de sa chemise, ses traits semblaient suspendus dans l'air. Il était assis à sa table, derrière le filet de nylon qui le gardait à distance des barreaux. Il dessinait sur du papier boucherie, en prenant sa main gauche pour modèle. Tandis qu'elle le regardait, il la retourna et, ployant les doigts au maximum, fit saillir l'intérieur de son avant-bras. Se servant de son auriculaire comme d'une estompe, il modifia la ligne au fusain.

Elle se rapprocha un peu des barreaux et il leva la tête. Chaque ombre de la cellule vint se réfugier dans les yeux et le V de sa chevelure.

« Bonsoir, docteur Lecter. »

Le bout de sa langue apparut, aussi rouge que ses lèvres. Elle vint toucher sa lèvre supérieure, juste au centre, puis se retira.

« Clarice. »

Elle entendit le petit grincement métallique de sa voix et se demanda depuis combien de temps il n'avait pas parlé. Des battements de silence...

« Vous êtes debout bien tard, pour un jour de classe.

— Ce n'est pas un jour de classe, dit-elle en souhaitant que sa voix soit plus forte. Hier, j'étais en Virginie...

— Vous vous êtes fait mal ?

— Non, je...

— Vous avez un pansement, Clarice. »

Alors elle se souvint. « Je me suis éraflée sur le bord de la piscine, aujourd'hui. » Le pansement, sur son mollet, était invisible. Il devait le sentir. « Hier, j'étais en Virginie. On a trouvé un corps, là-bas ; la dernière victime de Buffalo Bill.

— Pas tout à fait la dernière, Clarice.

— L'avant-dernière.

— Oui.

— Elle était scalpée. Comme vous m'avez dit qu'elle le serait.

— Cela vous ennuie si je continue à dessiner pendant que nous parlons ?

— Non, pas du tout.

— Vous avez examiné le cadavre ?

— Oui.

— Aviez-vous vu ses tentatives précédentes ?

— Non. Seulement des photos.

— Qu'est-ce que vous avez éprouvé ?

— De l'appréhension. Ensuite, j'étais trop occupée.

— Et après ?

138

— Bouleversée.

— Vous avez joué normalement votre rôle?

— Tout à fait.

— A cause de Jack Crawford? Ou bien s'est-il contenté d'appeler de chez lui?

— Il était présent.

— Faites-moi plaisir, Clarice. Penchez votre tête, comme si vous veniez de vous endormir. Encore un peu. Merci, ça suffit. Asseyez-vous, si vous voulez. Vous avez répété à Jack Crawford ce que je vous ai dit, avant qu'on la trouve?

— Oui. Il n'y a pas attaché grande importance.

— Et après qu'il a vu le corps?

— Il s'est entretenu avec l'expert de l'université de...

— Alan Bloom.

— Précisément. Le Dr Bloom a dit que Buffalo Bill s'identifiait au personnage créé par la presse, à l'image du Buffalo Bill scalpeur évoquée par les journaux à sensation. Le Dr Bloom a dit que n'importe qui aurait pu le prévoir.

— Bloom l'avait prévu?

— C'est ce qu'il a dit.

— Il l'a prévu mais n'en a parlé à personne. Je vois. Qu'en pensez-vous, Clarice?

— Je ne sais trop qu'en penser.

— Vous avez quelques notions de psychologie, ainsi que de médecine légale. Vous pêchez, là où les deux se rencontrent, n'est-ce pas? Vous avez attrapé quelque chose, Clarice?

— Ça ne vient pas vite.

— Qu'est-ce que vos deux disciplines vous disent, sur Buffalo Bill?

— D'après les livres, c'est un sadique.

— La vie est trop insaisissable pour les livres, Clarice; la colère prend l'apparence de la luxure, le lupus joue l'urticaire. » Le Dr Lecter finit de dessiner sa main gauche et se mit à dessiner sa droite de la main gauche, tout aussi bien. « Vous parlez du livre du Dr Bloom?

— Oui.

— Vous avez lu ce qu'il dit de moi?

— Oui.

— Comment me décrit-il?

— Comme un pur sociopathe.

— Selon vous, le Dr Bloom ne se trompe jamais ?

— J'attends toujours qu'il parle du caractère superficiel de l'affect. »

Le sourire du Dr Lecter révéla ses petites dents blanches. « Les experts ne manquent pas, Clarice. Le Dr Chilton dit de Sammie, qui est derrière vous, que c'est un hébéphrénique schizoïde, totalement irrécupérable. Il a mis Sammie dans la cellule de Miggs parce qu'il pense que Sammie a dit adieu au monde. Vous savez comment finissent les hébéphréniques ? N'ayez crainte, il ne vous entendra pas.

— Ce sont les plus difficiles à soigner. Habituellement, cela se termine par le repli sur soi-même et la désintégration de la personnalité. »

Le Dr Lecter tira quelque chose de sa pile de feuilles de papier boucherie et le mit dans le plateau du passe-plat. Clarice tira sur le cordon.

« Hier, Sammie m'a fait passer ça avec mon dîner. »

C'était un morceau de papier kraft avec un texte écrit au crayon. Clarice lut :

JE VEU ALÉ VOIR JÉSU
JE VEU ALÉ AVEC LE KRIZT
JE PEU ALÉ AVEC JÉSU
SI J'ME SUI BIEN TENU

SAMMIE

Clarice regarda par-dessus son épaule droite. La tête appuyée contre les barreaux, Sammie regardait fixement le mur de sa cellule.

« Pourriez-vous le lire tout haut ? Il ne vous entend pas.

— Je veux aller voir Jésus. Je veux aller avec le Christ. Je peux aller avec Jésus si je me suis bien tenu.

— Non, non. Plus de rythme, comme dans une comptine. Le mètre varie, mais l'intensité reste la même. » Lecter battit doucement la mesure. « Une *poule* sur un *mur*, qui picorait *du pain dur* Avec intensité, vous voyez. Avec ferveur. " Je *veux* aller voir Jésus, Je *veux* aller avec le Christ. "

— Je vois, dit Clarice en remettant le papier dans le passe-plat.

— Non, vous ne voyez rien du tout. » Le Dr Lecter bondit sur ses pieds et son corps souple soudain grotesque, accroupi comme un gnome, il se mit à sauter, en battant la mesure, sa voix résonnant comme un sonar : « Je *veux* aller voir Jésus... »

La voix de Sammie retentit soudain derrière Clarice, pareille à une toux de léopard, plus forte que le cri d'un singe hurleur ; il s'était levé et se tapait le visage contre les barreaux, les tendons de son cou saillants comme des cordes.

JE VEUX ALLER VOIR JESUS
JE VEUX ALLER AVEC LE CHRIST
JE PEUX ALLER AVEC JESUS
SI J' ME SUIS BIEN TENU.

Silence. Clarice s'aperçut qu'elle était debout, que sa chaise était tombée, ainsi que les papiers qu'elle avait posés sur ses genoux.

« Je vous en prie », dit le Dr Lecter, bien droit et de nouveau gracieux comme un danseur, en l'invitant à se rasseoir. Il se laissa tomber tranquillement dans son fauteuil et s'accouda, le menton dans la main. « Vous ne voyez rien du tout, répéta-t-il. Sammie est profondément croyant. Il est simplement déçu parce que Jésus tarde à revenir. Puis-je dire à Clarice pourquoi vous êtes là, Sammie ? »

Sammie se prit les joues entre les mains pour cesser de se taper la tête.

« S'il vous plaît ? insista le Dr Lecter.

— Ouuuais, dit Sammie entre ses doigts.

— Sammie a mis la tête de sa mère dans le plateau de la quête, à l'église baptiste de Trune. Ils chantaient " Donne ce que tu as de meilleur au Maître " et il n'avait rien de plus beau. » Lecter s'adressa au malade. « Merci, Sammie. Tout va bien. Regarde la télévision. »

Le grand jeune homme s'écroula sur le sol, la tête contre les barreaux, comme avant, les images de la télévision grouillant sur ses pupilles, trois filets d'argent sur son visage, de la bave et des larmes.

« Bien. Si vous vous attelez à son problème, peut-être

m'attacherai-je au vôtre. Donnant, donnant. Il n'écoute pas. »

Clarice dut se concentrer. « Il passe de Jésus au Christ, dit-elle. C'est une séquence logique.

— Oui. C'est une progression. Je suis très content qu'il sache que " Jésus " et le " Christ " sont une seule et même personne. C'est un progrès. L'idée d'un Dieu unique et trinitaire est difficile à concevoir, surtout pour Sammie qui ne sait pas au juste combien de personnes il est lui-même.

— Il établit une relation causale entre son comportement et ses buts, cela dénote une pensée structurée, dit Clarice. Ainsi que le fait de chercher la rime. Il n'est pas insensible — il pleure. Vous croyez que c'est un catatonique schizoïde ?

— Oui. Vous sentez sa sueur ? Cette odeur de bouc est due à l'acide trans-3-méthyl-2 hexénoïque. Souvenez-vous-en, c'est l'odeur de la schizophrénie.

— Et vous croyez qu'on peut le soigner ?

— Surtout en ce moment, où il sort de sa phase de stupeur. Regardez comme ses joues sont luisantes !

— Docteur Lecter, pourquoi dites-vous que Buffalo Bill n'est pas un sadique ?

— Parce que les journaux ont signalé que les corps portaient des marques de ligature aux poignets, et pas aux chevilles. Y en avait-il sur le cadavre retrouvé en Virginie ?

— Non.

— Voyez-vous, Clarice, lors des écorchements récréatifs, la victime est suspendue la tête en bas, pour que la pression sanguine soit maintenue plus longtemps dans la tête et la poitrine ; comme cela le sujet reste conscient. Vous ne saviez pas cela ?

— Non.

— Quand vous retournerez à Washington, allez à la National Gallery voir *Le Supplice de Marsyas* avant que ce tableau soit renvoyé en Tchécoslovaquie. Le Titien a un sens étonnant du détail — regardez Pan qui, serviable, apporte un seau d'eau.

— Ecoutez, docteur Lecter, nous avons là des circonstances extraordinaires et des possibilités exceptionnelles.

— Pour qui ?

— Pour vous, si nous sauvons cette jeune femme. Avez-vous vu le sénateur Martin à la télévision ?

— Oui, j'ai regardé le journal.

— Qu'avez-vous pensé de sa déclaration?

— Peu judicieuse, mais anodine. On l'a mal conseillée.

— Elle peut beaucoup. Et c'est quelqu'un qui a de la suite dans les idées.

— Je vous écoute.

— Je crois que vous avez une intuition extraordinaire. Le sénateur Martin a fait savoir que si vous l'aidiez à retrouver Catherine Baker Martin saine et sauve, elle vous ferait transférer dans un établissement fédéral, et s'il y a là une cellule avec une vue intéressante, vous l'aurez. On pourrait aussi vous demander de superviser les évaluations psychiatriques des nouveaux patients — un travail, en d'autres termes. Mais les mesures de sécurité resteraient les mêmes.

— Je n'y crois pas, Clarice.

— Vous avez tort.

— Oh, *vous*, je vous crois. Mais vous n'en savez pas plus sur le comportement humain que sur la manière dont il faut écorcher quelqu'un. Pour un sénateur des Etats-Unis, c'est une drôle d'idée de vous choisir pour messager, vous ne trouvez pas?

— C'est *vous* qui m'avez choisie, docteur Lecter. Vous avez choisi de me parler. Préféreriez-vous quelqu'un d'autre? Ou peut-être croyez-vous ne pas être en mesure de nous aider?

— C'est à la fois faux et insolent, Clarice. Je ne crois pas que Crawford accepterait qu'on m'accorde une compensation quelconque... Peut-être vais-je vous dire une chose que vous pourrez répéter au sénateur, mais c'est donnant, donnant. Je me contenterai peut-être d'un renseignement sur vous. Oui ou non?

— Voyons la question.

— Oui ou non? Catherine attend, n'est-ce pas? En écoutant le bruit de la pierre à aiguiser. Que vous demanderait-elle de faire?

— Posez votre question.

— Quel est votre plus mauvais souvenir d'enfance? »

Clarice respira à fond.

« Plus vite que ça. Votre plus mauvaise *invention* ne m'intéresse pas.

143

— La mort de mon père.

— Racontez-moi ça. '

— Il était vigile municipal. Une nuit, il a surpris deux cambrioleurs, des drogués, qui sortaient d'une pharmacie. En descendant de son pick-up, il a détraqué son fusil de chasse et ils ont tiré sur lui.

— Détraqué ?

— Le curseur de hausse était dans une mauvaise position. C'était un vieux fusil à magasin tubulaire, un Remington 870, et la cartouche est restée coincée dans le magasin. Quand cela arrive, l'arme ne peut pas fonctionner et il faut la démonter pour enlever la cartouche. Je pense qu'il avait dû heurter le curseur contre la porte en descendant.

— Est-il mort sur le coup ?

— Non. Il était fort comme un taureau. Il a traîné pendant un mois.

— Vous avez été le voir à l'hôpital ?

— Docteur Lecter... oui.

— Racontez-moi en détail ce que vous avez vu à l'hôpital. »

Clarice ferma les yeux. « Une voisine était là, une très vieille femme, qui ne s'était jamais mariée, et elle lui a récité la fin du " Thanatopsis ". Je suppose que c'était tout ce qu'elle pouvait dire. Voilà. Nous sommes quittes.

— Oui. Vous avez été très franche, Clarice. Je le sais toujours, quand on dit la vérité. Je pense que ce doit être intéressant de vous connaître personnellement.

— Donnant, donnant.

— Pensez-vous que la fille de Virginie avait un physique attirant, quand elle était vivante ?

— Elle était très soignée.

— Ne me faites pas perdre de temps.

— Elle était un peu lourde.

— Grande et large d'épaules ?

— Oui.

— Il a tiré dans le torse.

— Oui.

— Elle avait peu de poitrine, je suppose

— Pour sa taille, oui.

— Mais les hanches larges.

— Effectivement.

— Quoi d'autre ?

— On lui avait introduit un insecte dans la gorge — on a gardé ce renseignement secret.

— Etait-ce un papillon ? »

Clarice en eut le souffle coupé. Elle espéra qu'il ne s'en était pas aperçu. « C'était un papillon de nuit. Je vous en prie, dites-moi comment vous avez deviné ça.

— Clarice, je vais vous dire pourquoi Buffalo Bill a enlevé Catherine Baker Martin, et puis, bonsoir. C'est mon dernier mot dans les conditions actuelles. Dites au sénateur ce qu'il veut de Catherine et elle pourra me faire une offre plus intéressante... ou attendre que sa fille flotte à la surface d'une rivière, et reconnaître que j'avais raison.

— Pourquoi a-t-il enlevé Catherine, docteur Lecter ?

— Il veut une veste avec des tétons. »

Chapitre 23

CATHERINE BAKER MARTIN était allongée au fond du puits, à cinq mètres du sol de la cave. Sa respiration, les battements de son cœur remplissaient les ténèbres. Parfois la peur se jetait sur sa poitrine, comme un trappeur sur un renard. Parfois, elle arrivait à penser : elle savait qu'elle avait été kidnappée, mais elle ignorait par qui. Elle savait qu'elle ne rêvait pas ; dans cette obscurité totale, elle entendait le bruit de ses paupières lorsqu'elle clignait des yeux.

Elle se sentait mieux que la première fois qu'elle avait repris conscience. Le terrible vertige avait presque entièrement disparu, et l'air ne lui manquait plus. Elle pouvait distinguer le *haut* et *bas* et se rendait à peu près compte de la position de son corps.

A force de se presser contre le ciment, elle avait mal à l'épaule, à la hanche et au genou. Ça, c'était le *bas*. Le *haut*, c'était le tapis de sol rugueux sous lequel elle avait rampé, la dernière fois où avait jailli la lumière aveuglante. Elle n'avait plus mal à la tête, mais aux doigts de la main gauche. Sûrement que l'un d'eux était cassé, l'annulaire.

Elle portait une combinaison ouatinée, qui lui faisait un drôle d'effet. Le vêtement était propre et sentait l'assouplissant ; le sol aussi était propre. A part les os et les morceaux de légumes que son ravisseur avait jetés dans le trou, il n'y avait que le tapis de sol et un seau hygiénique en plastique avec une ficelle attachée à la poignée. On aurait dit une ficelle de coton, comme celle dont on se sert pour faire la cuisine, et elle montait, disparaissait dans l'obscurité.

Catherine Martin était libre de ses mouvements, mais il n'y

avait nulle part où aller. Le sol sur lequel elle reposait était un ovale d'environ deux mètres cinquante sur trois, avec un petit trou d'écoulement au centre. C'était le fond d'un grand puits couvert. Les murs de ciment, lisses, s'incurvaient légèrement vers le haut.

Entendait-elle des bruits ou était-ce son cœur ? Des bruits qui venaient d'en haut. Nettement au-dessus de sa tête. L'oubliette où elle se trouvait faisait partie d'une cave située sous une cuisine. Des pas sur le carrelage, et de l'eau qui coulait. Le crissement des ongles d'un chien sur le linoléum. Rien d'autre, et puis un disque de faible lumière jaune par la trappe ouverte, lorsqu'on éclaira le sous-sol. Soudain, une lumière aveuglante tomba dans le puits et cette fois, elle s'assit, le tapis de sol en travers des jambes, décidée à voir ; elle essaya de regarder entre ses doigts pendant que ses yeux s'habituaient ; son ombre dansa autour d'elle lorsqu'un projecteur descendit dans le puits, suspendu à une corde.

Elle sursauta quand le seau hygiénique s'éleva en se balançant au bout de sa mince ficelle, tournoya un peu en montant vers la lumière. Elle essaya de ravaler sa peur en déglutissant, avala trop d'air mais réussit tout de même à parler.

« Ma famille paiera, dit-elle. Cash. Ma mère paiera immédiatement, sans poser de questions. Son numéro personnel... Oh ! » Une ombre tomba vers elle, ce n'était rien qu'une serviette de toilette. « Son numéro personnel est le 202...

— Lavez-vous ! »

C'était la même voix étrange, celle qui parlait au chien.

Un autre seau descendit, suspendu à une mince ficelle. Il sentait l'eau chaude et le savon.

« Enlevez vos vêtements et lavez-vous, sinon j'irai chercher le tuyau d'arrosage. » Puis, plus lointaine, la voix ajouta pour le chien : « Oui, ce sera le jet, pas vrai, amour de mon cœur, oui, *le jet* ! »

Catherine Martin entendit les pas et les griffes sur le sol au-dessus de la cave. Elle ne voyait plus double, comme la première fois que la lumière avait jailli. Le puits faisait combien de hauteur ? La corde du projecteur était-elle solide ? Pouvait-elle l'accrocher avec la combinaison, attraper quelque chose avec la serviette ? Faire *quelque chose*, bon sang. Les murs étaient tellement lisses... un tube lisse qui montait.

Il y avait une fissure dans le ciment, le seul défaut visible, trente centimètres trop haut pour qu'elle l'atteigne. Elle roula le tapis de sol, aussi serré que possible, et l'attacha avec la serviette. Elle monta dessus, vacillante, réussit à introduire ses ongles dans la fissure, pour ne pas tomber, et regarda la lampe. En plissant les yeux. C'était un projecteur avec un abat-jour, suspendu à trente centimètres de la margelle, à presque trois mètres au-dessus de sa main tendue. Autant essayer d'atteindre la lune, et le voilà qui revenait, le tapis de sol branlait, la fente lui échappait, elle sauta en bas ; quelque chose, comme une écaille, tomba devant son visage.

« Lavez-vous. Entièrement. »

Il y avait un gant dans le seau et, flottant dans l'eau, une bouteille de crème adoucissante, d'une marque étrangère, très chère.

Elle obéit, la chair de poule aux bras et aux cuisses, les mamelons ratatinés par le froid et douloureux, s'accroupit à côté du seau d'eau chaude, le plus près possible du mur, et se lava.

« Maintenant, séchez-vous et enduisez-vous de crème, partout. Frottez bien. »

L'eau avait tiédi la crème. Sa combinaison lui colla à la peau quand elle la remit.

« Maintenant, ramassez les saletés et lavez par terre. »

Elle le fit aussi, rassemblant les os et les petits pois. Elle les mit dans le seau et frotta les petites taches de graisse sur le ciment. Il y avait quelque chose, là, près du mur. L'écaille qui était tombée de la fissure, là-haut. C'était un ongle humain couvert d'un vernis nacré, arraché.

Le seau remonta.

« Ma mère paiera, dit Catherine Martin. Sans poser de questions. Elle donnera assez pour vous enrichir tous. Si c'est pour une cause, l'Iran ou la Palestine, ou le Mouvement de libération des Noirs, elle versera de l'argent. Vous n'avez qu'à... »

Les lumières s'éteignirent. Le noir absolu et total.

Elle sursauta et poussa un cri lorsque le seau hygiénique vint

148

atterrir à côté d'elle. Elle s'assit sur le tapis de sol, réfléchit frénétiquement. Elle savait maintenant que son ravisseur avait agi seul, que c'était un Blanc américain. Elle essayait de donner l'impression qu'elle n'avait pas la moindre idée de ce qu'il était, blanc ou noir, seul ou pas, que ses souvenirs du parking avaient été effacés par les coups sur la tête. Elle avait tenté de lui faire croire qu'il pouvait la laisser partir sans risque. Mais son esprit travaillait, travaillait, beaucoup trop bien.

L'ongle... quelqu'un d'autre avait été enfermé dans ce puits. Une femme, une jeune fille. Où était-elle maintenant ? Qu'en avait-il fait ?

Si elle n'avait pas été aussi choquée, désorientée, il ne lui aurait pas fallu aussi longtemps pour comprendre. C'était la crème qui l'avait éclairée. La peau. Elle savait qui la retenait prisonnière. Cette certitude tomba sur elle comme un chaudron d'huile bouillante et elle hurla, hurla sous le tapis de sol, se leva et grimpa, griffant le mur, hurlant jusqu'à tousser quelque chose de chaud et de salé qu'elle essuya de la main et qui sécha sur sa paume ; alors elle s'étendit rigide sur le tapis de sol, arc-boutée sur la nuque et les talons, et empoigna ses cheveux à pleines mains.

Chapitre 24

L A pièce de monnaie de Clarice Starling tomba en cliquetant dans le taxiphone du salon miteux réservé aux aides-
soignants. Elle composa le numéro de la fourgonnette.

« Crawford.

— J'appelle d'une cabine, en dehors du quartier de haute
sécurité. Le Dr Lecter m'a demandé si l'insecte était un
papillon. Il ne s'est pas expliqué. Il a dit que Buffalo Bill avait
besoin de Catherine Martin parce que, je cite, " il veut une
veste avec des tétons ". Il est prêt à négocier. Il attend une offre
" plus intéressante " du sénateur.

— C'est lui qui a mis fin à la conversation ?

— Oui.

— Dans combien de temps pensez-vous qu'il reparlera ?

— Dans les jours qui viennent, je pense, mais j'aimerais
mieux repasser à l'attaque maintenant, si j'avais d'urgence une
autre offre du sénateur.

— D'urgence, c'est le mot. Nous avons identifié la fille de
Virginie. La carte des empreintes d'une personne disparue,
originaire de Detroit, vient d'éclairer nos services d'identification comme un arbre de Noël, il y a environ une demi-heure.
Kimberly Jane Emberg, vingt-deux ans, disparue de Detroit
depuis le 9 février. Nous sommes en train de ratisser le quartier
pour trouver des témoins. Selon le médecin légiste de Charlot-
tesville, elle est morte le 11, et peut-être même le 10.

— Il ne les garde plus que trois jours.

— Ce délai ne cesse de diminuer. Ce qui ne surprend
personne. » La voix de Crawford restait calme. « Il détient
Catherine Martin depuis environ vingt-six heures. Je pense que

150

si Lecter veut bien parler, il faudra qu'il le fasse lors de votre prochain entretien. Je suis au bureau de Baltimore, la fourgonnette a transmis votre appel. Si vous avez besoin de faire un petit somme, j'ai une chambre pour vous au Hojo, à quelques centaines de mètres de l'hôpital.

— Il se méfie, monsieur Crawford, il pense que vous pourriez vous opposer à toute amélioration de sa situation. Ce qu'il a dit, sur Buffalo Bill, il l'a échangé contre une information personnelle me concernant. Je ne pense pas qu'il y ait une corrélation textuelle entre ses questions et notre affaire... Vous voulez savoir ce qu'il a demandé ?

— Non.

— C'est à cause de cela que vous ne vouliez pas que j'aie un micro ? Vous pensiez que ce serait plus facile pour moi, que j'accepterais plus volontiers de lui parler, de le satisfaire, si personne ne pouvait m'entendre ?

— Il y a une autre explication possible : et si je faisais confiance à votre jugement, Starling ? Et si je pensais que vous êtes mon meilleur atout et que je veuille vous protéger de tout un tas de gens qui ne comprennent qu'après coup ? Vous aurais-je fait porter un micro ?

— Non, monsieur. » *Vous savez manipuler les agents, n'est-ce pas, monsieur Crawford ?* « Que pouvons-nous offrir au Dr Lecter ?

— Deux ou trois choses que je vous envoie. Ce sera là dans cinq minutes, à moins que vous ne vouliez vous reposer d'abord un peu.

— Je préfère régler ça tout de suite. Dites-leur de demander Alonzo. Et dites à celui-ci que je le rejoindrai dans le couloir, à l'entrée de la Section 8. »

Clarice arpenta de long en large le linoléum du minable salon souterrain. Elle était la seule lumière de la pièce.

Nous nous préparons rarement à cheminer dans les prés ou sur des chemins caillouteux ; nous le faisons immédiatement dans des endroits sans fenêtres, les couloirs d'hôpitaux, les pièces comme ce salon avec son divan en skaï craquelé et ses cendriers Cinzano, où les rideaux ne couvraient que le ciment nu. Dans des lieux comme celui-là, disposant de peu de temps, nous préparons nos gestes, nous les apprenons par cœur, pour les exécuter quand nous nous retrouverons, effrayés, face au

Destin. Clarice était assez mûre pour le savoir, elle ne laissa pas la pièce agir sur elle.

Elle marchait de long en large et se mit à gesticuler. « Tiens bon, ma vieille », dit-elle tout haut. Elle s'adressait à Catherine Martin tout en se parlant à elle-même. « Nous sommes plus fortes que cette putain de pièce, continua-t-elle tout haut. Nous sommes plus fortes que l'endroit où il t'a enfermée. Je le jure. Je le jure. Je le jure. » Un moment, elle pensa à ses parents défunts. Elle se demanda s'ils auraient honte d'elle — sans chercher si sa question était fondée — comme nous le faisons tous. La réponse était non, ils n'auraient pas honte d'elle.

Elle se lava le visage et sortit dans le couloir.

Alonzo était là avec le paquet cacheté envoyé par Crawford. Il contenait une carte du FBI et des instructions. Elle les parcourut rapidement, à la lumière du couloir, et appuya sur le bouton pour que Burney la fasse entrer.

Chapitre 25

L E Dr Lecter, assis à sa table, était en train d'examiner son courrier. Clarice trouva plus facile d'approcher de la cage pendant qu'il ne regardait pas.

« Docteur. »

D'un geste, il lui fit signe de se taire. Quand il eut fini de lire sa lettre, il resta à réfléchir, le pouce de sa main à six doigts sous le menton, l'index sur l'aile du nez. « Que pensez-vous de cela ? » dit-il en mettant le document dans le passe-plat.

C'était une lettre du Bureau des brevets.

« C'est au sujet de ma montre-crucifixion. On ne m'a pas délivré de brevet, mais on me conseille de demander un copyright sur le cadran. Tenez, regardez. » Il mit dans le plateau un dessin grand comme une serviette de table, que Clarice attira à elle. « Vous avez peut-être remarqué que, dans la plupart des crucifixions, les mains indiquent, disons trois heures moins le quart, ou dix heures moins dix au plus tôt tandis que les pieds sont à six heures. Sur ce cadran, Jésus est en croix et ses bras tournent pour donner l'heure, juste comme dans les réveils Walt Disney. Les pieds restent à six heures et, en haut, l'aiguille des secondes dessine l'auréole. Qu'en pensez-vous ? »

La qualité anatomique du croquis était excellente. Quant à la tête, c'était la sienne.

« Vous perdrez beaucoup de détails lorsqu'il sera réduit au format d'une montre, dit Clarice.

— C'est malheureusement vrai, mais pensez aux pendules. Croyez-vous que ce soit risqué, sans brevet ?

— Vous achèteriez des mouvements à quartz — n'est-ce

153

pas ? — qui sont déjà brevetés. Je n'en suis pas sûre, mais je pense que les brevets ne s'appliquent qu'aux mécanismes tandis que les dessins sont protégés par le copyright.

— Mais vous n'avez pas étudié le droit commercial, hein ? Ils n'exigent plus cela au FBI.

— J'ai une proposition à vous faire », dit Clarice en ouvrant sa serviette.

Barney arriva. Elle referma la serviette. Elle enviait le calme olympien de Barney. Ses yeux n'étaient pas ceux d'un drogué et révélaient une grande intelligence.

« Excusez-moi, dit-il, mais si vous avez beaucoup de papiers à manipuler, il y a dans le placard un bureau, un pupitre d'école, qu'utilisent les psy. Vous le voulez ? »

Des images d'école. Oui ou non ?

« Pouvons-nous parler, maintenant, docteur Lecter ? »

Il leva la main, paume ouverte.

« D'accord, Barney. Merci. »

Elle était installée et Barney, à l'autre bout du couloir.

« Docteur Lecter, le sénateur a une offre très intéressante à vous faire.

— C'est à moi d'en juger. Vous avez eu le temps de lui parler ?

— Oui. Elle met cartes sur table. C'est tout ce qu'elle a pu obtenir, aussi il n'y aura pas de marchandage. Voilà, ce qu'elle vous offre est là. » Elle leva les yeux de sa serviette.

Le Dr Lecter, qui avait tué neuf personnes, la regardait le nez appuyé sur le bout de ses doigts. Au fond de ses yeux, il n'y avait qu'une nuit insondable.

« Si vous nous aidez à trouver Buffalo Bill à temps pour sauver Catherine Martin, vous serez transféré à l'hôpital des Vétérans d'Oneida Park, Etat de New York, dans une cellule dont la fenêtre donne sur les bois qui l'entourent. Les mesures de sécurité maximum seront maintenues. On vous demandera d'évaluer les tests psychologiques écrits de certains détenus fédéraux, qui ne seront pas nécessairement dans votre propre institution. Vous devrez travailler en aveugle ; sans identités. Vous recevrez des livres, dans la mesure du possible. » Elle leva les yeux.

Le silence peut être moqueur.

« Il y a mieux, poursuivit-elle. Une semaine par an, vous sortirez de l'hôpital et vous irez là. » Elle mit la carte dans le passe-plat. Le Dr Lecter ne le tira pas à lui.

« A Plum Island, expliqua-t-elle. Tous les après-midi, vous pourrez vous promener sur la plage ou vous baigner dans l'océan sans surveillance à moins de soixante-quinze mètres. Voilà.

— Et si je refuse ?

— Peut-être pourriez-vous mettre des rideaux sur vos murs en béton ; ça ferait plus gai. Nous ne pouvons pas utiliser la menace contre vous, docteur Lecter. Ce que je vous apporte, c'est un moyen d'accéder à la lumière du jour. »

Elle ne le regardait pas. Elle ne voulait pas soutenir son regard. Ce n'était pas un affrontement.

« Est-ce que Catherine viendra me parler — de son ravisseur — si je décide de vous aider ? *En exclusivité ?*

— Oui. Vous pouvez tenir cela comme acquis.

— Qu'en savez-vous ?

— Je l'amènerai moi-même.

— Si elle veut venir.

— Il faudrait pouvoir le lui demander, n'est-ce pas ? »

Il tira le plateau dans sa cellule. « Plum Island.

— A l'extrémité nord de Long Island.

— Plum Island. Le Centre de recherches vétérinaires de Plum Island. C'est-à-dire le Centre de recherches sur la peste bovine. Charmant.

— Ce n'est qu'une partie de l'île. Il y a une belle plage et une maison confortable. Les sternes y nidifient au printemps.

— Les sternes. » Le Dr Lecter soupira. Il pencha un peu la tête sur le côté et toucha de la langue le centre de sa lèvre rouge. « Si j'accepte, Clarice, il me faut un acompte. Donnant, donnant. Je vous dis des choses, vous me dites des choses.

— D'accord », dit Clarice.

Elle dut patienter durant une longue minute avant qu'il parle : « Une chenille se transforme en pupe dans une chrysalide. Puis l'insecte émerge, sort de son vestiaire secret, sous la forme d'un bel imago. Clarice, savez-vous ce que c'est que l'imago ?

— Un insecte adulte, ailé.

155

— Et quoi d'autre ? »

Elle secoua négativement la tête.

« C'est un terme de psychanalyse, cette défunte religion. L'imago, c'est une image parentale enfouie dans l'inconscient dès l'enfance et liée à l'affect infantile. Le mot vient des bustes en cire, portraits de leurs ancêtres, que les Romains portaient lors des processions funéraires... Même notre flegmatique Crawford doit saisir la signification de la chrysalide.

— Ce qui ne nous a rien apporté d'intéressant, sauf l'idée de comparer les listes d'abonnés aux revues d'entomologie à celle des coupables de crimes sexuels figurant à l'index informatisé.

— D'abord, laissons tomber ce nom de Buffalo Bill. Il est trompeur et n'a rien à voir avec la personne que vous cherchez. Appelons-le simplement Billy. Je vais vous donner un résumé de ce que je pense. Prête ?

— Prête.

— La chrysalide, cela signifie le changement. De la larve au papillon, diurne ou nocturne. Billy veut changer, du moins le croit-il. Il se fait un habit de fille avec de vraies filles. Ce qui explique la taille des victimes — il peut en tirer quelque chose qui lui aille. Leur nombre laisse à penser qu'il voit cela comme une série de mues. Il agit dans une maison, avez-vous compris pourquoi ?

— Au début, il les pendait dans l'escalier.

— C'est exact.

— Il n'existe pas, que je sache, de corrélation entre le transsexualisme et la violence. Généralement, les transsexuels sont des individus passifs.

— C'est vrai, Clarice. Parfois, on rencontre une tendance à la manie chirurgicale — esthétiquement, les transsexuels sont durs à satisfaire — mais c'est à peu près tout. Billy n'est pas un vrai transsexuel. Vous êtes sur le point de l'attraper, Clarice, vous en rendez-vous compte ?

— Non, docteur Lecter.

— Bon. Alors, vous voulez bien me dire ce qui vous est arrivé après la mort de votre père ? »

Clarice regarda le dessus balafré du pupitre.

« Cela m'étonnerait que la réponse soit dans vos papiers, Clarice.

— Ma mère a réussi à nous garder tous ensemble pendant un peu plus de deux ans.

— Comment?

— En travaillant comme femme de chambre dans un motel, pendant la journée, et comme cuisinière dans un snack-bar, le soir.

— Et puis?

— Je suis allée chez une cousine de ma mère, qui habitait le Montana avec son mari.

— Rien que vous?

— J'étais l'aînée.

— La municipalité n'a rien fait pour votre famille?

— Un chèque de cinq cents dollars.

— Bizarre qu'il n'y ait pas eu d'assurance. Clarice, vous m'avez dit que votre père avait cogné le curseur de son fusil contre la porte de son pick-up?

— Oui.

— Ce n'était pas une voiture de patrouille?

— Non.

— C'est arrivé de nuit?

— Oui.

— Il n'avait pas de revolver?

— Non.

— Il travaillait de nuit, dans un pick-up, armé seulement d'un fusil de chasse... Dites-moi, Clarice! portait-il, par hasard, à la ceinture, un petit contrôleur de ronde? Une de ces machines qui ont des clefs attachées à des poteaux, un peu partout dans la ville, clefs qu'il faut fourrer à intervalles réguliers dans son mouchard? Afin que les édiles sachent qu'on ne dort pas. Clarice, dites-moi s'il en portait un.

— Oui.

— Votre père n'était pas dans la police, Clarice, c'était un veilleur de nuit. Ne mentez pas, je le saurai.

— Son titre officiel était « vigile municipal ».

— Qu'est-il devenu?

— De quoi parlez-vous?

— Le mouchard; qu'est-il devenu après que votre père a été blessé?

— Je ne m'en souviens pas.

157

— Si cela vous revient, vous me le direz ?

— Oui... Attendez... le maire est venu à l'hôpital et a réclamé à ma mère le contrôleur de ronde et le badge. » Elle avait complètement oublié cela. Le maire dans son costume sport et ses souliers achetés dans les surplus de la Navy. Le salaud. « Donnant, donnant, docteur Lecter.

— Avez-vous cru, pendant une seconde, que vous aviez inventé ça ? Non, si vous l'aviez inventé, cela ne vous ferait pas mal. Nous parlions des transsexuels. Vous disiez que la violence et un comportement aberrant destructeur n'étaient pas statistiquement liés au transsexualisme. C'est vrai. Vous vous souvenez de ce que nous avons dit, à propos de la colère qui s'exprimait comme la luxure, et du lupus qui imitait l'urticaire ? Billy n'est pas un transsexuel, Clarice, mais il croit l'être et s'efforce de l'être. Je suppose qu'il a essayé d'être bien des choses.

— Vous avez dit que nous étions sur le point de l'attraper.

— Il y a trois grands centres de chirurgie transsexuelle : Johns-Hopkins, l'université du Minnesota et le Centre médical de Colombus. Cela ne m'étonnerait pas qu'il se soit adressé à l'un d'eux pour un changement de sexe qui lui a été refusé.

— Pour quelle raison lui aurait-on refusé l'opération, qu'est-ce que cela prouverait ?

— Vous avez l'esprit vif, Clarice. La première raison, ce serait un casier judiciaire. Un délit disqualifie un candidat, à moins qu'il ne soit relativement bénin et lié à son problème d'identité sexuelle. Se travestir dans un lieu public, quelque chose comme ça. S'il cachait un délit grave, les tests de personnalité le révéleraient.

— Comment ?

— Il faut que vous sachiez lesquels, afin de les passer au crible, n'est-ce pas ?

— Oui.

— Pourquoi ne pas demander au Dr Bloom ?

— Je préfère vous le demander à vous.

— Qu'est-ce que vous espérez tirer de tout ça, Clarice : une promotion et une augmentation ? Qu'est-ce que vous êtes, un G-9 ? Combien touche un petit G-9, de nos jours ?

— Une clef pour la grande porte, d'abord. A quoi cela se verrait-il, dans le diagnostic ?

— Le Montana vous a plu, Clarice?

— Ce n'était pas mal.

— Vous aimiez bien le mari de la cousine de votre mère?

— Nous étions très différents.

— Comment étaient-ils?

— Usés par le travail.

— Y avaient-ils d'autres enfants?

— Non.

— Où habitaient-ils?

— Dans un ranch.

— Ils élevaient des moutons?

— Des moutons et des chevaux.

— Vous êtes restée là combien de temps?

— Sept mois.

— Quel âge aviez-vous?

— Dix ans.

— Où êtes-vous allée, ensuite?

— Au Foyer luthérien de Bozeman.

— Dites-moi la vérité.

— Je vous dis la vérité.

— Vous tournez autour. Si vous êtes fatiguée, nous pouvons reprendre cet entretien à la fin de la semaine. Moi-même, je commence à m'ennuyer. Mais si vous préférez continuer?

— On continue, docteur Lecter.

— Bon. On arrache une enfant à sa mère pour l'envoyer dans un ranch du Montana. Un élevage de moutons et de chevaux. Loin de sa mère, excitée par les animaux... » D'un geste, le Dr Lecter invita Clarice à parler.

« C'était formidable. J'avais une chambre pour moi toute seule, avec un tapis indien par terre. Ils me laissaient faire du cheval... ils m'emmenaient me balader sur cette jument... qui ne voyait pas très clair. Presque tous les chevaux avaient quelque chose. Ils boitaient ou ils étaient malades. Certains avaient été élevés avec des enfants et ils hennissaient douce-ment quand je sortais le matin, pour prendre le bus de ramassage scolaire.

— Alors?

— J'ai trouvé quelque chose de bizarre dans l'écurie. Ils y avaient installé une sellerie. J'ai cru que c'était une espèce de vieux casque. Quand je l'ai pris, j'ai vu écrit : " Tueur de chevaux de W. W. Greener. " C'était une espèce de calotte métallique en forme de cloche et, en haut, il y avait de quoi loger une cartouche. Probablement du calibre 32.

— Ils s'occupaient de chevaux destinés à être abattus ?

— Oui.

— Et on les tuait au ranch ?

— Seulement ceux qui allaient aux usines de colle et d'engrais. On peut les entasser par six dans un camion quand ils sont morts. Ceux des aliments pour chiens, ils les livraient vivants.

— Et la jument que vous aviez l'habitude de monter ?

— Nous nous sommes enfuies toutes les deux.

— Etes-vous allées loin ?

— Aussi loin que possible tant que vous ne m'aurez pas parlé du diagnostic.

— Connaissez-vous la procédure pour tester les candidats mâles à la chirurgie transsexuelle ?

— Non.

— Cela serait mieux si vous m'apportiez un exemplaire du régime médical de l'un de ces centres, mais pour commencer : la batterie de tests comprend généralement l'échelle de Wechsler-Bellevue, le test personne-arbre-maison, le Rorschach, l'autoportrait, la thématique de Murray, forcément le MMPI, et deux ou trois autres — le Jenkins, élaboré, je crois, par l'université de New York. Vous avez besoin de quelque chose qu'on peut déceler rapidement, n'est-ce pas, Clarice ?

— Oui, le plus rapidement possible.

— Voyons... nous cherchons un mâle dont les résultats aux tests seraient différents de ceux d'un vrai transsexuel. Bon — pour le test personne-arbre-maison, cherchez quelqu'un qui ne dessinerait pas la figure féminine d'abord. C'est ce que font presque toujours les transsexuels mâles, en accordant beaucoup d'attention aux parures des femmes. Les figures mâles sont de simples stéréotypes — à quelques notables exceptions près, comme lorsqu'ils dessinent Monsieur Amérique.

« Cherchez un dessin de maison sans les embellissements du genre " avenir radieux ", pas de poussette dehors, pas de rideaux aux fenêtres, ni de fleurs dans la cour.

160

« On a deux sortes d'arbres avec les vrais transsexuels : des saules pleureurs au feuillage abondant et des thèmes de castration. Les arbres qui sont coupés par le bord du dessin ou de la feuille de papier, les images de castration, sont pleins de vie dans les dessins des vrais transsexuels. Des souches portant des fleurs et des fruits. C'est une distinction importante. Ils ne ressemblent pas du tout aux arbres morts, mutilés, effrayants que l'on voit sur les dessins des malades mentaux. C'est un bon indice — l'arbre de Billy sera effrayant. Vais-je trop vite ?

— Non, docteur Lecter.

— Lorqu'il fait son portrait, un transsexuel se dessinera presque toujours nu. Ne vous laissez pas induire en erreur par une certaine idéation paranoïde dans les cartes du TAT — c'est très répandu parmi les sujets transsexuels qui se travertissent ; ils ont souvent eu des ennuis avec la police. Voulez-vous que je me résume ?

— Oui, j'aimerais bien.

— Vous devriez essayer d'obtenir une liste des hommes qui ont été refusés par les trois centres de chirurgie transsexuelle. Vérifiez d'abord ceux rejetés parce qu'ils avaient un casier judiciaire — et surtout les cambrioleurs. Parmi ceux qui ont essayé de cacher un passé de délinquant, cherchez de graves problèmes psychologiques durant l'enfance, associés à la violence. Peut-être un internement quand ils étaient enfants. Puis passez aux tests. Vous voulez un mâle blanc, d'environ trente-cinq ans et assez grand. Ce n'est pas un transsexuel, Clarice. Il croit seulement l'être ; il ne comprend pas pourquoi on ne peut pas l'aider, et cela le met en colère. C'est tout ce que je veux bien vous dire en attendant de voir le dossier. Vous me le laissez.

— Oui.

— Ainsi que les photos.

— Elles sont dedans.

— Alors vous feriez mieux d'exploiter rapidement ce que vous avez, Clarice, et nous verrons ce que vous en ferez.

— J'ai besoin de savoir comment vous...

— Non. Ne soyez pas trop gourmande, ou nous en discuterons la semaine prochaine. Revenez quand vous aurez progressé. Ou non. Clarice ?

— Oui.

— La prochaine fois, vous me direz deux choses. D'abord, ce qui est arrivé à la jument. La seconde question que je me pose, c'est... comment réussissez-vous à maîtriser votre rage ? »

Alonzo vint la chercher. Elle serrait ses notes contre sa poitrine et marchait la tête basse en essayant de tout mémoriser. Désireuse de respirer l'air du dehors, elle ne jeta même pas un coup d'œil sur le bureau de Chilton et se hâta de quitter l'hôpital.

La lumière du Dr Chilton était allumée. On la voyait sous la porte.

Chapitre 26

Loin de l'aube roussâtre de Baltimore, le quartier de haute sécurité se réveillait. Ici, où il ne faisait jamais nuit, les sens tourmentés commençaient la journée comme des huîtres abandonnées dans leur bourriche à leur dernière marée. Des créatures de Dieu qui s'étaient endormies en pleurant ouvraient les yeux pour pleurer de nouveau et les délirants s'éclaircissaient la gorge.

A l'extrémité du couloir, le Dr Hannibal Lecter se tenait droit comme un *i*, le visage à trente centimètres du mur. Il était attaché par une toile à sangles, telle une horloge comtoise, sur un petit chariot de déménageur. Sous les sangles, il portait une camisole de force et ses jambes étaient entravées. Le masque de hockey qui couvrait son visage l'empêchait de mordre ; c'était aussi efficace qu'un bâillon, mais moins mouillé de salive, pour le confort des aides-soignants.

Derrière lui, un petit homme rondelet passait la serpillière dans sa cage. Barney surveillait ce nettoyage trihebdomadaire et en profitait pour chercher s'il n'y avait rien d'introduit en fraude. Les hommes de ménage avaient tendance à faire vite, car l'atmosphère de cette cellule leur donnait la chair de poule. Barney vérifiait derrière eux et ne laissait rien passer.

Seul Barney supervisait la manière dont on traitait le Dr Lecter, parce qu'il n'oubliait jamais à qui il avait affaire. Ses deux assistants regardaient une cassette vidéo de match de hockey.

Le Dr Lecter s'amusait — il avait des ressources intérieures infinies, capables de le divertir pendant des années. Ses pensées n'étaient pas plus prisonnières de la peur ou de la gentillesse que celles de Milton de son infirmité. Dans sa tête, il était libre.

Son monde intérieur était riche de couleurs vives et d'odeurs, mais pauvre en sons. En fait, il devait tendre l'oreille pour percevoir la voix du défunt Benjamin Raspail. Le Dr Lecter s'amusait à chercher de quelle façon il allait livrer Jame Gumb à Clarice Starling, et il lui était utile de se souvenir de Raspail. Voilà le gros flûtiste au dernier jour de sa vie, couché sur le divan de Lecter, et parlant de Jame Gumb :

« *Jame avait la chambre la plus atroce qu'on puisse imaginer dans cet espèce d'asile de nuit de San Francisco ; des murs aubergine barbouillés de dessins psychédéliques fluos datant des hippies, la pièce était dans un état terrible.*

« *Jame — vous savez, il n'y a pas d's sur son acte de naissance, et il devient livide si vous l'appelez " James ", bien qu'il s'agisse d'une erreur de l'hôpital, ils engageaient n'importe qui, à l'époque, des gens qui n'étaient même pas capables d'écrire un nom correctement. C'est encore pire aujourd'hui, aller à l'hôpital, c'est la chose la plus horrible qui puisse vous arriver. Bref, Jame était assis sur son lit, dans cette horrible chambre, la tête dans les mains, le magasin de brocante venait de le mettre à la porte et il avait recommencé à faire cette vilaine chose.*

« *Je lui ai dit que je ne pouvais vraiment plus supporter son comportement, et Klaus venait d'entrer dans ma vie, bien sûr. Jame n'est pas vraiment homo, vous savez, c'est simplement une habitude qu'il a prise en tôle. En fait, il n'est rien, juste une espèce de vide total qu'il essaie de remplir, et tellement coléreux. On avait toujours l'impression que la pièce où il entrait était un peu plus vide. Je veux dire, il a tout de même tué ses grands-parents quand il avait douze ans, on penserait que quelqu'un de si explosif aurait de la présence, non ?*

« *Alors il était là, sans travail, il avait recommencé à faire cette vilaine chose à une pauvre pouffiasse. Alors, je l'ai quitté. Il est allé à la poste et il a pris le courrier de son ex-employeur, dans l'espoir qu'il y aurait quelque chose qu'il pourrait vendre. Et il y avait un colis de Malaisie, ou d'un endroit comme ça. Il l'a ouvert fiévreusement et c'était une valise pleine de papillons morts, comme ça en vrac.*

« *Son patron envoyait de l'argent à des postiers, dans toutes ces îles, et ils lui expédiaient des boîtes et des boîtes de papillons morts. Il les coulait dans le polyester et fabriquait les trucs les plus vulgaires qu'on puisse imaginer — il avait le culot d'appeler ça des objets. Jame ne pouvait rien faire avec les papillons et il plongea les mains dans la boîte, pensant qu'il pouvait y avoir des bijoux en dessous — parfois ils recevaient des bracelets de Bali — et il a récolté de la poudre de papillons. Rien. Il s'assit sur son lit, la tête dans les mains, des couleurs de papillons sur la figure ; il avait touché le fond, comme cela nous est arrivé à tous, et il pleurait. Il entendit un petit bruit, c'était un papillon, dans la valise ouverte ; il était en train de sortir d'un cocon qui avait été jeté là avec les insectes. Il y avait de la poussière de papillons dans l'air, et elle dansait dans le soleil qui entrait par la fenêtre — vous savez comme c'est terriblement frappant quand ça vous est décrit par quelqu'un qui est complètement sonné. Il le regardait battre des ailes. C'était un grand, m'a-t-il dit. Vert. Il a ouvert la fenêtre et le papillon s'est envolé et Jame s'est senti tout léger, m'a-t-il dit, et il savait ce qu'il allait faire.*

« Jame a trouvé le petit cabanon où Klaus et moi nous nous retrouvions, et quand je suis rentré de la répétition, il y était. Mais je ne voyais pas Klaus. Klaus n'était pas là. J'ai dit : " Où est Klaus ? " et il a dit : " Il se baigne. " Je savais qu'il mentait. Klaus ne se baignait jamais, les vagues du Pacifique sont beaucoup trop fortes. Et quand j'ai ouvert le réfrigérateur, eh bien, vous savez ce que j'ai trouvé. La tête de Klaus qui me regardait, derrière le jus d'orange. Jame s'était fait un tablier, avec Klaus, vous comprenez, et il l'a mis et m'a demandé s'il me plaisait comme ça. Je sais que vous devez trouver ça épouvantable que j'aie continué à fréquenter Jame — il était encore plus instable que quand vous l'avez connu. Je pense qu'il était stupéfait que vous n'ayez pas peur de lui. »

Et puis, les derniers mots que Raspail ait jamais prononcés : « Je me demande pourquoi mes parents ne m'ont pas tué avant que je sois assez grand pour les tromper. »

La fine poignée du stylet frétillait tandis que le cœur transpercé de Raspail essayait de continuer à battre, et le Dr Lecter a dit : « On dirait une paille agitée par le vent, vous ne trouvez pas ? » mais il était trop tard pour que Raspail pût répondre.

Le Dr Lecter se souvenait de chaque mot, et de bien d'autres choses. D'agréables pensées pour passer le temps pendant qu'on nettoyait sa cellule.

Clarice Starling était futée, songea le docteur. Elle pourrait trouver Jame Gumb avec ce qu'il lui avait dit, mais cela risquait d'être long. Pour l'avoir à temps, elle aurait besoin de plus de choses précises. Le Dr Lecter était certain qu'après

avoir lu les détails relatifs aux crimes, des preuves apparaî-
traient d'elles-mêmes — concernant peut-être la formation
professionnelle que Gumb avait reçue à la maison de correction, après le meurtre de ses grands-parents. Il lui livrerait
Jame Gumb demain, en mettant les choses suffisamment au
clair pour que même Jack Crawford ne le rate pas. Demain, ce
serait fait.

Derrière lui, il entendit des pas ; quelqu'un éteignit la
télévision. Il sentit le chariot s'incliner vers l'arrière. C'était le
début du long et pénible processus de son retour dans la cellule.
Ils faisaient toujours cela de la même manière. D'abord,
Barney et ses aides le déposaient doucement sur son matelas, à
plat ventre. Puis Barney l'attachait par les chevilles au pied du
lit avec des serviettes, ôtait les entraves de ses jambes et,
couvert par ses deux aides munis de leurs bombes aérosols de
Mace et de matraques anti-émeute, il ouvrait les boucles de la
camisole de force, dans son dos, et sortait à reculons de la
cellule, en refermant le filet et la grille, laissant le Dr Lecter se
débrouiller pour finir de se détacher. Puis le docteur échangeait
l'équipement contre son petit déjeuner. Les choses se passaient
ainsi depuis que le Dr Lecter s'était attaqué à l'infirmière et
cela semblait satisfaire tout le monde.

Ce jour-là, le processus fut interrompu.

Chapitre 27

U N léger choc apprit au Dr Lecter que le chariot franchissait le seuil de la cage. Il vit le Dr Chilton, assis sur son lit, en train de parcourir sa correspondance. Il avait ôté veston et cravate et portait autour du cou une chaîne avec une médaille.

« Barney, mettez-le à côté des toilettes, dit le directeur sans lever les yeux. Regagnez tous votre poste. »

Le Dr Chilton finit de lire la dernière lettre des Archives générales de psychiatrie au Dr Lecter. Il jeta le courrier sur le lit et sortit de la cellule. Lecter ne bougea pas la tête, mais une lueur brilla derrière le masque de hockey tandis qu'il le suivait des yeux.

Chilton se dirigea vers le pupitre resté dans le couloir et, se penchant avec raideur, ôta le micro placé sous le siège.

Il l'agita devant les fentes du casque et revint s'asseoir sur le lit.

« Je croyais qu'elle cherchait des indices pour établir la responsabilité de l'hôpital dans la mort de Miggs, aussi j'ai écouté votre entretien. Cela faisait des années que je n'avais pas entendu votre voix — je pense que la dernière fois, c'était lors de mon interrogatoire, lorsque vous m'avez fourvoyé par vos réponses puis ridiculisé dans vos articles du *Journal*. Que l'avis d'un malade mental puisse compter au sein de la communauté professionnelle, c'est difficile à croire, n'est-ce pas ? Mais je suis toujours là. Et vous aussi. »

Le Dr Lecter ne répondit rien.

« Des années de silence, et puis Jack Crawford vous envoie cette fille et vous fondez. Qu'est-ce qui vous a fait marcher,

Hannibal? Ses belles chevilles musclées? La manière dont sa chevelure brille? Elle est superbe, n'est-ce pas? Distante et superbe. Elle me fait penser à un coucher de soleil hivernal. Je sais qu'il y a longtemps que vous n'en avez pas vu un, mais vous pouvez m'en croire.

« Vous ne la verrez plus qu'une seule fois. Et puis la Criminelle de Baltimore prendra la relève. Ils sont en train de fixer un fauteuil, pour vous, au sol de la salle d'électrochocs. C'est une chaise percée, pour votre confort et le leur. Bien sûr, je ne suis pas au courant.

« Vous avez saisi, maintenant? Ils *savent*, Hannibal. Ils savent que vous connaissez l'identité de Buffalo Bill. Ils pensent que vous l'avez probablement eu en thérapie. Quand j'ai entendu Mlle Starling parler de Buffalo Bill, je me suis posé des questions. J'ai téléphoné à un ami de la Criminelle de Baltimore. Ils ont trouvé un insecte dans la gorge de Klaus. Ils savent que c'est Buffalo Bill qui l'a tué. Crawford vous entretient dans l'illusion que vous êtes très fort. Je ne pense pas que vous sachiez à quel point il vous déteste, depuis que vous avez tailladé la figure de son protégé. Il vous tient, maintenant. Vous vous sentez toujours aussi fort, Hannibal? »

Le Dr Lecter regardait les yeux du Dr Chilton se promener sur les lanières qui maintenaient le masque. Il était clair qu'il avait envie de l'ôter pour voir son visage. Lecter se demanda s'il le déferait de la seule façon sûre, par-derrière. S'il le faisait de face, il devrait passer les bras de chaque côté de sa tête, et les veines bleues de ses avant-bras seraient tout près de sa bouche. Viens, docteur. Approche. Non, Chilton avait décidé de ne pas le faire.

« Croyez-vous encore être transféré dans une cellule avec fenêtre? Croyez-vous pouvoir vous promener sur la plage et observer les oiseaux? Je ne le pense pas. J'ai appelé le sénateur Ruth Martin et elle n'a jamais entendu parler d'un marché passé avec vous. Je lui ai rappelé qui vous étiez. Elle n'a pas davantage entendu parler de Clarice Starling. On vous a trompé. Avec une femme, on doit s'attendre à quelques *petites* malhonnêtetés, mais ça, c'est révoltant, vous ne trouvez pas?

« Quand ils vous auront pressé comme un citron, Crawford vous accusera de non-dénonciation d'un crime. Vous y échapperez grâce au décret *M'Naghten*, bien sûr, mais cela ne plaira pas au juge. Vous avez attendu qu'il y ait six mortes avant de bouger. Le tribunal ne s'intéressera plus à votre sort.

« Pas de fenêtre, Hannibal. Vous passerez le reste de votre vie assis par terre dans une prison d'Etat à regarder passer le chariot plein de couches. Vous perdrez vos dents et votre vigueur, et personne n'aura plus peur de vous, vous serez en salle commune dans un endroit comme Flendauer. Les jeunes vous marcheront sur les pieds et se serviront de vous, sexuellement, quand ils en auront envie. Vous n'aurez à lire que ce que vous écrirez sur les murs. Le tribunal s'en fichera pas mal. Vous avez vu les vieux ; ils pleurent quand ils n'aiment pas la compote d'abricots.

« Jack Crawford et sa nymphette. Dès que sa femme sera morte, ils ne se cacheront plus. Il s'habillera comme un jeune et s'adonnera à un sport qu'ils aiment autant l'un que l'autre. Ils ont des rapports intimes depuis que Bella Crawford est malade, cela saute aux yeux. Ils obtiendront des promotions et ne penseront à vous qu'une fois par an. Crawford se pointera probablement à la fin pour vous dire ce qui vous attend. Je suis sûr qu'il a déjà préparé son discours.

« Hannibal, il vous connaît moins bien que moi. Il croit que s'il vous demandait des renseignements, vous ne feriez que tourmenter la mère. »

C'est tout à fait vrai, se dit le Dr Lecter. Je ne m'attendais pas à cela de la part de Jack — cette mine irlando-écossaise, si obtuse, est trompeuse. Son visage n'est que cicatrices, pour qui sait le regarder. Il y a peut-être encore de la place pour quelques autres.

« Je sais ce qui vous fait peur. Ce n'est pas la douleur, ni la solitude. Ce que vous ne supportez pas, Hannibal, ce sont les humiliations, en cela vous êtes comme un chat. Je me suis engagé à prendre soin de vous, Hannibal, et je le fais. Aucune considération personnelle n'a jamais entaché nos relations, du moins de mon côté. Et je veille sur vous, maintenant.

« Il n'y a jamais eu de transaction entre le sénateur Martin et vous, mais maintenant si. Ou peut-être que non. J'ai beaucoup téléphoné pour vous et pour le bien de cette fille. Je vais vous dire quelle est la première clause : je serai votre seul intermédiaire. Moi seul publierai un compte rendu professionnel de mon entretien fructueux avec vous. Vous ne publierez rien.

J'aurai l'exclusivité de toute déclaration de Catherine Martin, si elle s'en tire.

« Cette condition n'est pas négociable. Vous allez me répondre immédiatement. Acceptez-vous cette clause ? »

Le Dr Lecter eut un sourire imperceptible.

« Je vous conseille de me répondre — ou c'est aux agents de la Criminelle de Baltimore que vous devrez le faire. Voilà ce que vous aurez : si vous identifiez Buffalo Bill et que la fille soit retrouvée à temps, le sénateur Martin — elle confirmera cela par téléphone — vous fera transférer à la prison d'Etat de Brushy Mountain, dans le Tennessee, hors de portée des autorités du Maryland. Vous serez sous sa juridiction, loin de Jack Crawford. Vous aurez une cellule avec une fenêtre donnant sur les bois. Et des livres. En ce qui concerne les exercices en plein air, il faudra mettre les détails au point, mais elle est d'accord. Donnez-nous son nom et vous partez sur-le-champ. La police d'Etat du Tennessee vous prendra en charge à l'aéroport, le gouverneur est d'accord. »

Le Dr Chilton a enfin dit quelque chose d'intéressant, et il ne s'en est même pas rendu compte. Le Dr Lecter lécha ses lèvres rouges, derrière le masque. *Je serai sous la garde de la police. La police n'est pas aussi prudente que Barney. La police a l'habitude de s'occuper des criminels, et tendance à se fier aux fers et aux menottes. Les fers et les menottes s'ouvrent avec une clef. Comme celle que j'ai.*

« Il se prénomme Billy, dit le Dr Lecter. Je dirai le reste au sénateur. Dans le Tennessee. »

Chapitre 28

Jack Crawford refusa le café que lui offrait le Dr Danielson, mais prit la tasse pour y faire dissoudre un Alka-Seltzer, en tirant de l'eau à l'évier en inox du poste des infirmières. Tout était en inox, le distributeur de gobelets, le comptoir, la poubelle, la monture des lunettes du Dr Danielson. Le métal brillant évoquait l'éclat des instruments chirurgicaux et Crawford eut un pincement dans le bas-ventre.

Le docteur et lui étaient seuls dans l'office.

« Non, pas sans un ordre du tribunal », répéta le Dr Danielson. D'un ton brusque cette fois, pour contrebalancer l'hospitalité dont il avait fait montre en offrant du café.

Danielson dirigeait la Clinique d'identité sexuelle de l'hôpital Johns-Hopkins et il avait accepté de recevoir Jack Crawford à l'aube, bien avant ses visites du matin. « Il faudra me montrer un ordre de la cour pour chacun des dossiers et nous nous battrons à chaque fois. Que vous a-t-on dit à Colombus et au Minnesota — la même chose, n'est-ce pas ?

— C'est le ministère de la Justice qui s'en occupe. Il faut que nous fassions vite, docteur. Si la fille n'est pas déjà morte, il va bientôt la tuer — aujourd'hui ou demain. Et puis, il va en enlever une autre.

— Evoquer un lien entre Buffalo Bill et les cas que nous traitons ici, c'est injuste et dangereux ; cela prouve votre ignorance, monsieur Crawford. J'en ai les cheveux qui se dressent sur la tête. Depuis des années — et nous sommes loin d'avoir terminé — nous nous efforçons de faire comprendre au public que les transsexuels ne sont ni des déments, ni des pervers, ni des *toqués,* quoi que pensent...

— Je suis d'accord avec vous...

— Je n'ai pas terminé. Statistiquement, les transsexuels commettent moins d'actes de violence que la population prise dans son ensemble. Ce sont des personnes respectables qui ont un véritable problème — un problème très difficile à résoudre. Ils méritent qu'on les aide et c'est ce que nous faisons. Je ne veux pas de chasse aux sorcières ici. Nous n'avons jamais trahi la confiance d'un patient et nous n'allons pas commencer. Tenez-vous-le pour dit, monsieur Crawford. »

Cela faisait des mois que Jack Crawford avait affaire aux médecins et aux infirmières de sa femme et s'efforçait, par la ruse, de négocier le moindre avantage dont elle pourrait bénéficier. Il ne pouvait plus les supporter. Mais là, il ne s'agissait pas de sa vie privée, il exerçait son métier. *Fais un effort, Jack.*

« Je me suis sans doute mal exprimé, docteur. C'est de ma faute — il est tôt et je ne suis pas du matin. Notre hypothèse, c'est que l'homme que nous cherchons *n'est pas votre patient.* C'est quelqu'un que vous avez *refusé* d'aider parce que vous vous êtes aperçu que *ce n'était pas un transsexuel.* Nous ne venons pas ici à l'aveuglette — je vais vous montrer en quoi, d'une manière spécifique, il dévie des modèles transsexuels typiques, lors des tests de personnalité. Voici une courte liste des particularités que votre équipe pourrait chercher dans les dossiers des demandes rejetées. »

Le Dr Danielson se frotta l'aile du nez tout en lisant. Il rendit le papier à Crawford. « C'est original. C'est même extrêmement bizarre — mot que je n'utilise guère. Puis-je vous demander qui vous a fourni ce... tissu de conjectures ? »

La vérité ne vous ferait pas plaisir, docteur Danielson. « Le personnel du département des Sciences du comportement, après avoir consulté le Dr Alan Bloom de l'université de Chicago.

— Alan Bloom a approuvé cela ?

— Les tests ne sont pas notre seule source. Il y a un autre moyen de trouver Buffalo Bill dans vos dossiers — il a probablement tenté de cacher l'existence d'un casier judiciaire chargé, ou de falsifier sa biographie. Docteur, montrez-moi ceux des postulants que vous avez rejetés. »

Danielson ne cessait de secouer la tête. « Les comptes rendus des examens et des entrevues sont confidentiels.

— Docteur Danielson, comment la fraude et les mensonges peuvent-ils être confidentiels ? Le vrai nom d'un criminel et son passé relèvent-ils du secret professionnel lorsqu'il ne vous les a pas révélés et que vous avez dû les découvrir par vous-même ? Je sais combien votre personnel est consciencieux. Vous avez eu des cas comme celui-là, j'en suis sûr. Des maniaques des opérations chirurgicales s'adressant à tous les hôpitaux. Cela ne porte pas atteinte aux institutions ni aux patients sérieux. Vous croyez que les cinglés ne postulent pas au FBI ? Nous en avons notre part. La semaine dernière, un homme avec des cheveux coupés au bol a essayé de se faire engager, à Saint Louis. Il avait un bazooka, deux roquettes et un shako en peau d'ours dans son sac de golf.

— Vous l'avez recruté ?

— Nous avons besoin de votre aide, docteur Danielson. Nous manquons de temps. Pendant que nous parlons, Buffalo Bill est peut-être en train de traiter ainsi Catherine Martin. » Crawford posa une photo sur le comptoir étincelant.

« Ne faites pas cela. C'est enfantin d'essayer de m'intimider. J'ai été chirurgien militaire, monsieur Crawford. Remettez cette photo dans votre poche.

— Bien sûr, un corps mutilé n'impressionne pas un chirurgien, dit Crawford qui froissa son gobelet et mit le pied sur la pédale de la poubelle afin de lever le couvercle. Mais je ne pense pas qu'un médecin refuse de venir en aide à une personne en danger de mort. » Il jeta le gobelet et le couvercle retomba avec un claquement satisfaisant. « Voici ce que je vous propose : je ne demanderai pas à voir les dossiers de vos patients, seulement les informations concernant les demandes rejetées, choisies par vous à partir de ces lignes directrices. Vous et vos psychiatres, vous ferez cela bien plus vite que moi. Si on trouve Buffalo Bill grâce à vous, je n'en parlerai pas. Je trouverai bien une autre explication, pour le rapport.

— Se pourrait-il, monsieur Crawford, que Johns-Hopkins soit un témoin protégé ? Pouvez-vous nous procurer une

nouvelle identité ? Nous appeler, disons, Bob Jones College ?
Je doute fort que le FBI, ou toute autre agence du gouvernement, puisse garder très longtemps un secret.

— Bien plus longtemps que vous ne le pensez.

— J'en doute. Essayer de se dépêtrer d'un inepte mensonge bureaucratique, cela risque d'être pire que de dire
la vérité. Merci beaucoup, mais je ne veux pas de votre
protection.

— Merci à vous, docteur Danielson, pour vos remarques
humoristiques. Elles m'apportent une grande aide — je vais
vous montrer en quoi. Vous aimez la vérité — en voici une. Il
enlève des jeunes femmes et leur arrache la peau pour s'en
faire des chemises. Nous voulons y mettre fin. Si vous ne nous
aidez pas aussi rapidement que possible, voilà ce que je vais
faire : ce matin, le ministère de la Justice va demander
publiquement un ordre judiciaire, en disant que vous avez
refusé de nous aider. Nous renouvellerons la demande deux
fois par jour, à temps pour les journaux du matin et du soir.
Chaque fois que le ministère sera interrogé sur ce cas par les
médias, il dira si nous avons des chances de convaincre le
Dr Danielson, de Johns-Hopkins, de collaborer. Chaque fois
qu'il y aura des nouvelles de l'affaire Buffalo Bill — quand on
retrouvera le corps de Catherine Martin dans une rivière, puis
celui de la victime suivante, et celui d'après — nous passerons, au journal, un communiqué sur nos entretiens avec le
Dr Danielson, de Johns-Hopkins, sans oublier vos commentaires humoristiques sur le Bob Jones College. Et ce n'est pas
tout, docteur. Les *Health and Human Services* sont ici, à Baltimore. Et si le sénateur Martin, peu après les funérailles de sa
fille, posait cette question à leur commission d'éligibilité : est-
ce que les opérations de changement de sexe ne relèvent pas
de la chirurgie esthétique ? ils se gratteraient peut-être la tête
en disant : " Ma foi, le sénateur Martin a raison. Oui. C'est de
la chirurgie esthétique, alors ils ne sont pas plus qualifiés pour
recevoir une aide fédérale que les cliniques où on se fait refaire
le nez. "

— Vous êtes insultant.

— Non, je dis la vérité.

— Vous ne me faites pas peur, vous ne m'intimidez pas...

— Je n'en ai pas l'intention, docteur. Je veux seulement que vous sachiez que je ne plaisante pas. Aidez-moi, docteur. Je vous en prie.

— Vous dites que vous travaillez avec Alan Bloom.

— Oui. L'université de Chicago.

— Je connais Alan Bloom et j'aimerais mieux discuter de ça avec un professionnel. Dites-lui que je l'appelle ce matin. Je vous informerai de ma décision avant midi. Je m'intéresse à cette jeune femme, monsieur Crawford. Et aux autres. Mais il y a beaucoup de choses en jeu et je ne crois pas que vous estimiez votre demande à sa juste valeur... Monsieur Crawford, avez-vous fait prendre votre tension, récemment?

— Je le fais moi-même.

— Et vous vous prescrivez une ordonnance?

— C'est interdit par la loi.

— Mais vous avez un médecin?

— Oui.

— Parlez-lui de votre tension, monsieur Crawford. Quelle perte ce serait pour nous si vous mouriez subitement. Je vous téléphonerai plus tard dans la matinée.

— Plus tard? Dans combien de temps?

— Une heure. »

Le récepteur portatif d'appels de Crawford sonna lorsqu'il sortit de l'ascenseur. Jeff, son chauffeur, lui fit de grands signes tandis qu'il courait vers le fourgon. *Elle est morte et on l'a trouvée*, se dit Crawford en prenant le téléphone. C'était le directeur. Les nouvelles n'étaient pas si mauvaises que ça, mais elles n'étaient pas bonnes : Chilton s'en était mêlé et maintenant, le sénateur Martin intervenait. Sur les ordres du gouverneur, l'attorney général du Maryland avait autorisé l'extradition du Dr Hannibal Lecter dans le Tennessee. Il faudrait tout le poids de la cour fédérale du district du Maryland pour l'empêcher ou la retarder. Le directeur voulait que Crawford réclame immédiatement une décision judiciaire.

« Un moment », dit Crawford. Il posa le combiné sur sa cuisse et regarda par la fenêtre du fourgon. En février, il n'y a pas beaucoup de couleurs qui permettent de déceler les premières lueurs de l'aube. Tout était gris. Tellement lugubre.

Jeff commença à dire quelque chose et Crawford le fit taire d'un geste de la main.

L'ego monstrueux de Lecter. L'ambition de Chilton. La terreur du sénateur Martin. La vie de Catherine Martin. En finir.

« Laissez-les faire », dit-il dans le combiné.

Chapitre 29

LE Dr Chilton et trois policiers du Tennessee à l'uniforme impeccable s'étaient rapprochés les uns des autres, sur la piste balayée par le vent, au lever du jour ; ils criaient pour se faire entendre par-dessus les signalisations radio sortant de la cabine du Grumman Gulfstream et de l'ambulance dont le moteur tournait au ralenti, à côté de l'avion.

Le capitaine de gendarmerie tendit un stylo au Dr Chilton et maintint les feuilles que le vent retournait.

« On ne peut pas faire cela après le décollage ? demanda Chilton.

— Non, monsieur, nous devons remplir le formulaire au moment même du transfert. Ce sont les ordres. »

Le copilote acheva de fixer la rampe d'accès. « C'est OK ! » cria-t-il.

Les gendarmes se rassemblèrent, avec le Dr Chilton, derrière l'ambulance. Quand il ouvrit les portes, ils se raidirent, comme s'ils s'attendaient à voir un animal en jaillir.

Le Dr Hannibal Lecter, debout sur le petit chariot, enveloppé dans sa toile à sangles et portant son masque de hockey, était en train de vider sa vessie dans un urinal que tenait Barney.

L'un des gendarmes ricana. Les deux autres détournèrent les yeux.

« Désolé, dit Barney au Dr Lecter en refermant les portes.

— Ça ne fait rien, Barney. J'ai terminé, merci. »

Barney referma la braguette de Lecter et roula le chariot vers l'arrière de l'ambulance.

« Barney ?

177

— Oui, docteur Lecter ?

— Vous avez toujours été correct avec moi. Merci.

— Je n'ai fait que mon devoir.

— La prochaine fois que Sammie émergera, pourriez-vous lui dire adieu de ma part ?

— Je n'y manquerai pas.

— Au revoir, Barney. »

Le grand aide-soignant rouvrit les portes et appela les gendarmes. « Vous pouvez m'aider à descendre le chariot ? Tenez-le des deux côtés. Doucement. »

Barney poussa le chariot sur la rampe et le monta dans l'avion. On avait enlevé trois sièges du côté droit de la cabine. Le copilote arrima le chariot aux supports des fauteuils absents.

« Il ne va pas voyager allongé ? demanda l'un des gendarmes. Il a un caleçon en caoutchouc ?

— Faudra te retenir jusqu'à Memphis, mon pote, dit l'autre.

— Docteur Chilton, je peux vous dire quelques mots ? » demanda Barney.

Ils se tenaient à côté de l'avion. Le vent créait autour d'eux des petites tornades de poussière et de détritus.

« Ces types n'y connaissent rien, dit Barney.

— A l'arrivée, j'aurai des infirmiers d'hôpital psychiatrique expérimentés. C'est eux qui seront responsables de lui.

— Vous pensez qu'ils s'y prendront bien ? Vous savez comment il est — la seule chose qu'il craigne, c'est l'ennui. Les coups ne servent à rien, avec lui.

— Je ne permettrai jamais cela, Barney.

— Vous serez là quand ils l'interrogeront ?

— Oui. » *Et pas vous,* ajouta Chilton dans son for intérieur.

« Je pourrais l'installer là-bas et être de retour ici avec deux heures de retard seulement.

— Cela ne fait plus partie de votre travail, Barney. Je serai présent. Je leur montrerai comment faire, point par point.

— Je leur conseille de rester vigilants. *Lui* le sera. »

Chapitre 30

CLARICE STARLING, assise sur le lit du motel, resta les yeux fixés sur le téléphone noir bien après que Crawford eut raccroché. Ses cheveux étaient ébouriffés et, durant son bref sommeil, sa chemise de nuit de l'Ecole du FBI s'était tout entortillée. Elle avait l'impression d'avoir reçu un coup de pied dans le ventre.

Trois heures auparavant, elle quittait le Dr Lecter, et deux seulement s'étaient écoulées depuis que Crawford et elle avaient fini d'établir la liste des caractéristiques à chercher dans les rapports des centres médicaux. Et pendant ce temps-là, pendant qu'elle dormait, le Dr Frederick Chilton avait réussi à tout bousiller.

Crawford allait venir la chercher. Il fallait qu'elle se prépare, qu'elle trouve la force de se préparer.

Sacré nom de merde de SACRE NOM DE MERDE. Vous l'avez tuée, docteur Chilton, vous l'avez tuée, docteur Connard. Lecter en sait long et j'aurais pu lui soutirer encore des choses. Tout est foutu maintenant, tout est foutu. Tout ça pour rien. Quand on retrouvera le cadavre de Catherine Martin, je m'arrangerai pour que vous le voyiez, j'en fais le serment. Vous m'avez pris mon enquête... Il faut que je fasse quelque chose. Qu'est-ce que je pourrais faire ? Pour l'instant, prendre une douche.

Dans la salle de bains, il y avait des savonnettes, des tubes de shampooing et de lotion, une petite trousse de couture, tout ce modeste confort que fournit un bon motel.

En entrant dans la douche, Clarice se vit à l'âge de huit ans, apportant serviettes, shampooings et savonnettes à sa mère, qui travaillait alors dans un motel. Il y avait une corneille, l'un des oiseaux tournoyant dans le vent abrasif de cette ville rébarbative, qui se plaisait à dévaliser les chariots des femmes de ménage. Elle s'emparait de tout ce qui brillait. L'oiseau attendait le moment favorable puis fouillait parmi les nombreux objets qu'ils contenaient. Parfois, obligée de s'envoler prématurément, elle emportait du linge propre. Un jour, l'une des autres femmes de chambre lui jeta de l'eau de Javel, sans autre résultat que de moucheter ses plumes de taches blanches comme neige. La corneille noire et blanche attendait toujours que Clarice abandonne le chariot pour porter des choses à sa mère en train de récurer les lavabos et les douches. Celle-ci se tenait sur le seuil d'une salle d'eau du motel lorsqu'elle dit à Clarice qu'il fallait qu'elle parte vivre dans le Montana. Sa mère posa les serviettes qu'elle portait, s'assit sur le lit et la prit dans ses bras.

Clarice, rêvant encore de la corneille, la vit s'abattre dans la douche. Instinctivement, elle leva la main pour la chasser et, comme pour justifier son geste, la porta à son front afin de lisser ses cheveux mouillés.

Elle s'habilla rapidement. Un pantalon, un corsage, un cardigan léger, le revolver à canon court fourré contre ses côtes, dans son étui extra-plat, le chargeur rapide fixé à la ceinture, de l'autre côté. Son blazer avait besoin d'un petit raccommodage. Une couture de la doublure s'effilochait, juste au-dessus du chargeur. Il fallait qu'elle s'occupe, qu'elle s'affaire, en attendant que sa colère retombe. Elle prit la petite trousse à couture du motel et faufila la doublure. Certains agents cousaient des rondelles de métal dans les pans de leur veste pour qu'elle tombe mieux, elle devrait faire pareil...

Crawford frappa à la porte.

Chapitre 31

CRAWFORD savait, par expérience, que la colère rendait les femmes vulgaires. La rage faisait rebiquer leurs cheveux, rougissait leur visage, et elles en oubliaient de remonter leur fermeture Eclair. Cela faisait ressortir leurs traits les moins séduisants. Clarice n'avait changé en rien lorsqu'elle ouvrit la porte de sa chambre, et pourtant elle était furieuse.

Crawford comprit qu'il était loin de la connaître.

Une bouffée d'air humide qui sentait le savon lui souffla au visage lorsqu'elle apparut sur le seuil. Derrière elle, le couvre-lit avait été remonté sur l'oreiller.

« Qu'en dites-vous, Starling ?

— Je dis : bordel de merde. Et vous, monsieur Crawford, qu'en pensez-vous ? »

D'un signe de tête, il l'invita à le suivre. « Le drugstore du coin est déjà ouvert. Allons prendre un café. »

Il ne faisait pas froid, pour un matin de février. Le soleil, encore bas à l'horizon, teintait de rouge la façade de l'asile lorsqu'ils passèrent devant. Jeff les suivait lentement, au volant du fourgon, à l'écoute de la radio. Une fois, il tendit le téléphone à Crawford, par la fenêtre, pour une brève conversation.

« Puis-je déposer une plainte contre Chilton pour entrave à la justice ? »

Clarice marchait un peu en tête. Crawford vit les muscles de sa mâchoire se resserrer après qu'elle eut posé cette question.

« Non, ça ne tiendrait pas.

— Et si Catherine meurt à cause de lui ? J'ai vraiment envie de lui faire payer ça... Laissez-moi continuer, monsieur Crawford. Ne me renvoyez pas à l'Ecole.

— J'ai deux choses à vous dire, Starling. Si je vous garde, ce ne sera pas pour faire payer Chilton, on verra ça plus tard. Deuxièmement, vous allez rater vos examens. Ça va vous faire perdre plusieurs mois. L'Ecole ne fait de cadeau à personne. Je peux simplement vous garantir qu'on vous reprendra, mais c'est tout — il y aura une place pour vous, ça je peux vous le promettre.

— Ce n'est peut-être pas poli de poser cette question à son patron, mais êtes-vous dans le pétrin ? Est-ce que le sénateur Martin peut vous faire du tort ?

— Clarice, je vais être obligé de prendre ma retraite dans deux ans. Même si je trouve Jimmy Hoffa et le tueur de Tylenol, je dois décrocher. Alors, ça n'entre pas en ligne de compte. »

Crawford, qui se méfiait du désir, savait combien il désirait la sagesse. Il savait qu'un homme mûr est prêt à tout pour avoir l'air sage, et que cette fausse sagesse est mortelle pour le jeune qui a foi en lui. Aussi ne parlait-il que de choses qu'il connaissait.

Ce que Crawford lui dit dans cette minable rue de Baltimore, il l'avait appris en Corée, au cours d'innombrables aubes glacées, dans une guerre qui avait eu lieu avant qu'elle ne vînt au monde. Il ne mentionna pas la Corée, il n'en avait pas besoin pour affirmer son autorité.

« Vous vivez l'un des moments les plus durs de notre métier, Clarice. Servez-vous-en, il trempera votre caractère. Le plus difficile, c'est de ne pas laisser la rage et la frustration vous empêcher de réfléchir. A cela, vous saurez si vous pouvez commander ou non. Le pire, c'est encore le gâchis et la stupidité. Chilton est un foutu imbécile et son intervention peut coûter la vie à Catherine Martin. Mais peut-être pas. Nous représentons la seule chance de cette fille. Starling, quelle est la température de l'azote liquide, en laboratoire ?

— Pardon ? Ah, l'azote liquide... moins deux cents degrés centigrades, environ. Il bout à une température un peu supérieure.

— Vous vous en êtes déjà servie pour congeler ?

— Bien sûr.

« — Je voudrais que vous congeliez quelque chose. Ce qu'a fait Chilton. Gardez l'information que vous avez obtenue de Lecter et congelez vos sentiments. Je veux que vous gardiez les yeux fixés sur le but, Starling. Le reste ne compte pas. Vous avez travaillé pour obtenir des informations, vous avez payé pour elles, vous les avez obtenues, maintenant servez-vous-en. Elles sont aussi valables — ou aussi dénuées de valeur — qu'avant l'intervention de Chilton. Nous n'aurions probablement plus rien tiré de Lecter. Prenez ce que vous avez appris sur Buffalo Bill et congelez le reste. Le gâchis, ce que vous avez perdu, votre colère, Chilton. Congelez tout ça. Quand nous aurons le temps, nous botterons les fesses de Chilton. Congelez tout ça et laissez-le de côté. Et vous verrez clairement votre but, Starling. La vie de Catherine Martin. Et la peau de Buffalo Bill clouée sur la porte de la grange. Gardez les yeux fixés sur votre but. Si vous en êtes capable, je peux vous confier une tâche.

— Travailler sur les dossiers médicaux ? »

Ils étaient arrivés devant le drugstore.

« Uniquement si les cliniques nous donnent une réponse évasive et que nous soyons obligés de saisir les dossiers. Non. J'ai besoin de vous à Memphis. Il faut espérer que Lecter dira quelque chose d'utile au sénateur Martin. Mais je veux que vous soyez sur place, on ne sait jamais — s'il se lasse de jouer avec elle, peut-être vous parlera-t-il. En attendant, essayez de voir qui était Catherine, pourquoi Bill l'a repérée. Vous êtes à peine plus âgée qu'elle et ses amis vous parleront plus facilement qu'à quelqu'un qui ressemble à un flic.

« Le reste suit son cours. Interpol essaie d'identifier Klaus. Ce qui nous permettrait de jeter un coup d'œil sur ses fréquentations en Europe et en Californie, là où il a passé sa lune de miel avec Benjamin Raspail. Je me rends à l'université du Minnesota — nou sommes partis du mauvais pied là-bas — et je serai à Washington ce soir. Je vais chercher les cafés. Sifflez Jeff et la fourgonnette. Vous décollez dans quarante minutes. »

Le soleil rouge éclairait la moitié supérieure des poteaux téléphoniques. Les trottoirs étaient encore violets. La main de Clarice, levée pour appeler Jeff, baigna dans la lumière.

Elle se sentait mieux, plus légère. Crawford était vraiment

fort. Elle savait que sa question sur l'azote était un coup de chapeau à sa formation médico-légale, un moyen de lui faire plaisir et de déclencher le réflexe qu'elle avait acquis de discipliner sa pensée. Elle se demanda si les hommes sentaient vraiment la subtilité de ce genre de manipulation. C'est curieux que ça marche, même quand on en est conscient. Curieux que le don de diriger soit aussi un cadeau empoisonné.

De l'autre côté de la rue, quelqu'un sortait de l'hôpital d'Etat de Baltimore. C'était Barney, l'air encore plus grand en blouson. Il tenait sa gamelle à la main.

Clarice lança : « Cinq minutes » à Jeff qui l'attendait. Elle rattrapa Barney au moment où il ouvrait la portière de sa vieille Studbaker.

« Barney. »

Il tourna vers elle un visage dépourvu de toute expression. Ses yeux semblaient seulement un peu plus grands que d'habitude. Il se tenait campé bien droit sur ses jambes.

« Le Dr Chilton vous a dit que vous ne risquiez rien, n'est-ce pas ?

— Qu'aurait-il pu me dire d'autre ?

— Vous le croyez ? »

Les coins de la bouche de Barney tombèrent. Il ne dit ni oui ni non.

« Je voudrais que vous fassiez quelque chose pour moi. Tout de suite et sans poser de questions. Je vous le demande gentiment — nous commencerons par là. Que reste-t-il dans la cellule de Lecter ?

— Deux ou trois livres — *Le Plaisir de cuisiner*, des revues médicales. Ils ont emporté tous ses papiers du tribunal.

— Ce qu'il y avait au mur, ses dessins ?

— Ils sont toujours là.

— Je voudrais tout cela et je suis très pressée. »

Il la dévisagea un moment. « Ne bougez pas », dit-il et il remonta les marches en courant, avec beaucoup de légèreté pour un homme aussi fort.

Crawford l'attendait dans la fourgonnette lorsque Barney ressortit avec ses dessins roulés, les journaux et les livres, dans un sac à provisions.

« Vous êtes certaine que je savais qu'il y avait un micro dans le bureau que je vous ai apporté ? dit Barney en le lui donnant.

— Il faut que j'y réfléchisse. Voilà un stylo, écrivez votre numéro de téléphone sur le sac. Barney, croyez-vous qu'ils sauront s'y prendre avec le Dr Lecter ?

— J'ai des doutes, et j'en ai parlé au Dr Chilton. N'oubliez pas que je vous l'ai dit, au cas où cela lui sortirait de la tête. Je vous fais confiance, agent Starling. Dites : quand vous aurez attrapé Buffalo Bill...

— Oui ?

— Ne me l'amenez pas, juste parce que j'ai une cellule de libre, d'accord ? » Il sourit. Barney avait des petites dents de bébé.

Clarice lui rendit son sourire, malgré elle. Elle courut vers le fourgon en agitant la main vers lui.

Crawford avait l'air satisfait.

Chapitre 32

LES roues du Grumman Gulfstream, qui transportait le Dr Hannibal Lecter, touchèrent le sol de Memphis en exhalant deux bouffées de fumée bleue. Obéissant aux ordres de la tour de contrôle, il s'éloigna du terminal des passagers en direction des hangars de la police de l'air. Là, une ambulance de police secours et une limousine l'attendaient.

A travers les vitres fumées, le sénateur Ruth Martin regarda les gendarmes sortir le Dr Lecter de l'avion. Elle aurait voulu pouvoir se jeter sur la silhouette ligotée et masquée pour lui arracher le nom, mais elle était trop intelligente pour cela.

Le téléphone de la voiture bourdonna. Son adjoint, Brian Gossage, assis sur un strapontin, décrocha.

« C'est le FBI... Jack Crawford », dit-il.

Le sénateur tendit la main sans quitter Lecter des yeux.

« Pourquoi ne m'avez-vous rien dit, au sujet de Lecter, monsieur Crawford ?

— Je craignais que vous ne fassiez justement cela...

— Je ne me bats pas contre vous, monsieur Crawford. Mais si vous m'attaquez, vous le regretterez.

— Où est Lecter en ce moment ?

— Sous mes yeux.

— Peut-il vous entendre ?

— Non.

— Ecoutez-moi bien, sénateur. Vous avez l'intention d'accorder personnellement des garanties à Lecter — bon, d'accord. Mais je vous en prie, consultez le Dr Alan Bloom avant de commencer. Bloom peut vous aider, croyez-moi.

— J'ai déjà eu l'avis d'un spécialiste.

— Plus qualifié que Chilton, j'espère. »

Le Dr Chilton tapotait à la vitre de la limousine. Le sénateur Martin envoya Brian Gossage s'occuper de lui.

« Ces rivalités internes nous font perdre du temps, monsieur Crawford. Vous avez envoyé à Lecter une jeune recrue avec une proposition bidon. Je peux faire mieux. Le Dr Chilton dit que Lecter réagira à une offre sincère et c'est ce que je vais faire — sans chinoiseries administratives, sans que telle ou telle personne en revendique l'honneur. Si nous récupérons Catherine saine et sauve, tout le monde en bénéficiera, vous compris. Si elle... meurt, j'en aurai rien à foutre des excuses.

— Nous pouvons vous aider, sénateur. »

Elle ne perçut aucune colère dans sa voix, seulement de la froideur professionnelle. Elle y répondit. « Allez-y.

— Si vous obtenez quelque chose, laissez-nous l'exploiter. Ne nous cachez rien. Veillez à ce que la police du coin ne nous dissimule rien. Ne les laissez pas croire qu'ils vous feront plaisir en nous supplantant.

— Paul Krendler, du ministère de la Justice, va arriver. Il va y veiller.

— Qui commande là-bas ?

— Le major Bachman, du bureau du FBI du Tennessee.

— Bien. S'il n'est pas trop tard, essayez d'obtenir le black-out sur les médias. Il faut en menacer Chilton — il aime la publicité. Nous ne voulons pas que Buffalo Bill l'apprenne. Quand nous saurons son identité, nous ferons intervenir la Brigade anti-terroriste. Il faut frapper vite, avant qu'il réagisse. Vous avez l'intention d'interroger personnellement Lecter ?

— Oui.

— Acceptez-vous de parler d'abord à Clarice Starling ? Elle va arriver.

— Pour quelle raison ? Le Dr Chilton m'a tout résumé. Nous avons déjà perdu assez de temps. »

Chilton tapotait de nouveau sur la vitre et formait des mots avec ses lèvres. Brian Gossage lui prit le poignet et secoua négativement la tête.

« Je veux voir Lecter lorsque vous lui aurez parlé, dit Crawford.

— Monsieur Crawford, il a promis de nous donner le nom

de Buffalo Bill en échange de quelques prérogatives — des petites douceurs, en fait. S'il ne le fait pas, je vous l'abandonne.

— Sénateur Martin, je sais que c'est délicat de vous dire cela, mais il le faut : quoi que vous fassiez, ne le suppliez pas.

— Entendu. Je ne peux pas vous parler plus longtemps, monsieur Crawford. » Elle raccrocha. « Si je me trompe, elle ne sera pas plus morte que les six dernières dont vous vous êtes occupé », dit-elle à mi-voix, puis elle fit signe à Gossage et à Chilton de monter dans la voiture.

Elle dut attendre que Chilton ait installé Lecter dans le bureau. Ne supportant plus de rester dans la voiture, elle marcha en rond sous le toit élevé du hangar ; ses yeux allaient des grands chevrons entrecroisés aux bandes peintes sur le sol. Une fois, elle s'arrêta derrière un vieux Phantom F-4 et appuya la tête contre son flanc droit, là où il y avait écrit, au crayon : INTERDIT. *Cet avion doit être plus vieux que Catherine. Oh, mon Dieu, dépêchez-vous.*

« Sénateur Martin. » Le major Bachman l'appelait et Chilton lui faisait signe de venir.

Il y avait un bureau pour Chilton et des sièges pour le sénateur Martin, son adjoint et le major. Un cameraman était là pour enregistrer l'entrevue en vidéo. Chilton prétendit que c'était Lecter qui l'avait exigé.

Le sénateur Martin entra avec beaucoup d'allure. Son tailleur bleu marine exhalait le pouvoir. Elle avait aussi veillé à la tenue de Gossage.

Le Dr Hannibal Lecter était assis au milieu de la pièce, dans un robuste fauteuil en chêne, boulonné au sol. Une couverture recouvrait la camisole de force et les entraves, dissimulant le fait qu'il était enchaîné à son siège. Mais il portait toujours le masque de hockey qui l'empêchait de mordre.

Pourquoi ? se demanda le sénateur ; on avait voulu accorder un peu de dignité au Dr Lecter en l'installant dans un bureau. Elle regarda Chilton puis se tourna vers Gossage qui manipulait ses papiers.

Chilton passa derrière le Dr Lecter et, jetant un coup d'œil vers la caméra, défit les lanières et ôta le masque avec un grand geste du bras.

« Sénateur Martin, je vous présente le Dr Hannibal Lecter. »

188

Elle vit que toute cette mise en scène avait pour but de montrer un sénateur Martin effrayé. Une peur glacée s'abattit sur elle, ce Chilton était un imbécile.

Elle allait être obligée d'improviser.

Une boucle de cheveux retombait entre les yeux marron du Dr Lecter. Il était aussi pâle que le masque. Le sénateur Martin et lui s'étudiaient mutuellement, l'une extrêmement brillante, et l'autre impossible à jauger.

Le Dr Chilton revint à son bureau, les regarda tous à tour de rôle et commença :

« Le Dr Lecter m'a révélé qu'il désirait mettre son savoir au service de cette enquête, moyennant quelques améliorations de sa détention. »

Le sénateur Martin brandit un document. « Docteur Lecter, voici une déclaration, écrite sous serment, que je vais signer. Et qui dit que je vais vous aider. Vous voulez la lire ? »

Elle pensait qu'il n'allait pas répondre et se tournait vers le bureau pour signer lorsqu'il dit :

« Je ne vais pas perdre votre temps et celui de Catherine en marchandant de misérables petits privilèges. Des arrivistes l'ont déjà assez gaspillé comme cela. Je vais vous aider et vous faire confiance, dans l'espoir que vous m'aiderez quand tout sera fini.

— Vous pouvez compter sur moi. Brian ? »

Gossage prit son carnet de notes.

« Le vrai nom de Buffalo Bill est William Rubin. Il se fait appeler Billy Rubin. Il m'a été envoyé en avril ou mai 1975 par mon patient Benjamin Raspail. Rubin m'a dit qu'il habitait Philadelphie ; je ne me souviens pas de son adresse, mais il a vécu avec Raspail à Baltimore.

— Où sont vos dossiers médicaux ? intervint le major.

— Ils ont été détruits par ordre du tribunal peu après...

— Décrivez-le-nous, dit le major.

— Vous permettez, major ? Sénateur Martin, la seule...

— Donnez-moi son âge, son signalement, et tout ce dont vous vous souvenez d'autre », insista le major.

Le Dr Lecter ferma les yeux. Il se mit à penser à autre chose — les études anatomiques de Géricault pour *Le*

Radeau de la Méduse — et s'il entendit les questions qui suivirent, il ne le montra pas.

Quand le sénateur Martin retint de nouveau son attention, ils étaient seuls dans la pièce. Elle tenait le bloc-notes de Gossage.

Le regard du Dr Lecter se fixa sur elle. « Cet officier sentait le cigare. Avez-vous nourri Catherine ?

— Pardon ? Si j'ai...

— L'avez-vous nourrie au sein ?

— Oui.

— Ça donne soif, n'est-ce pas... ? »

Quand les pupilles du sénateur noircirent, le Dr Lecter but une gorgée de sa douleur et la trouva exquise. Cela suffisait pour aujourd'hui. Il continua : « William Rubin mesure environ un mètre quatre-vingt-quatre et doit avoir maintenant trente-cinq ans. Il est corpulent — environ quatre-vingt-six kilos quand je l'ai rencontré et il a dû prendre du poids depuis, je suppose. Cheveux châtains, yeux bleu pâle. Donnez-leur déjà ça, et nous continuerons après.

— Oui, j'y vais », dit le sénateur Martin. Elle passa ses notes à quelqu'un, à l'extérieur.

« Je ne l'ai vu qu'une fois. Il avait pris rendez-vous, mais il n'est jamais revenu.

— Pourquoi pensez-vous que Buffalo Bill, c'est lui ?

— Il avait tué des gens et leur avait fait des choses anatomiquement semblables. Il m'a dit qu'il avait besoin d'aide pour ne pas recommencer, mais en réalité, il voulait juste en parler. *Tailler une bavette.*

— Et vous n'avez pas... il était donc sûr que vous ne le dénonceriez pas ?

— Il le pensait, et puis il aimait prendre des risques. J'avais mérité la confiance de son ami Raspail.

— Raspail était au courant ?

— Raspail avait des goûts très louches — il était couvert de cicatrices. Billy Rubin m'a dit qu'il avait un casier judiciaire chargé, mais il n'est pas entré dans les détails. J'ai établi un bref dossier médical. Rien de notable, sauf une chose : Rubin m'a dit qu'il avait eu l'anthrax de l'ivoire d'éléphant. C'est tout ce dont je me souviens, sénateur Martin, et je suppose que vous êtes pressée de partir. Si quelque chose d'autre me revient en mémoire, je vous enverrai un mot.

— Est-ce que Billy Rubin a tué la personne dont la tête était dans la voiture?

— Je le crois.

— Savez-vous de qui il s'agissait?

— Non. Raspail l'appelait Klaus.

— Est-ce que les autres choses que vous avez dites au FBI étaient vraies?

— Au moins aussi vraies que ce que le FBI m'a dit, sénateur Martin.

— Je vous ai installé temporairement à Memphis. Nous parlerons de votre situation et de votre transfert à Brushy Mountain quand nous aurons... quand cette affaire sera terminée.

— Merci. J'aimerais pouvoir disposer d'un téléphone, si jamais autre chose me revient...

— Vous en aurez un.

— Et de la musique. Les *Variations Goldberg* par Glenn Gould? Serait-ce trop demander?

— D'accord.

— Sénateur Martin, ne vous fiez pas uniquement au FBI. Jack Crawford n'est pas fair-play avec les autres agences. C'est un jeu pour ces gens-là. Il veut absolument l'arrêter lui-même. " Faire main basse dessus ", comme ils disent.

— Merci, docteur Lecter.

— J'aime bien votre tailleur », dit-il au moment où elle sortait.

Chapitre 33

DE cave en cave, de coin en recoin, le sous-sol de Jame Gumb divague comme le labyrinthe qui, dans les rêves, nous empêche de progresser. Lorsqu'il était encore timide, il y a plusieurs vies de cela, M. Gumb prenait son plaisir dans les pièces les plus reculées, loin des escaliers. Il y en a, tout au fond, que Gum n'a pas ouvertes depuis des années. Certaines sont encore occupées, si l'on peut dire, bien que derrière leurs portes, les hurlements aient depuis longtemps fait place au silence.

Le niveau du sol varie d'une pièce à l'autre, parfois de trente centimètres. Il y a des seuils à franchir, des linteaux à éviter. C'est impossible de faire rouler des fardeaux et dur de les tirer. Faire marcher devant soi quelque chose qui trébuche et pleure, supplie et se cogne la tête, c'est difficile et même dangereux.

Ayant acquis de la sagesse et de la confiance, M. Gumb n'a plus besoin de satisfaire ses besoins dans les parties les plus secrètes. Il se sert maintenant d'une suite de caves, autour de l'escalier, de grandes pièces où il y a l'électricité et l'eau courante.

En ce moment, tout le sous-sol est plongé dans les ténèbres.

Sous la cave au sol sablonneux, dans l'oubliette, Catherine garde le silence.

M. Gumb est dans le sous-sol, mais pas dans cette pièce-là.

L'œil humain ne voit rien, dans une telle obscurité, mais la cave est pleine de petits bruits. De l'eau goutte et de petites pompes bourdonnent. Les faibles échos qui y résonnent font paraître la pièce plus grande. L'air est humide et froid. Il sent la verdure. Un battement d'ailes effleure sa joue, des cliquetis dans l'air. Un grognement nasal de plaisir, un bruit humain.

Pas la moindre longueur d'ondes lumineuses que l'œil humain puisse utiliser, mais M. Gumb est là et lui, il voit très bien, mais seulement en verts plus ou moins intenses. Il porte d'excellentes lunettes à infrarouges (surplus militaire israélien, moins de quatre cents dollars) et dirige le rayon de sa lampe, à infrarouges elle aussi, sur une cage grillagée posée devant lui. Il est assis sur le bord d'une chaise droite et observe, en extase, un insecte qui grimpe le long d'une plante. Le jeune imago vient d'émerger de sa chrysalide fendue, dans la terre humide du fond de la cage. Cette femelle escalade soigneusement une tige de belladone, à la recherche d'un endroit où déployer ses ailes humides, toutes neuves, qui capitonnent encore son dos. Elle choisit un rameau horizontal.

M. Gum doit incliner la tête sur le côté pour la voir. Peu à peu, les ailes se gorgent de sang et d'air. Elles sont toujours collées l'une à l'autre, sur le dos de l'insecte.

Deux heures passent. M. Gumb est toujours dans la même position. Il éteint et rallume sa lampe à infrarouges, afin de rendre plus surprenants les progrès que fait l'insecte. Pour passer le temps, il fait jouer le faisceau de lumière sur le reste de la pièce — sur ses gros aquariums pleins d'une solution de tanin végétal. Sur les formes et les châssis, dans les cuves, ses récentes acquisitions qui ressemblent à des fragments de statues antiques verdies par la mer. Sa lumière se promène sur la grande table de travail en fer galvanisé, avec son bloc-oreiller en métal et ses rigoles, effleure le treuil suspendu au-dessus. Contre le mur, de longs éviers industriels. Tout cela en images vertes. Des battements d'ailes, des traînées phosphorescentes traversent son champ de vision, petites queues de comètes créées par les papillons nocturnes voletant dans la pièce.

Il revient à la cage juste à temps. Les ailes du grand insecte sont dressées au-dessus de son corps, cachant et déformant ses taches. Elle les replie sur son dos et le célèbre dessin apparaît. Un crâne humain, merveilleusement exécuté en écailles douces comme de la fourrure, le regarde. Sous le dôme bombé du crâne, les trous noirs des yeux et les pommettes proéminentes. L'obscurité, au-dessus de la mâchoire, barre la face comme un bâillon. Le crâne repose sur une tache évasée comme le sommet d'un pelvis.

Un pelvis surmonté d'un crâne, le tout dessiné sur le dos d'un papillon nocturne, par un caprice de la nature.

M. Gumb se sent si bien, l'âme légère. Il se penche en avant, souffle doucement sur l'insecte. La femelle lève sa trompe acérée et, de colère, émet un petit grincement.

Il se dirige lentement, la lampe à la main, vers l'oubliette. Il ouvre la bouche pour respirer plus silencieusement. Il ne veut pas que des bruits en provenance du trou viennent gâcher sa bonne humeur. Sur leurs petits tubes proéminents, les verres de ses lunettes ressemblent aux yeux pédonculés d'un crabe. M. Gumb sait qu'ainsi, il n'a rien de séduisant, mais grâce à elles, il a pris bien du plaisir dans la cave obscure, en jouant à ses jeux nocturnes.

Il se penche et envoie l'invisible lumière dans le puits.

La chose est couchée sur le côté, repliée comme une crevette. Elle semble endormie. Le seau hygiénique est à côté d'elle. Elle n'a pas recommencé à casser la ficelle en essayant de se hisser le long des parois escarpées. Dans son sommeil, elle tient un coin du tapis de sol contre sa joue et suce son pouce.

En promenant le faisceau infrarouge sur le corps de Catherine, M. Gumb pense aux problèmes qui l'attendent.

La peau humaine n'est pas facile à travailler lorsqu'on est aussi exigeant que M. Gumb. Il y a des choix fondamentaux, de structure, à faire, et le premier, c'est où mettre la fermeture Eclair.

Il fait courir la lumière le long du dos de Catherine. Normalement, c'est là qu'il devrait mettre l'ouverture, mais comment l'enfiler tout seul ? On ne peut pas demander l'aide de quelqu'un pour ce genre de chose, si excitant que ce projet puisse être. Il connaît des endroits, des milieux, où ses tentatives feraient sensation — certains yachts où il pourrait se pavaner — mais cela l'obligerait à attendre. Il lui faut des choses qu'il puisse utiliser seul. L'ouverture sur le devant, ce serait un sacrilège — il écarte cette éventualité.

M. Gumb ne peut juger du teint de Catherine, mais elle semble avoir maigri. Sans doute suivait-elle déjà un régime lorsqu'il l'a enlevée.

L'expérience lui a enseigné qu'il fallait attendre de quatre à sept jours avant de prélever la peau. Une brusque perte de poids la relâche, ce qui permet de l'enlever plus facilement. De plus, le jeûne affaiblit les sujets et les rend plus maniables. Plus dociles. Certains sombrent dans une stupeur résignée. Néanmoins, il faut leur fournir quelques rations afin de prévenir le désespoir et les crises de rage, destructrices, qui peuvent endommager la peau.

La chose avait définitivement perdu du poids. Celle-là était si spéciale, si importante pour ce qu'il faisait, qu'il ne supporterait pas une longue attente. Il passerait à l'acte demain après-midi, ou demain soir. Au plus tard, après-demain. Bientôt.

Chapitre 34

CLARICE STARLING reconnut le panneau « Stonehinge Villas » qu'elle avait vu à la télé. L'ensemble résidentiel de Memphis Est, mélange d'immeubles et de maisons particulières, formait un grand U autour du parking.

Clarice gara sa Chevrolet de location au milieu. C'était des ouvriers qualifiés bien payés et des petits cadres qui habitaient là — elle le vit aux Trans-Am et aux Camaro IROC-Z. Des camping-cars pour les week-ends et des motoskis aux peintures éclatantes étaient garés à part.

Stonehinge Villas — cette orthographe lui tapait sur les nerfs. Les appartements étaient sans doute pleins d'osier blanc et de peluche pêche. Avec des photos d'amateur sous le plateau en verre des tables basses. *Cuisiner pour deux* et *Le Livre de la fondue.* Clarice, n'ayant pour foyer que l'Ecole du FBI, n'était pas tendre pour ce genre de choses.

Elle voulait savoir qui était Catherine Baker Martin. Drôle d'endroit pour une fille de sénateur. Clarice avait lu les brefs renseignements biographiques recueillis par le FBI. Catherine Martin n'avait pas été une étudiante très brillante ; après un échec à Farmington, elle avait passé deux médiocres années à Middlebury. Maintenant, elle suivait des cours à l'université du Southwestern tout en exerçant le métier d'enseignante.

Clarice se la représentait comme une de ces gosses de riches, égocentriques, qui ne vous écoutent jamais et ne mâchent pas leurs mots. Elle devait prendre garde à ses propres préjugés et ressentiments, ayant fait ses études dans des internats où ses notes étaient meilleures que ses vêtements. Elle avait connu pas mal d'enfants de familles aisées mais désunies, restés trop longtemps pensionnaires. Elle se fichait pas mal de certains d'entre eux, et elle avait appris que l'inattention, que l'on confond trop souvent avec l'indifférence ou que l'on attribue à un esprit superficiel, est parfois un stratagème utile pour échapper à la douleur.

Mieux valait imaginer Catherine comme une petite fille qui faisait de la voile avec son père, telle qu'elle l'avait vue dans le film passé à la télévision. Elle se demanda comment Catherine avait réagi en apprenant que son père venait de mourir d'une crise cardiaque à quarante-deux ans. Clarice était sûre que son père lui manquait. Cette peine commune la rapprochait de la jeune femme.

Il était important que Catherine lui soit sympathique, cela l'aiderait à réussir.

Elle repéra tout de suite l'appartement de Catherine — deux voitures de police de la route étaient garées devant. A proximité, le parking était saupoudré de blanc. Le bureau du FBI du Tennessee avait dû prélever des traces d'huile avec de la pierre ponce ou une autre poudre inerte. L'Agence était vraiment très forte.

Clarice passa entre les caravanes et les bateaux de plaisance garés en face de l'appartement. C'était là que Buffalo Bill l'avait enlevée. Assez près de sa porte pour qu'elle la laisse entrouverte en sortant. Quelque chose l'avait attirée dehors. Certainement un piège d'apparence anodine.

La police de Memphis avait interrogé les voisins et personne n'avait rien vu. Cela avait dû se passer entre les caravanes. Il l'avait guettée de là. Assis dans un véhicule de ce type. Mais Buffalo Bill *savait* que Catherine était là. Il avait dû la remarquer quelque part et la suivre, à l'affût d'une occasion favorable. Des jeunes filles de la stature de Catherine, cela ne courait pas les rues. Il ne pouvait pas se contenter d'attendre, n'importe où, qu'une femme de ce type passe devant lui.

Toutes ses victimes étaient grandes et fortes. Quelques-unes étaient grosses, d'autres seulement bien charpentées. « Il peut en tirer quelque chose qui lui aille. » Clarice frissonna en se remémorant les paroles du Dr Lecter. Ce nouveau citoyen de Memphis.

Clarice emplit ses poumons, gonfla ses joues et souffla lentement. *Voyons qui est Catherine.*

Un policier vint lui ouvrir ; il portait le chapeau à large bord de la police des parcs nationaux. Quand Clarice lui montra sa carte, il lui fit signe d'entrer.

« Je viens perquisitionner. » Ce dernier mot semblait adéquat lorsqu'on s'adressait à un homme qui gardait son chapeau dans un appartement. Il hocha la tête.

« Si le téléphone sonne, ne décrochez pas. Je répondrai. »

Sur la table de la cuisine, Clarice vit qu'un enregistreur était relié au téléphone. A côté, il y avait deux autres combinés dont l'un était dépourvu de cadran — une ligne directe avec les services de repérages du *Mid-South*.

« Je peux vous aider ? demanda le jeune policier.

— Est-ce que la police a terminé ?

— L'appartement a été rendu à la famille. Je ne suis ici que pour le téléphone. Vous pouvez faire ce que vous voulez.

— Bien, je vais jeter un coup d'œil.

— D'accord. » Il récupéra le journal qu'il avait fourré sous le divan et se rassit.

Clarice avait besoin de se concentrer. Elle aurait voulu visiter seule l'appartement, mais avait déjà bien de la chance qu'il ne grouille pas de flics.

Elle commença par la cuisine. Elle n'était pas équipée pour la gastronomie. Catherine était venue chercher du pop-corn, avait dit son petit ami. Clarice ouvrit le congélateur. Il y avait deux sachets de pop-corn pour four à micro-ondes. De la fenêtre, on voyait le parking.

« D'où vous êtes ? »

Clarice n'enregistra pas tout de suite la question.

« D'où vous êtes ? »

Le gendarme la regardait par-dessus son journal.

« De Washington », répondit-elle.

Sous l'évier — oui, le joint était éraflé, ils avaient démonté le siphon pour l'examiner. Un bon point pour le FBI. Les couteaux étaient mal aiguisés. On n'avait pas vidé le lave-vaisselle. Le réfrigérateur contenait seulement du fromage blanc et de la salade de fruits sous vide. Catherine Martin devait faire ses courses dans une grande surface du coin.

Qui avait peut-être un vigile. Cela méritait vérification.

« Vous travaillez pour le ministère de la Justice ?

— Non, le FBI.

— L'attorney général va venir. C'est ce qu'on m'a dit. Ça fait longtemps que vous êtes au FBI ? »

Il y avait un chou en caoutchouc dans le tiroir à légumes. Clarice ouvrit le coffret à bijoux ; il était vide.

« Ça fait longtemps que vous êtes au FBI ? »

Clarice se tourna vers le jeune gendarme.

« Ecoutez, j'aurai sans doute besoin de vous poser quelques questions, quand j'aurai fini de visiter. Vous pourrez peut-être m'aider.

— Bien sûr. Si je peux...

— Bon, d'accord. On parlera à ce moment-là. Maintenant, j'ai besoin de réfléchir.

— Pas de problème. »

La chambre à coucher était claire. Son atmosphère ensoleillée, propice au sommeil, plut à Clarice. Les meubles et les tissus étaient d'une qualité que la plupart des jeunes femmes ne pouvaient pas s'offrir. Il y avait un paravent en laque de Coromandel, deux vases en émail cloisonné sur des étagères et un beau secrétaire en ronce de noyer. Des lits jumeaux. Clarice souleva les dessus-de-lit. Seul celui de gauche avait des roulettes. *Catherine doit les rapprocher quand cela lui convient. Peut-être a-t-elle un autre amant que son petit ami ignore. Ou peut-être s'installent-ils ici parfois. Son répondeur n'a pas d'appel à distance. Il faut peut-être qu'elle soit là quand sa mère téléphone.*

L'appareil était du même modèle que le sien. Elle ouvrit le panneau. On avait ôté les deux bandes. A leur place, il y avait une note : *Bandes saisies par le FBI.*

La chambre était à peu près bien tenue, mais l'on sentait que les enquêteurs étaient passés par là avec leurs grosses pattes, des hommes qui essayaient de remettre tout en place, mais n'y arrivaient pas tout à fait. Clarice se serait aperçue que l'on avait fouillé cette pièce, même sans les traces de poudre à empreintes restées sur les surfaces lisses.

Il ne s'était sûrement rien passé dans cette chambre. Un bon point pour Crawford : Catherine avait été enlevée dans le parking. Mais Clarice voulait connaître Catherine, et c'était ici qu'elle habitait. Qu'elle *habite,* se reprit-elle. Elle *habite* ici.

Dans le compartiment de la table de nuit, il y avait un annuaire, des Kleenex, une trousse de toilette et, derrière celle-ci, un Polaroïd avec un déclencheur de flash et un petit pied plié, à côté. Hummmmm. Attentive comme un lézard, Clarice regarda l'appareil-photo. Elle cligna des yeux, comme un lézard, mais n'y toucha pas.

La penderie l'intéressa davantage. Catherine Baker Martin possédait beaucoup de vêtements dont certains d'excellente qualité. Clarice reconnut la plupart des marques, parmi lesquelles deux de Washington. *Des cadeaux de maman,* se dit-elle. C'était de beaux vêtements classiques dans deux tailles qui, supposa Clarice, correspondaient à des poids de soixante-cinq et soixante-quinze kilos, plus quelques pantalons et chandails achetés dans des boutiques pour femmes fortes. Elle compta vingt-trois paires de chaussures. Sept de Ferragamos taille quarante, quelques Reebok et mocassins éculés. Un petit sac à dos et une raquette de tennis étaient posés sur l'étagère du haut.

Les affaires d'une gamine privilégiée, étudiante et enseignante, qui vivait mieux que la plupart de ses compagnes.

Un tas de lettres dans le secrétaire. Des petits mots envoyés par d'anciennes camarades de classe de la côte Est. Des timbres, des étiquettes. Des feuilles de papier cadeau dans le tiroir du bas, de couleurs et motifs variés. Clarice les tripota. Elle était en train de penser aux questions qu'elle poserait aux employés du supermarché voisin lorsque ses doigts rencontrèrent un papier plus épais et plus raide. Habituée à réagir à toute anomalie, elle l'avait déjà à moitié sorti lorsqu'elle le regarda. C'était une sorte de buvard bleu décoré de maladroites imitations du chien Pluto. Des rangées de petits chiens jaunes, dont les proportions n'étaient pas bonnes.

« Catherine, Catherine », dit Clarice. Elle sortit des pinces de son sac et s'en servit pour glisser la feuille de papier dans un sachet de plastique. Qu'elle déposa provisoirement sur le lit.

Le coffret à bijoux, sur la coiffeuse, était en cuir estampillé ; on en voyait de semblables dans tous les dortoirs de collégiennes. Le tiroir secret était vide. Elle se demanda pour qui ces tiroirs étaient secrets — certainement pas pour les cambrioleurs. Elle glissa la main sous le coffret et ses doigts touchèrent une enveloppe attachée en dessous du tiroir.

Elle enfila une paire de gants de coton et retourna le coffret. Puis elle sortit le tiroir vide. Une enveloppe de papier marron était scotchée dessous. Le rabat n'était pas fermé. Elle approcha le papier de son nez. On ne l'avait pas poudré pour prendre les empreintes. Clarice se servit des pinces à épiler pour l'ouvrir et en extraire le contenu. Cinq photos qu'elle sortit une par une. Toutes représentaient un homme et une femme en train de faire l'amour. On ne voyait ni les têtes ni les visages. Deux d'entre elles avaient été prises par la femme, deux par l'homme et, pour la cinquième, l'appareil avait dû être fixé sur le pied et posé sur la table de chevet.

C'est difficile de juger l'échelle d'une photo, mais avec sa taille imposante et ses soixante-cinq kilos, la femme devait être Catherine Martin. L'homme portait autour du pénis une sorte d'anneau en ivoire sculpté. La définition n'était pas assez bonne pour en révéler les détails. L'homme avait été opéré de l'appendicite. Clarice mit chaque photo dans un sachet en plastique et les rangea dans sa propre enveloppe marron. Elle remit le tiroir du coffret en place.

« J'ai rangé tout ce qui avait de la valeur dans mon portefeuille, dit une voix derrière elle. Je ne crois pas qu'on ait pris quelque chose. »

Clarice regarda dans le miroir. Le sénateur Martin se tenait à la porte de la chambre. Elle avait l'air épuisée. Clarice se retourna.

« Bonjour. Vous voulez vous allonger ? J'ai presque fini. »

Même brisée de fatigue, cette femme avait de la présence. Sous son vernis d'élégance, Clarice vit quelle lutteuse c'était.

« Qui êtes-vous, je vous prie ? Je croyais que la police avait terminé.

— Clarice Starling, du FBI. Avez-vous parlé avec le Dr Lecter ?

— Il m'a donné un nom. » Le sénateur Martin alluma

une cigarette et toisa Clarice des pieds à la tête. « Nous allons voir ce que ça vaut. Qu'avez-vous trouvé dans le coffret à bijoux ? Cela a-t-il une valeur quelconque ?

— Des documents que nous allons vérifier en quelques minutes. » Ce fut tout ce que Clarice trouva à répondre.

« Dans le coffret à bijoux de ma fille ? Voyons cela. »

Clarice entendit des voix dans la pièce voisine ; elle espéra qu'on viendrait les interrompre. « C'est M. Copley, l'agent spécial de Memphis, qui est avec vous ?

— Non, et ce n'est pas une réponse. Sans vouloir vous offenser, j'exige de voir ce que vous avez sorti du coffret à bijoux de ma fille. » Elle tourna la tête et lança, par-dessus son épaule : « Paul. Paul, vous pouvez venir ? Agent Starling, je vous présente M. Krendler, du ministère de la Justice. Paul, c'est la jeune fille que Jack Crawford a envoyée à Lecter. »

La calvitie naissante de Krendler était bronzée et il avait l'air en forme pour un homme de quarante ans.

« Bonjour, monsieur Krendler, j'ai entendu parler de vous », dit Starling. *Le célèbre médiateur de la Criminelle, l'agent de liaison avec le Congrès, au minimum le bras droit de l'attorney général. Doux Jésus, ayez pitié de moi.*

« L'agent Starling a trouvé quelque chose dans le coffret à bijoux de ma fille et l'a mis dans une enveloppe marron. Je pense qu'il vaut mieux voir ce que c'est, n'est-ce pas ?

— Agent Starling, dit Krendler.

— Puis-je vous parler ?

— Bien sûr. Plus tard. » Il tendit la main.

Le visage de Clarice devint rouge. Elle savait que le sénateur Martin n'était pas dans son état normal, mais elle ne pardonnerait jamais à Krendler son regard soupçonneux. Jamais.

« Prenez », dit Starling. Elle lui tendit l'enveloppe.

Krendler regarda la première photo ; il était en train de refermer le rabat lorsque le sénateur Martin lui prit l'enveloppe des mains.

C'était pénible de la voir examiner les photos. Quand elle eut fini, elle alla à la fenêtre et resta le visage tourné vers le ciel couvert, les yeux fermés. A la lumière crue du jour, elle faisait plus âgée ; ses mains tremblèrent lorsqu'elle alluma une cigarette.

« Sénateur, je..., commença Krendler.

— La police a fouillé cette chambre, dit-elle. Je suis sûre qu'ils ont trouvé ces photos et qu'ils ont eu assez de bon sens pour les remettre à leur place et rester bouche cousue.

— Non, dit Clarice. Ils ne les ont pas trouvées. » Cette femme était blessée, mais tant pis. « Madame, nous avons besoin de savoir qui est cet homme, vous le comprenez aisément. Si c'est son petit ami, très bien. Je peux m'en assurer en cinq minutes. Personne d'autre ne verra ces photos, et Catherine n'a même pas besoin de le savoir.

— Je m'en occupe. » Le sénateur Martin mit l'enveloppe dans son sac à main et Krendler la laissa faire.

« Sénateur, est-ce vous qui avez enlevé les bijoux qui se trouvaient dans le chou en caoutchouc du réfrigérateur ? » demanda Clarice.

Brian Gossage passa la tête à la porte. « Excusez-moi, sénateur, le terminal est installé. Nous pouvons les suivre en direct, pendant qu'ils cherchent le nom de William Rubin, au FBI.

— Allez-y, sénateur, dit Krendler. Je vous rejoins dans une seconde. »

Ruth Martin quitta la pièce sans répondre à la question de Clarice.

Celle-ci put examiner Krendler pendant qu'il refermait la porte de la chambre. Son complet était un chef-d'œuvre de confection et il n'était pas armé. La moitié inférieure de ses talons brillaient, à force de marcher sur d'épaisses moquettes, et ses semelles étaient impeccables.

Il demeura un moment la main sur la poignée, la tête penchée.

« C'était une bonne perquisition », dit-il en se retournant.

Un peu gros pour Clarice. Elle se contenta de lui rendre son regard.

« On forme de bons enquêteurs à Quantico.

— Mais pas de bons cambrioleurs.

— Je le sais.

— Ce n'est pas évident.

— Laissez tomber.

— Il faudrait suivre la piste des photos et du chou en caoutchouc, n'est-ce pas ?

— Oui.

— Qui est ce William Rubin, monsieur Krendler ?

— Lecter dit que c'est le nom de Buffalo Bill. Voici notre rapport aux services d'identification et à l'Index. Regardez. » Il lui tendit une transcription de la conversation de Lecter avec le sénateur Martin, une copie floue sortie d'une imprimante matricielle.

« Qu'en pensez-vous ? demanda-t-il lorsqu'elle eut fini de lire.

— Il ne court aucun risque. Il dit que c'est un Blanc appelé Billy Rubin qui a eu l'anthrax de l'ivoire d'éléphant. S'il a menti, vous aurez du mal à le prouver, quoi qu'il arrive. Au pire, on dira qu'il s'est trompé. J'espère que c'est vrai. Mais il a pu se jouer d'elle. M. Krendler, il en est parfaitement capable. L'avez-vous déjà... rencontré ? »

Krendler secoua négativement la tête avec un reniflement.

« A notre connaissance, le Dr Lecter a tué neuf personnes. Il ne sortira jamais, quoi qu'il arrive — même s'il ressuscitait les morts, on ne le laisserait pas sortir. Aussi, il ne lui reste que ce genre d'amusement. C'est pourquoi nous avons tenté de le faire marcher...

— Je sais que vous le faisiez marcher. J'ai entendu l'enregistrement de Chilton. Je ne dis pas que c'était une erreur — mais tout cela, c'est fini. Le département des Sciences du comportement peut continuer à exploiter ce que vous avez obtenu — l'hypothèse du transsexuel — si elle en vaut la peine. Et vous reprendrez demain vos cours à Quantico. »

Bigre ! « J'ai trouvé autre chose. »

La feuille de papier colorée était restée sur le lit et personne ne l'avait remarquée. Elle la lui tendit.

« Qu'est-ce que c'est que ça ?

— Cela ressemble à une feuille de Pluto. » Elle l'obligea à demander un complément d'information. Ce qu'il fit d'un geste de la main.

« Je suis à peu près certaine que c'est un buvard d'acide. LSD. Du milieu des années soixante-dix ou d'avant. C'est devenu une curiosité. Cela vaudrait la peine de savoir où elle l'a trouvé. Il faut l'analyser pour en être sûr.

— Vous pouvez le ramener à Washington et le porter au labo. Vous partez dans quelques minutes.

— Si vous voulez bien attendre, on peut faire ça tout de suite, la police a certainement une trousse standard d'identification des narcotiques, c'est le test J, ça prend deux secondes, nous pouvons...

— Retournez à Washington, retournez à l'école, dit-il en ouvrant la porte.

— M. Crawford m'avait ordonné...

— Vous devez faire ce que je dis. Vous n'êtes plus sous les ordres de Jack Crawford ici. Vous êtes une élève comme les autres et votre place, c'est à Quantico, vous m'avez compris ? Il y a un avion à deux heures dix. Soyez-y.

— Monsieur Krendler, le Dr Lecter m'a parlé alors qu'il avait refusé de répondre à la police de Baltimore. Il peut le faire de nouveau. M. Crawford estime que... »

Krendler referma la porte, plus brutalement que la première fois. « Agent Starling, je n'ai pas à me justifier devant vous, mais écoutez-moi. Le département des Sciences du comportement n'a toujours eu qu'un rôle consultatif. Et il en sera ainsi dorénavant. N'importe comment, on aurait dû mettre Jack Crawford en congé, pour raisons de famille. Je m'étonne qu'il ait pu tenir jusqu'ici. Il a pris un terrible risque, en cachant tout cela au sénateur Martin, et il s'est fait botter le cul. Compte tenu de ses états de service et du fait qu'il approche de l'âge de la retraite, même *elle* ne peut pas lui faire grand tort. Aussi je ne m'inquiéterais pas pour sa pension, si j'étais vous. »

Clarice perdit un peu de son contrôle. « Vous en avez beaucoup qui ont attrapé trois coupables de meurtres en série ? Vous connaissez quelqu'un d'autre qui en ait attrapé un seul ? Vous ne devriez pas la laisser diriger ça, monsieur Krendler.

— Vous êtes un brillant sujet, sans quoi Crawford ne se serait pas intéressé à vous, aussi je ne vous le dirai qu'une fois : bouclez-la si vous ne voulez pas vous retrouver dactylo. Vous ne comprenez donc pas qu'au début, l'unique raison pour laquelle on vous a envoyée parler à Lecter, c'était pour que votre directeur puisse justifier son budget. Des renseignements anodins sur des crimes importants, un " scoop à usage interne " sur le Dr Lecter, il sortait cela de sa poche comme des bonbons à distribuer pendant qu'il essayait de faire passer son budget. Les membres du Congrès s'en sont régalés, ils adorent ce genre de choses. Vous faites cavalier seul, agent Starling, et vous n'avez rien à voir avec cette enquête. Je sais que vous détenez une carte d'identité supplémentaire. Donnez-la-moi.

— J'en ai besoin pour voyager avec le revolver. Que je dois ramener à Quantico.

— Une arme. *Ciel !* Rendez la carte dès votre retour. »

Le sénateur Martin, Gossage, un technicien et plusieurs policiers s'étaient rassemblés autour de l'écran vidéo relié au téléphone par un modem. La ligne d'urgence du Centre national d'information sur les crimes diffusait en permanence l'état des recherches basées sur l'information livrée par Lecter et traitée à Washington. Apparut un communiqué du Centre national de pathologie d'Atlanta : on attrapait l'anthrax de l'ivoire d'éléphant lorsqu'on respirait de la poussière d'ivoire africain en fabriquant, par exemple, des manches de couteaux. Aux Etats-Unis, c'était la maladie des couteliers.

Au mot « couteliers », le sénateur Martin ferma les yeux. Ils étaient chauds et secs. Sa main se crispa sur un Kleenex.

Le jeune policier qui avait introduit Starling dans l'appartement apporta au sénateur une tasse de café. Il avait toujours son chapeau sur la tête.

Du diable si Clarice allait partir en douce. Elle s'arrêta devant le sénateur et dit : « Bonne chance. J'espère que Catherine va bien. »

Le sénateur Martin hocha la tête sans la regarder. Krendler poussa Clarice vers la porte.

« Je ne savais pas qu'il ne fallait pas la laisser entrer », dit le gendarme lorsqu'elle quitta la pièce.

Krendler sortit avec elle. « J'ai beaucoup de respect pour Jack Crawford, dit-il. Je vous en prie, dites-lui que je suis désolé de... de ce qui est arrivé à Bella. Maintenant, retournez à l'Ecole et mettez-vous au travail, d'accord ?

— Au revoir, monsieur Krendler. »

Elle se retrouva seule sur le parking, avec l'impression vertigineuse qu'elle ne comprenait plus rien à rien.

Elle regarda un pigeon qui marchait autour des caravanes et des bateaux. Il piqua une cosse de cacahuète et la laissa retomber. Le vent humide ébouriffait ses plumes.

Clarice aurait bien voulu parler à Crawford. *Le pire, c'est encore le gâchis et la stupidité,* voilà ce qu'il avait dit. *C'est le moment le plus dur. Servez-vous-en, il trempera votre caractère. Le plus difficile,· c'est de ne pas laisser la rage et la frustration vous empêcher de réfléchir. A cela, vous saurez si vous pouvez commander ou non.*

Elle s'en fichait de commander. Elle s'en fichait d'être « l'agent spécial » Starling. Si c'était pour agir comme ça.

Elle pensa à la pauvre morte, grasse et triste, qu'elle avait vue sur la table du funérarium de Potter. *Elle se mettait du vernis à ongles qui brillait comme ces sales motoskis de péquenots.*

Comment s'appelait-elle déjà? Kimberly.

Ces cons-là ne me verront pas pleurer.

Bon Dieu... tout le monde s'appelait Kimberly, il y en avait quatre dans sa classe. Trois garçons se prénommaient Sean. Kimberly, avec son nom de feuilleton télé, essayait de s'arranger, s'était fait percer trois fois les oreilles pour tenter de s'embellir, pour s'orner. Et Buffalo Bill avait regardé ses pauvres seins tout plats, collé le canon d'un fusil entre eux et fait un trou en forme d'étoile de mer au milieu de sa poitrine.

Kimberly, sa sœur triste et grasse, qui s'épilait à la cire. Pas étonnant — à voir son visage, ses bras et ses jambes, sa peau était ce qu'elle avait de mieux. *Kimberly, es-tu en colère, quelque part?* Aucun sénateur pour s'occuper de toi. Pas d'avion pour transporter tous ces cinglés. *Cinglés,* c'était un mot qu'elle n'était pas censée utiliser. Il y avait pas mal de choses qu'elle n'était pas censée faire. *Ces foutus cinglés.*

Clarice regarda sa montre. Il lui restait une heure et demie avant l'avion, le temps de faire encore quelque chose. Elle voulait voir le visage du Dr Lecter quand il disait « Billy Rubin ». Si elle pouvait fixer suffisamment longtemps ces étranges yeux marron, si elle plongeait tout au fond, là où l'obscurité aspirait les étincelles, elle verrait peut-être quelque chose d'utile. Sans doute sa jubilation, pensa-t-elle.

Dieu merci, j'ai toujours ma carte.

Elle démarra en trombe, dans un gémissement de pneus.

Chapitre 35

CLARICE STARLING, deux larmes de colère séchant sur ses joues, fonçait dans la périlleuse circulation de Memphis. Elle se sentait étrangement libre et pleine de dynamisme. La netteté anormale de sa vision l'avertit qu'elle aurait tendance à se bagarrer, aussi se surveillait-elle de près.

En venant de l'aéroport, elle était passée devant l'ancien palais de justice, aussi le retrouva-t-elle facilement.

Les autorités du Tennessee ne prenaient pas de risques avec Hannibal Lecter et ne l'avaient pas exposé aux dangers de la prison municipale.

La solution, c'était l'ancien palais de justice et sa prison, un massif bâtiment néo-gothique en granit remontant à l'époque où la main-d'œuvre ne coûtait rien. Un peu trop restauré, il abritait les services municipaux de cette ville prospère et consciente de son passé.

Aujourd'hui, il ressemblait à une forteresse médiévale cernée par la police.

Des voitures pie de toutes sortes — de la police de la route, du shérif du comté de Shelby, du bureau du FBI du Tennessee et de l'administration pénitentiaire — encombraient le parking. Clarice dut passer devant un planton avant de pouvoir garer sa voiture de location.

Il y avait un autre problème de sécurité, venu de l'extérieur. Depuis que le journal de dix heures avait annoncé sa présence, les appels menaçants pleuvaient : ses victimes comptaient beaucoup de parents et amis qui souhaitaient sa mort.

Clarice espérait que l'agent local du FBI, Copley, serait absent. Elle ne voulait pas lui causer d'ennuis.

Sur la pelouse, à côté du perron, elle aperçut Chilton, de dos, au milieu d'un groupe de journalistes. Il y avait deux minicaméras de télévision dans la foule. Elle aurait bien voulu porter un chapeau. Elle se dirigea vers la tour, le visage tourné de l'autre côté.

Un policier posté devant la porte examina sa carte avant de la laisser entrer dans le hall, qui ressemblait maintenant à un corps de garde. Un policier se tenait devant l'unique ascenseur et un autre, au pied de l'escalier. Des policiers, au repos, lisaient *La Gazette du commerce,* assis sur les banquettes, loin des regards du public.

Un sergent était de service à un bureau, face à l'ascenseur. Sa plaque d'identification disait TATE, C.L.

« Pas de journaliste, dit-il en apercevant Clarice.

— Ce n'est pas la presse.

— Vous faites partie de l'équipe du ministère ? demanda-t-il en regardant sa carte.

— Je suis avec Krendler, l'adjoint de l'attorney général. Je viens de le quitter. »

Le sergent Tate hocha la tête. « Tous les flics du Tennessee et d'ailleurs veulent parler au Dr Lecter. On n'en voit pas souvent des comme lui, Dieu merci. Il faut l'autorisation du Dr Chilton avant de monter.

— Je viens de le voir, dehors. Nous avons travaillé ensemble sur cette affaire, à Baltimore. C'est ici que je dois signer, sergent Tate ? »

Il tâta, de la langue, l'une de ses molaires. « Oui, là. Police ou pas, les visiteurs doivent me laisser leur arme. C'est le règlement. »

Starling hocha la tête. Elle ôta le chargeur, tandis que le sergent la regardait, avec plaisir, manier le revolver. Elle le lui tendit, la crosse en avant, et il l'enferma dans un tiroir.

« Vernon, fais-la monter. » Il composa trois chiffres sur le cadran et donna son nom au téléphone.

L'ascenseur, ajouté dans les années vingt, s'éleva en grinçant et s'ouvrit sur un palier prolongé par un petit couloir.

« C'est tout droit, madame », dit le gendarme.

Sur la porte de verre dépoli, on lisait SOCIÉTÉ D'HISTOIRE DU COMTÉ DE SHELBY.

Presque tout le dernier étage de la tour était occupé par une grande salle octogonale peinte en blanc, au parquet et aux boiseries en chêne, qui sentait la cire et la colle à papier. La pièce, à peine meublée, faisait penser à un temple. Elle avait eu une meilleure allure, du temps où elle abritait le bureau du gouverneur.

Deux hommes en uniforme de l'administration pénitentiaire étaient de garde. Le plus petit, assis à un bureau, se leva lorsque Clarice entra. Le grand était installé sur une chaise pliante, tout au bout de la pièce, face à une cellule. Il veillait à ce que le prisonnier ne se suicide pas.

« Vous avez l'autorisation de parler au prisonnier, madame ? » demanda le plus petit. Une plaque indiquait son nom, PEMBRY, T.W. ; sur son bureau, il y avait un téléphone, deux matraques et une bombe aérosol de Mace. Un grand pignon était appuyé dans l'angle, derrière lui.

« Oui. Je l'ai déjà interrogé.

— Vous connaissez la procédure ? Ne franchissez pas la barrière.

— Je sais. »

Seule touche de couleur dans la pièce, une longue barrière de police, espèce de chevalet de menuisier rayé d'orange et de jaune avec des clignotants éteints pour le moment, était dressée à un mètre cinquante de la porte de la cellule. Les affaires du docteur étaient suspendues à un portemanteau de café — le masque de hockey et quelque chose que Clarice n'avait jamais vu auparavant, un gilet de potence, du Kansas. En cuir épais, muni de boucles dans le dos et, à la taille, de fers à double serrure pour immobiliser les poignets ; c'était sans doute la camisole de force la plus efficace du monde. Le masque et le gilet noir suspendus au portemanteau composaient, sur fond de mur blanc, un tableau inquiétant.

En approchant de la cellule, Clarice vit le Dr Lecter en train de lire, à la petite table boulonnée au sol, le dos tourné à la porte. Il y avait devant lui une pile de livres et l'exemplaire du dossier sur Buffalo Bill qu'elle lui avait donné, à Baltimore. Un petit magnétophone était enchaîné au pied de la table. Cela faisait un drôle d'effet de le rencontrer en dehors de l'asile.

Clarice avait vu des cellules comme celle-ci, dans son

enfance. On n'avait jamais fait mieux que ces cages modulaires, en acier trempé, préfabriquées par une société de Saint-Louis au début du siècle, et qui transformaient n'importe quelle pièce en cellule de prison. Le plancher en acier reposait sur des barres, les murs et le plafond étaient formés de barreaux forgés à froid. Il n'y avait pas de fenêtre. La cellule était d'une propreté immaculée et vivement éclairée. Un paravent en papier dissimulait les toilettes.

Les barreaux blancs entouraient les murs comme des côtes. La tête du Dr Lecter était d'un noir brillant.

C'est un vison qui hante les cimetières. Il habite une cage thoracique dans les feuilles sèches d'un cœur.

Elle chassa cette image en clignant des yeux.

« Bonjour, Clarice », dit-il sans se retourner. Il termina sa page, y glissa une marque et pivota sur sa chaise pour lui faire face, les bras croisés sur le dossier, le menton appuyé dessus. « Selon Dumas, si l'on met un corbeau dans le bouillon en automne, lorsque l'oiseau s'est gavé de baies de genévrier, on améliore grandement sa couleur et sa saveur. Vous aimeriez ça dans la soupe, Clarice ?

— J'ai pensé que cela vous ferait plaisir d'avoir vos dessins, ceux de votre cellule, avant de jouir d'une fenêtre.

— Comme c'est gentil. Le Dr Chilton ne se tient pas de joie qu'on vous ait enlevé l'affaire, à Jack Crawford et à vous. Vous aurait-on envoyée pour me câliner une dernière fois ? »

L'agent qui gardait la cellule s'était éloigné pour parler à Pembry. Clarice espérait qu'ils ne les entendraient pas.

« Personne ne m'a envoyée. Je suis venue de mon plein gré.

— Les gens vont dire que nous sommes amoureux l'un de l'autre. Vous n'avez pas envie de me questionner sur Billy Rubin ?

— Docteur Lecter, sans... contester le moins du monde ce que vous avez dit au sénateur Martin, me conseillez-vous de suivre la piste que vous...

— *Contester* — j'adore ça. Je ne vous conseillerai rien du tout. Vous avez essayé de me berner, Clarice. Croyez-vous que je les ai fait marcher ?

— Je crois que vous m'avez dit la vérité.

— Quel dommage que vous ayez tenté de me duper, n'est-ce

pas ? » Le visage du Dr Lecter disparut derrière ses bras jusqu'à ce que ses yeux restent seuls visibles. « Quel dommage que Catherine Martin ne revoie jamais le soleil. Le soleil est un feu de matelas dans lequel son Dieu est mort, Clarice.

— Quel dommage que vous soyez obligé de vous plier aux exigences des autres pour pouvoir lécher quelques larmes. Quel dommage que nous n'ayons pas mené à bout notre échange. Votre idée de l'imago, sa structure, avait une sorte de... d'élégance dont il est difficile de se dégager. Maintenant, c'est comme une ruine, la moitié d'une arche encore debout.

— La moitié d'une arche ne reste pas debout. A propos, ils vous laissent continuer, Clarice ? Ils ne vous ont pas enlevé votre badge ?

— Non.

— Qu'est-ce qu'il y a sous votre veste, un mouchard, comme celui de papa ?

— Non, un chargeur rapide.

— Vous êtes toujours armée ?

— Oui.

— Alors, vous devriez agrandir votre veste. Vous savez coudre ?

— Oui.

— C'est vous qui avez fait ce costume ?

— Non. Vous voyez tout, docteur Lecter. Vous n'avez pas pu parler longuement à ce " Billy Rubin " et en savoir si peu à son sujet.

— Vous croyez ?

— Si vous l'aviez rencontré, vous sauriez *tout*. Mais vous vous êtes souvenu d'un seul détail. Il avait eu l'anthrax de l'ivoire d'éléphant. Vous auriez dû les voir bondir quand Atlanta a dit que c'était la maladie des couteliers. Ils se sont littéralement jetés dessus, comme vous l'aviez prévu. Rien que pour cela, on devrait vous donner une suite au Peabody. Docteur Lecter, si vous l'aviez rencontré, vous sauriez tout sur lui. Je pense que vous ne l'avez jamais vu et que c'est Raspail qui vous en a parlé. Mais des renseignements de seconde main ne se vendraient pas si bien, non ? »

Clarice jeta un petit coup d'œil par-dessus son épaule. L'un des gardiens montrait quelque chose à l'autre, dans la revue

Armes et munitions. « Vous n'aviez pas fini de me parler, à Baltimore. Je crois que ça, c'était du solide. Dites-moi le reste.

— J'ai lu le dossier, Clarice. Tout ce dont vous avez besoin pour le trouver y est, à condition de faire attention. Même l'inspecteur émérite Crawford devrait y arriver. Entre parenthèses, avez-vous lu la *stupéfiante* allocution qu'il a faite l'année dernière, à l'Ecole nationale de police ? Il a déclamé du Marc Aurèle sur le devoir, l'honneur et la force d'âme — nous verrons quel genre de " stoïque " c'est, lorsque Bella passera l'arme à gauche. Il tire sa philosophie du *Dictionnaire des citations.* S'il comprenait Marc Aurèle, il pourrait résoudre cette affaire.

— Dites-moi comment.

— Quand, parfois, vous témoignez d'un peu d'intelligence contextuelle, j'oublie, Clarice, que votre génération ne sait pas lire. L'Empereur conseille la simplicité. Les principes premiers. A propos de chaque chose, en particulier, se demander : qu'est-ce en soi, quelle est sa nature propre ? Quelle est sa nature causale ?

— Cela ne signifie pas grand-chose pour moi.

— Que fait-il, l'homme que vous cherchez ?

— Il tue...

— Ah ! s'écria-t-il en se détournant, momentanément, de cet esprit obtus. C'est d'importance secondaire. Quelle est la première et la principale chose qu'il fait, de quoi a-t-il besoin pour tuer ?

— La colère, le ressentiment contre la société, la frustration sex...

— Non.

— Quoi, alors ?

— La convoitise. En fait, il convoite la seule chose que vous ayez. C'est dans sa nature de le faire. Par quoi commence la convoitise, Clarice ? Allons-nous à la recherche de ce que nous convoitons ? Faites un effort pour répondre.

— Non. Nous commençons seulement par...

— Précisément. Nous commençons par convoiter ce que nous voyons chaque jour. Ne sentez-vous pas les regards de ceux que vous croisez se poser sur vous, Clarice ? Le contraire m'étonnerait. Et vos yeux ne se posent-ils pas sur les choses ?

— D'accord, alors dites-moi comment...

— C'est à vous de me parler, Clarice. Vous n'avez plus de vacances à m'offrir près du Centre de recherches vétérinaires sur la peste bovine. Dorénavant, ce sera strictement donnant, donnant. Il faut faire attention avec vous. Dites-moi, Clarice.

— Quoi ?

— Il y a deux choses que vous me devez. Ce qui vous est arrivé, à vous et à votre jument, et ce que vous faites pour contenir votre colère.

— Docteur Lecter, quand j'aurai le temps, je...

— Nous ne calculons pas le temps de la même manière, Clarice. Celui-ci est le seul dont vous disposerez.

— Plus tard, écoutez, je...

— Je vous écoute, *maintenant*. Deux ans après la mort de votre père, votre mère vous a envoyée chez ses cousins, dans un ranch du Montana. Vous aviez dix ans. Vous avez découvert qu'ils engraissaient des chevaux pour l'abattoir. Vous vous êtes enfuie avec une jument qui ne voyait pas bien clair. Et ensuite ?

— ... C'était l'été et on pouvait dormir en plein air. Nous sommes allées jusqu'à Bozeman par des chemins de terre.

— Votre monture avait un nom ?

— Probablement, mais... on ne cherche pas à le savoir quand on nourrit des chevaux de boucherie. Je l'appelais Hannah, je trouvais que cela lui allait bien.

— Vous la meniez par la longe ou vous la montiez ?

— Les deux. Pour monter dessus, je devais la conduire jusqu'à une barrière.

— Tantôt à cheval, tantôt à pied, vous êtes arrivées à Bozeman.

— Il y avait une écurie de louage, une espèce d'école d'équitation, juste en arrivant à la ville. J'ai essayé de l'y placer. Ils demandaient vingt dollars par semaine dans le corral, plus pour une stalle. Ils ont vu tout de suite qu'elle était presque aveugle. J'ai dit : je pourrais promener des petits enfants sur son dos pendant que leurs parents font de l'équitation. Et aussi nettoyer les écuries. Le propriétaire disait oui, oui, pendant que sa femme téléphonait au shérif.

— Le shérif, c'était un policier, comme votre père.

— Cela ne m'a pas empêchée d'avoir peur de lui, au début. Il avait un gros visage tout rouge. Il a fini par avancer les vingt dollars pour une semaine de pension pendant qu'il " mettrait la situation au clair ". Il a dit que ce n'était pas la peine de louer une stalle par cette chaleur. Les journaux ont parlé de l'histoire. Qui a fait beaucoup de bruit. La cousine de ma mère a bien voulu me laisser partir. Je me suis retrouvée au Foyer luthérien de Bozeman.

— C'était un orphelinat ?

— Oui.

— Et Hannah ?

— Elle aussi y est entrée. Un gros fermier luthérien fournissait le foin. Il y avait une écurie à l'orphelinat. On lui faisait retourner le jardin. Mais il fallait la guider. Sinon, elle renversait les rames des haricots et piétinait tout ce qu'elle ne pouvait sentir contre ses pattes. Et elle promenait les enfants dans une petite carriole.

— Elle a fini par mourir.

— Ben, oui...

— Racontez-moi ça.

— C'était l'année dernière, ils m'ont écrit à l'Ecole. On pensait qu'elle avait environ vingt-deux ans. La veille, elle avait tiré une carriole pleine d'enfants et elle est morte en dormant. »

Le Dr Lecter semblait désappointé. « Comme ça réchauffe le cœur. Est-ce que votre père adoptif, dans le Montana, vous a baisée, Clarice ?

— Non.

— A-t-il essayé ?

— Non.

— Pourquoi vous êtes-vous enfuie, alors ?

— Parce qu'ils allaient tuer Hannah.

— Vous saviez quand ?

— Pas vraiment. Mais j'y pensais tout le temps. Elle était devenue joliment grasse.

— Qu'est-ce qui a tout déclenché ? Pourquoi ce jour-là, précisément ?

— Je n'en sais rien.

— Je crois que si.

— J'avais tout le temps peur.

— Qu'est-ce qui vous a fait partir, Clarice? Et à quelle heure?

— Tôt. Il faisait encore nuit.

— Alors quelque chose vous a réveillée. Qu'est-ce qui vous a réveillée? Avez-vous rêvé? Qu'est-ce que c'était?

— Je me suis réveillée et j'ai entendu les agneaux pleurer. Je me suis réveillée dans le noir et les agneaux bêlaient.

— Ils égorgeaient les agneaux de printemps?

— Oui.

— Qu'avez-vous fait?

— Je ne pouvais rien pour eux. Je n'étais qu'une...

— Qu'avez-vous fait avec la *jument*?

— Je me suis habillée sans allumer et je suis sortie. Elle avait peur. Tous les chevaux de l'écurie étaient terrifiés et tournaient en rond. J'ai soufflé dans ses naseaux et elle m'a reconnue. Elle a fini par mettre son museau dans ma main. Les lumières étaient allumées dans la grange et dans la bergerie. Des ampoules nues, de grandes ombres. Le camion réfrigéré attendait, moteur en marche. Je l'ai fait sortir.

— L'avez-vous sellée?

— Non. Je n'ai pas pris leur selle. Rien qu'une simple bride, c'est tout.

— Lorsque vous êtes partie dans le noir, entendiez-vous les agneaux, là où il y avait de la lumière?

— Pas longtemps. Il n'y en avait que douze.

— Cela vous arrive encore de vous réveiller, hein? De vous réveiller dans le noir et d'entendre les agneaux bêler?

— Parfois.

— Pensez-vous que si vous attrapiez Buffalo Bill, *vous* et pas les autres, et si Catherine s'en tirait saine et sauve, les agneaux cesseraient de pleurer, pensez-vous qu'eux aussi seraient sauvés et que vous ne vous réveilleriez plus dans le noir en entendant les agneaux bêler? Clarice?

— Oui. Je ne sais pas. Peut-être.

— Merci, Clarice. » Le Dr Lecter semblait étrangement apaisé.

« Dites-moi son nom, docteur Lecter.

— Le Dr Chilton, dit Lecter. Je crois que vous vous connaissez déjà. »

Clarice ne comprit pas tout de suite que le Dr Chilton était derrière elle. Puis il la saisit par le coude.

Elle se dégagea. Les deux gardiens encadraient Chilton.

« Dans l'ascenseur », dit-il. Son visage était marbré de rouge.

« Savez-vous que le Dr Chilton n'a aucun diplôme de médecine ? dit Lecter. Je vous en prie, ne l'oubliez jamais.

— Allez, insista Chilton.

— Ce n'est pas vous qui commandez, ici », répliqua Clarice.

Le plus petit des gardiens s'avança. « Non, madame, c'est moi. Il a appelé mon patron et le vôtre aussi. Je suis désolé, mais j'ai reçu l'ordre de vous faire partir. Venez avec moi.

— Au revoir, Clarice. Si jamais les agneaux cessent de pleurer, vous me le ferez savoir ?

— Oui. »

Pembry la prit par le bras. Il fallait partir ou se battre avec lui.

« Oui. Je vous le dirai.

— C'est promis ?

— Oui.

— Alors pourquoi ne pas achever l'arche ? Reprenez votre dossier, Clarice, je n'en ai plus besoin. » Il le lui présenta au travers des barreaux. Elle tendit la main et le prit. Durant un instant, l'extrémité de son index toucha celui du Dr Lecter. A ce contact, les étincelles scintillèrent dans ses yeux.

« Merci, Clarice.

— Merci, docteur Lecter. »

C'est ainsi qu'il demeura dans le souvenir de Clarice. En cet instant, où il ne se moquait plus d'elle. Debout dans sa cellule blanche, cambré comme un danseur, les mains jointes devant lui, la tête légèrement penchée sur le côté.

Elle franchit trop vite le ralentisseur de l'aéroport, si bien qu'elle se cogna la tête au plafond de la voiture ; elle dut courir pour attraper l'avion que Krendler lui avait ordonné de prendre.

Chapitre 36

Pembry et Boyle étaient des gardiens expérimentés, venus spécialement de la prison d'État de Brushy Mountain pour surveiller le Dr Lecter. Ils étaient calmes et vigilants et n'avaient pas besoin que le Dr Chilton leur explique leur travail.

Arrivés avant Lecter, ils avaient examiné la cellule dans les moindres détails. Quand on avait amené le prisonnier à l'ancien palais de justice, ils avaient fait de même avec lui. Un infirmier l'avait soumis à la fouille corporelle pendant qu'il portait encore sa camisole de force et l'on avait passé les coutures de ses vêtements au détecteur de métal.

Pembry lui avait parlé à l'oreille d'une voix douce et polie, pendant qu'on l'examinait.

« Docteur Lecter, nous n'avons pas l'intention d'être désagréables avec vous. Notre comportement dépendra du vôtre. Conduisez-vous en gentleman et tout se passera bien. Mais nous n'avons pas peur de vous. Essayez un peu de mordre et vous vous retrouverez sans une dent dans la bouche. Ça s'annonce plutôt bien pour vous, ici. Vous n'avez pas envie de tout foutre en l'air, non ? »

Le Dr Lecter les avait regardés en plissant les yeux d'un air amical. S'il avait eu envie de répondre, il en aurait été empêché par la cheville en bois que l'on avait glissée entre ses molaires pendant que l'infirmier éclairait sa bouche avec une lampe de poche et passait un doigt ganté sur ses gencives.

Le détecteur de métal que l'on passa sur ses joues se mit à faire *bip-bip*.

« Qu'est-ce que c'est ? demanda l'infirmier.

— Des plombages, dit Pembry. Relevez sa lèvre, là. Elles ont fait de l'usage, celles du fond, hein, doc ? »

« M'est avis qu'il est drôlement au bout du rouleau, confia Boyle à Pembry après qu'ils l'eurent enfermé dans sa cellule. Il ne nous causera pas d'ennuis, à moins qu'il perde les pédales. »

La cellule, bien que solide et sûre, n'avait pas de passe-plat. A l'heure du déjeuner, dans l'atmosphère pénible qui suivit la visite de Clarice, le Dr Chilton agaça tout le monde en obligeant Boyle et Pembry, avant qu'ils rentrent dans sa cellule avec le plateau, à remettre les entraves et la camisole de force au Dr Lecter, le dos aux barreaux, lui-même prêt à intervenir avec la bombe de Mace.

Chilton refusait d'appeler Boyle et Pembry par leurs noms, bien qu'ils portent des badges d'identification, et ne s'adressait à eux qu'en disant : « Hé, vous, là-bas. »

Après avoir entendu dire que Chilton n'était pas un vrai médecin, Boyle fit remarquer à Pembry que c'était juste « une espèce de sale prof ».

Pembry tenta d'expliquer à Chilton que la visite de Clarice avait été approuvée, non par eux, mais par le planton du rez-de-chaussée, mais cela ne diminua en rien sa colère.

Au dîner, Chilton étant absent, les gardiens utilisèrent leur propre méthode, à la grande stupéfaction de Lecter.

« Docteur Lecter, inutile de mettre votre smoking ce soir, dit Pembry. Je vais vous demander de vous asseoir par terre et de passer vos mains entre les barreaux, les bras étendus en arrière. Là, vous y êtes. Raidissez-vous mieux que ça, derrière vous, les coudes droits. » Pembry lui mit les menottes, à l'extérieur des barreaux, un bras de chaque côté d'un barreau, une barre de fer passée en travers, au-dessus. « Cela fait un petit peu mal, hein ? Je sais, mais il n'y en a que pour une minute et cela nous évite pas mal d'ennuis, à vous comme à nous. »

Le Dr Lecter ne pouvait pas se lever, ni même s'accroupir, et, les jambes étendues devant lui sur le sol, il était dans l'incapacité de donner des coups de pied.

Ce n'est que lorsqu'il fut immobilisé que Pembry retourna à son bureau pour prendre la clef de la cellule. Il glissa la matraque dans l'anneau qu'il portait à la ceinture, mit une bombe aérosol de Mace dans sa poche et revint à la cellule. Il

219

ouvrit la porte pour que Boyle entre avec le plateau. Après l'avoir refermée, Pembry ramena la clef au bureau avant d'ôter les menottes du prisonnier. A aucun moment il ne s'approcha des barreaux avec la clef pendant que le docteur était libre dans sa cellule.

« C'était joliment facile, hein ? dit Pembry.

— Très commode, merci beaucoup. Vous savez, j'essaie juste de m'en tirer, voilà tout.

— Comme nous tous, mon frère. »

Le Dr Lecter mangea du bout des dents tout en écrivant, en dessinant et en griffonnant sur son calepin avec un crayon feutre. Il retourna la cassette du magnétophone enchaîné au pied de la table et appuya sur le bouton *play*. Glenn Gould interprétant les *Variations Goldberg* de Bach, au piano. La musique, dont la beauté échappait au temps et à la situation, remplit la cage brillamment éclairée et la pièce où les gardiens se tenaient.

Pour le Dr Lecter, toujours assis à sa table, le temps ralentit et s'étala, comme il le fait dans l'action. Les notes de musique s'éloignaient les unes des autres sans perdre le tempo. Même les attaques argentées de Bach étaient des notes discrètes dont le scintillement effaçait l'acier autour de lui. Le Dr Lecter se leva, l'air absorbé, et regarda sa serviette en papier glisser de ses cuisses jusqu'à terre. Elle resta longtemps en l'air, frôla le pied de la table, s'évasa, glissa sur le côté et se retourna avant de venir reposer sur le sol métallique. Il ne fit pas l'effort de la ramasser, mais prit un rouleau de papier et, se retirant derrière le paravent, s'assit sur le couvercle des toilettes, seul endroit où il échappait aux regards. Il écouta la musique, penché en avant, le menton dans la main, ses étranges yeux marron à demi fermés. C'était la structure des *Variations Goldberg* qui l'intéressait. Là le thème revenait de nouveau, la progression des notes graves de la sarabande se répétait, encore et encore. Il marquait la mesure de la tête, sa langue se promenait sur le bord de ses dents. Tout le long de celles du haut, tout le long de celles du bas. C'était une longue et intéressante promenade pour sa langue, telle une belle randonnée dans les Alpes.

Il fit pareil sur ses gencives, glissant sa langue dans l'intervalle entre ses joues et la gencive, lentement, comme certains hommes font quand ils ruminent. Ses gencives étaient plus fraîches que sa langue. C'était froid là-haut, dans la crevasse. Quand sa langue rencontra le petit tube de métal, elle s'arrêta.

Par-dessus la musique, il entendit l'ascenseur démarrer et ronronner en montant. Bien des notes après, la porte s'ouvrit et une voix qu'il ne connaissait pas dit : « Je viens chercher le plateau. »

Le Dr Lecter entendit le plus petit approcher. Il le vit par la fente, entre les panneaux du paravent. Pembry était contre les barreaux.

« Docteur Lecter. Venez vous asseoir par terre, le dos aux barreaux, comme nous avons fait tout à l'heure.

— Laissez-moi finir, je vous prie. J'ai bien peur que le voyage n'ait un peu détraqué mes fonctions digestives. » Ces deux phrases s'étirèrent curieusement dans le temps.

« D'accord. » Pembry repartit. « Nous t'appellerons quand il aura fini.

— Je pourrai le voir ?

— Nous te ferons signe. »

De nouveau l'ascenseur et puis, rien que la musique.

Le Dr Lecter sortit le tube de sa bouche et le sécha avec un morceau de papier hygiénique. Ses mains ne tremblaient pas, ses paumes étaient parfaitement sèches.

Durant ses années de détention, la curiosité insatiable du Dr Lecter lui avait permis d'apprendre pas mal de trucs de prisonniers. Depuis qu'il s'était attaqué à l'infirmière, à l'asile de Baltimore, les mesures de sécurité ne s'étaient relâchées que deux fois, quand Barney était en congé. Un jour, un psychiatre lui avait prêté un stylobille et oublié de le reprendre. Avant qu'il soit sorti du service, le Dr Lecter avait brisé et fait disparaître dans les toilettes le corps en plastique du stylo. Le tube en métal qui contenait l'encre, il l'avait glissé dans la couture roulée bordant le matelas.

L'unique autre objet tranchant de sa cellule, c'était une barbe sur la tête de l'un des boulons fixant son lit au mur. C'était suffisant. Après avoir frotté le tube contre elle durant deux mois, le Dr Lecter pratiqua dedans deux incisions parallèles, de cinq millimètres de long. Puis il coupa le tube en deux morceaux de deux centimètres cinq et fit disparaître dans les toilettes le reste du tube avec la pointe Bic. Barney ne remarqua pas les callosités que les nuits passées à frotter avaient créées sur ses doigts.

Six mois plus tard, un gardien laissa un gros trombone sur des documents envoyés au Dr Lecter par son avocat. Deux centimètres de fil d'acier entrèrent dans le tube et le reste partit dans les toilettes. C'était facile de dissimuler le petit tube lisse dans la couture d'un vêtement, entre la joue et la gencive, dans le rectum.

Maintenant, derrière le paravent de papier, le Dr Lecter tapa le petit tube métallique sur l'ongle de son pouce pour faire sortir le fil métallique qui était à l'intérieur. C'était lui l'outil, et le plus dur restait à faire. Le Dr Lecter introduisit la moitié du fil dans le petit tube et, avec un soin infini, s'en servit comme d'un levier pour recourber la bande de métal entre les deux incisions. Parfois, cela cassait. Soigneusement, ses mains puissantes plièrent la minuscule languette de métal jusqu'à ce qu'elle soit à angle droit avec le tube. Voilà. Il avait une clef à menottes.

Le Dr Lecter mit les mains derrière lui et passa la clef de l'une à l'autre, une quinzaine de fois. Il la remit dans sa bouche puis se lava et se sécha méticuleusement les mains. En se servant de sa langue, il cacha la clef entre les doigts de sa main droite, sachant que Pembry n'aurait d'yeux que pour son étrange main gauche.

« Je suis prêt, agent Pembry », dit-il. Il s'assit sur le sol de sa cellule et tendit les bras derrière lui, en passant les mains entre les barreaux. « Merci d'avoir bien voulu attendre. » Cela semblait un bien long discours, mais il était imprégné de musique.

Pembry était maintenant derrière lui. Il tâta son poignet pour voir s'il ne l'avait pas enduit de savon. Puis il fit de même pour l'autre. Pembry lui passa les menottes. Il retourna au bureau pour prendre la clef. Lecter entendit, malgré la musique, le cliquetis de la clef que le gardien sortait du tiroir du bureau. Maintenant il revenait, traversant les notes, fendant l'air qui fourmillait de sons cristallins. Cette fois, Boyle revenait avec lui. Le Dr Lecter entendait les turbulences qu'ils formaient dans les échos de la musique.

Pembry vérifia de nouveau les menottes. Le Dr Lecter sentit

l'haleine du gardien, derrière lui. Puis celui-ci ouvrit la serrure et poussa la porte. Boyle entra. Le Dr Lecter tourna la tête ; la cellule bougea à un rythme qui lui parut lent, les détails étaient merveilleusement nets : Boyle devant la table rassemblait les couverts et les restes du dîner sur le plateau, en faisant trop de bruit, agacé par le désordre. Le magnétophone avec ses bandes qui tournaient, la serviette par terre à côté du pied boulonné de la table. Entre les barreaux, le Dr Lecter voyait du coin de l'œil l'intérieur du genou de Pembry tenant la porte ouverte, l'extrémité de la matraque suspendue à sa ceinture.

Le Dr Lecter trouva de la main droite le trou de la serrure sur la menotte, introduisit la clef et la tourna. Il sentit le ressort libérer son poignet. Il fit passer la clef dans la main gauche et fit de même pour l'autre menotte.

Boyle se pencha pour ramasser la serviette. Rapide comme un serpent qui mord, la menotte se referma sur le poignet de Boyle et comme il tournait un œil exorbité vers Lecter, l'autre menotte entoura le pied boulonné de la table. Les jambes repliées sous lui, le Dr Lecter plongea vers la porte tandis que Pembry essayait d'en faire le tour et l'épaule du prisonnier lui expédia la porte dessus ; Pembry essaya de prendre la bombe de Mace à sa ceinture malgré son bras que la porte écrasait. Lecter s'empara de l'extrémité de la matraque et, attirant Pembry à lui, il le frappa du coude à la gorge et enfonça les dents dans son visage. Le gardien essaya de griffer Lecter dont les dents lui déchiraient le nez et la lèvre supérieure. Le prisonnier secoua la tête comme un ratier et arracha la matraque de la ceinture de Pembry. Dans la cellule, Boyle hurlait, assis sur le sol, cherchant désespérément dans ses poches la clef des menottes, la trouvant, la laissant échapper, la ramassant. Lecter enfonça l'extrémité de la matraque dans le ventre puis la gorge de Pembry qui tomba à genoux. Boyle introduisit la clef dans la serrure, il beuglait et Lecter s'avança vers lui. Il le fit taire avec une bouffée de Mace et, tandis que Boyle éternuait, il lui cassa le bras de deux coups de matraque. Boyle essaya de se glisser sous la table, mais aveuglé par le gaz, il rampa dans la mauvaise direction et ce fut facile, avec cinq coups judicieusement portés, de l'achever.

Pembry avait réussi à s'asseoir et hurlait. Le Dr Lecter le

regarda avec un sourire rouge. « Je suis prêt si vous l'êtes, Pembry », dit-il.

La matraque décrivit un arc de cercle en sifflant et s'abattit avec un bruit sourd sur la nuque de Pembry qui tressaillit avant de s'abattre, comme un poisson assommé.

Le pouls du Dr Lecter, qui était monté à cent après cet exercice, revint rapidement à la normale. Il éteignit la musique et écouta.

Il s'approcha de l'escalier et écouta de nouveau. Il vida les poches de Pembry, trouva les clefs du bureau et ouvrit tous les tiroirs. Dans le dernier, il y avait les armes de Boyle et de Pembry, deux revolvers de calibre .38. Encore mieux, dans la poche de Boyle, il découvrit un canif.

Chapitre 37

L E hall était plein de policiers. Il était dix-huit heures trente et l'on venait de relever la garde extérieure qui changeait toutes les deux heures. Les plantons entraient se réchauffer les mains aux radiateurs électriques. Certains d'entre eux avaient engagé des paris sur l'issue du match de basket qui se déroulait à Memphis et voulaient savoir où en était la situation.

Le sergent Tate ne voulait pas de bruits de radio dans le hall, mais l'un des policiers avait un baladeur. Il annonçait souvent le score, mais pas assez au gré des parieurs.

En tout, il y avait là quinze policiers armés, plus deux agents de la Pénitentiaire qui devaient relever Pembry et Boyle à dix-neuf heures. Le sergent Tate aussi attendait la relève.

Le calme régnait. Les appels menaçants contre Lecter n'avaient pas eu de suites.

A dix-huit heures quarante-cinq, Tate entendit l'ascenseur monter. Il vit la flèche lumineuse, au-dessus de la porte, tourner sur le cadran. Elle s'arrêta à quatre.

Il regarda autour de lui. « Sweeney est monté chercher le plateau ?

— Non, j' suis là, sergent. Vous voulez bien appeler, pour voir s'ils ont fini ? Il faut que j'y aille. »

Le sergent Tate composa trois chiffres et écouta. « C'est occupé. Montez voir. » Il se remit au rapport qu'il rédigeait pour l'équipe suivante.

Sweeney appuya sur le bouton d'appel ; l'ascenseur ne réagit pas.

« Il a eu des *côtes d'agneau* ce soir, c'est pas courant. Qu'est-ce que vous croyez qu'il voudra pour son petit déjeuner, un œuf d'autruche? Et qui va aller le chercher, hein? Sweeney. »

La flèche, au-dessus de la porte, restait sur le quatre.

Sweeney attendit encore une minute. « Qu'est-ce que c'est que cette merde? » dit-il.

Un .38 tira quelque part, en haut, éveillant les échos de l'escalier, deux coups rapprochés puis un troisième.

Le sergent Tate, debout à la troisième détonation, dit dans le micro : « Ici P.C., coups de feu dans la tour. Plantons, ouvrez l'œil. Nous montons. »

Vociférations et remous dans le hall.

Tate vit que la flèche de l'ascenseur avait bougé. Elle était déjà sur le trois. Tate rugit pour couvrir le boucan : « Silence! La relève, à vos postes extérieurs. La première équipe reste avec moi. Berry et Howard, couvrez ce putain d'ascenseur, s'il arrive... » La flèche s'arrêta sur le deux.

« Première équipe, en route. Ne passez pas devant une porte sans regarder à l'intérieur. Bobby, va chercher un fusil et les gilets pare-balles et monte-nous les porter. »

Tate gravit la première volée de marches, l'esprit en ébullition. La prudence luttait en lui contre le terrible désir de venir en aide aux policiers qui étaient en haut. *Pourvu qu'il ne se soit pas échappé. Merde, personne n'a de gilet. Ces putains de types de la Pénitentiaire.*

Les bureaux du premier, du second et du troisième étaient théoriquement inoccupés et fermés à clef. En les traversant, on pouvait passer de la tour au bâtiment principal. Ce qui était impossible au dernier étage.

Tate avait suivi les cours de l'excellente école du SWAT, au Tennessee, et il savait ce qu'il fallait faire. Il atteignit le premier et prit les jeunes en main. Rapidement, mais prudemment, ils montèrent l'escalier, se couvrant les uns les autres d'étage en étage.

« Si vous tournez le dos à une porte avant de l'avoir vérifiée, je vous botte le cul. »

Aucune lumière derrière les portes du premier, qui étaient toutes fermées à clef.

Au second maintenant, dont le petit couloir était mal éclairé. Un rectangle de lumière devant la porte ouverte de l'ascenseur. Tate longea le mur opposé; dans la cabine, pas de miroir qui aurait pu l'aider. Le doigt sur la détente, il regarda à l'intérieur. L'ascenseur était vide.

Tate hurla dans la cage de l'escalier. « *Boyle ! Pembry !* Merde. » Il posta un homme au second et continua à monter.

Le troisième était envahi par le son d'un piano venant de l'étage du dessus. La porte donnant sur les bureaux s'ouvrit dès qu'il la poussa. Au fond du couloir, le faisceau de sa lampe éclaira une porte grande ouverte sur le sombre bâtiment attenant.

« *Boyle ! Pembry !* » Il laissa deux hommes sur le palier. « Couvrez la porte. Les gilets pare-balles arrivent. Ne tournez pas les fesses vers le seuil. »

Tate gravit les marches de pierre au son de la musique. Le palier du quatrième et le petit couloir étaient faiblement éclairés. La lumière venait d'une porte en verre dépoli où l'on voyait écrit : SOCIÉTÉ D'HISTOIRE DU COMTÉ DE SHELBY.

Tate passa plié en deux sous la partie vitrée puis se redressa une fois arrivé près des gonds. Il fit un signe de tête à Jacobs, qui était resté de l'autre côté, tourna la poignée et poussa la porte à la volée, si brutalement que la vitre se brisa. Il se précipita à l'intérieur, s'écartant vivement du seuil, le revolver au poing.

Tate avait vu bien des choses... d'innombrables accidents, des bagarres, des meurtres. Il avait vu six policiers tués au cours de la même action. Mais ce qui était couché à ses pieds, c'était la chose la pire qui soit jamais arrivée à un policier. Ce qu'il y avait au-dessus du col de l'uniforme ressemblait plus à de la viande qu'à une tête. Le devant et le haut du visage n'étaient plus qu'une mare d'hémoglobine où surnageaient de la chair arrachée, un seul œil planté sous les narines et des orbites remplies de sang.

Jacobs entra dans la cellule et glissa sur le sol ensanglanté. Il se pencha sur Boyle, toujours attaché à la table par les menottes. Le gardien, en partie éviscéré, le visage taillé en pièces, semblait avoir explosé tant les murs et le lit dégarni étaient éclaboussés de gouttes de sang.

Jacobs lui tâta le cou. « Celui-là est mort, cria-t-il pour se faire entendre par-dessus la musique. Sergent ? »

Tate, honteux de ce moment de faiblesse, s'était repris et

227

parlait dans sa radio. « Poste de commande, deux hommes abattus. Je répète, deux hommes abattus. Le prisonnier a disparu. Lecter a disparu. Surveillez les fenêtres, il a dégarni le lit, il est peut-être en train de fabriquer une corde. Confirmez que les ambulances arrivent. »

« Sergent, Pembry est mort ? » Jacobs éteignit la musique.

Tate s'agenouilla et, comme il cherchait à tâter le cou, la chose épouvantable couchée sur le sol gémit et émit une bulle sanglante.

« Pembry est vivant. » Tate n'avait pas envie de poser la bouche sur cet amas sanguinolent, tout en sachant qu'il le fallait pour aider Pembry à respirer, et qu'il ne pouvait pas demander à l'un de ses hommes de le faire. Il aurait mieux valu que Pembry meure, pourtant il devait l'aider à respirer. Mais puisque le cœur battait, comme il le découvrit, c'est qu'il y avait respiration. Cette bouche en lambeaux gargouillait, mais elle respirait. Le cauchemar vivant respirait tout seul.

La radio de Tate crépita. Un lieutenant de police arrivé sur les lieux prenait le commandement et voulait des informations. Tate devait faire son rapport.

« Murray, viens ici. Reste avec Pembry et tiens-le pour qu'il sente le contact de tes mains. Parle-lui.

— Comment s'appelle-t-il, sergent ? » Le jeune agent était vert.

« Pembry, alors parle-lui, nom de Dieu ! » Tate reprit le micro. « Deux hommes abattus, Boyle est mort et Pembry est salement blessé. Lecter a disparu et il est armé — il s'est emparé de leurs armes. Les ceintures et les étuis sont sur le bureau. »

A travers les murs épais, la voix du lieutenant lui parvint comme éraillée. « Les brancardiers peuvent prendre l'escalier ?

— Oui, mon lieutenant. Qu'ils appellent avant de monter. J'ai posté des hommes sur chaque palier.

— Roger, sergent. Le poste huit a cru voir quelque chose bouger derrière les fenêtres du bâtiment principal, au troisième. Toutes les issues sont gardées, il ne peut pas sortir. Continuez à occuper les paliers. Les gars du SWAT sont en route. On va les laisser le débusquer. Confirmez.

— Compris. C'est au SWAT de jouer. »

— Qu'est-ce qu'il a ?

— Deux revolvers et un couteau, mon lieutenant — Jacobs, regarde si les munitions sont dans les ceinturons.

— Les cartouchières, dit l'agent. Celle de Pembry est encore pleine, celle de Boyle aussi. Ce con d'enculé n'a pas pris les cartouches supplémentaires.

— De quel type ?

— 38 PS + JHP. »

Tate reprit le micro. « Lieutenant, on dirait qu'il a deux six-coups 38S. On a entendu trois coups de feu et les cartouchières des ceinturons sont encore pleines, donc il n'en a plus que neuf à tirer. Dites au SWAT que c'est des PS + JHP. Et que ce type préfère s'en prendre au visage. »

Des PS +, c'étaient de fameuses cartouches, mais elles ne pouvaient pas pénétrer les gilets pare-balles du SWAT. Un coup à la tête pouvait être mortel, un membre touché restait estropié.

« Les brancardiers arrivent, Tate. »

Les ambulances ne mirent que quelques minutes à venir, mais cela parut terriblement long à Tate qui écoutait la chose pitoyable couchée à ses pieds. Le jeune Murray essayait de tenir le corps qui se débattait et gémissait, et de parler d'un ton rassurant ; sans le regarder, il répétait : « Tout va bien, Pembry, tout va bien. Tu n'as rien de grave », d'une voix macabre.

Dès qu'il vit les ambulanciers sur le palier, Tate prit Murray par l'épaule et l'écarta de leur chemin. Les infirmiers travaillaient vite ; ils glissèrent les poings serrés et couverts de sang dans la ceinture, dégagèrent les voies respiratoires et couvrirent le visage et la tête ensanglantés d'un pansement chirurgical anti-adhésif, mais compressif. L'un d'eux sortit un flacon de plasma et un nécessaire à perfusion, mais l'autre, qui prenait la tension et le pouls, secoua la tête et dit : « On le descend. »

D'autres ordres fusaient de la radio. « Tate, dégagez les bureaux et bouclez tout. Fermez bien les portes donnant sur le bâtiment principal. Puis restez sur les paliers. Je vous envoie des fusils et des gilets. S'il veut se rendre, nous ne l'abattrons pas, mais ne prenez aucun risque particulier pour l'épargner. Compris ?

— Compris, mon lieutenant.

— Je ne veux que le SWAT dans le bâtiment principal. Répétez-moi ça. »

Tate répéta les ordres. C'était un bon sergent et il le prouva lorsque Jacobs et lui endossèrent les lourds gilets pare-balles et suivirent les infirmiers qui descendaient l'escalier. Deux autres leur emboîtèrent le pas avec le cadavre de Boyle. Les hommes postés sur les paliers poussèrent des exclamations de rage en voyant les brancards passer et Tate leur dit quelques paroles pleines de sagesse. « Ne laissez pas votre colère vous exposer à ses pruneaux. »

Tandis que la sirène ululait, Tate, secondé par Jacobs, alla visiter les bureaux et boucler la tour.

Au troisième, un courant d'air froid balayait le couloir. Au loin, dans le vaste espace sombre du bâtiment principal, des téléphones sonnaient. Dans les bureaux obscurs, des témoins clignotaient comme des vers luisants.

On savait à l'extérieur que le Dr Lecter s'était « barricadé » dans l'ancien palais de justice, aussi les journalistes de la radio et de la télévision appelaient au téléphone, composaient des numéros avec leurs modems, essayant d'obtenir des interviews en direct avec le monstre. Pour éviter cela, le SWAT débranchait généralement les téléphones, sauf celui utilisé par le négociateur, mais ce bâtiment était trop vaste et ses bureaux trop nombreux.

Tate ferma à clef la porte donnant sur les pièces où les téléphones clignotaient. Sa poitrine et son dos étaient en sueur et le démangeaient sous le gilet rigide.

Il détacha le micro de sa ceinture. « PC, ici Tate, la tour est bouclée. Terminé.

— Compris, Tate. Le capitaine vous demande au PC.

— Dix-quatre. Le hall, vous m'entendez ?

— Oui, sergent.

— Je suis dans l'ascenseur, j'arrive.

— Entendu, sergent. »

Jacobs et Tate étaient dans l'ascenseur, en route vers le hall, lorsqu'une goutte de sang tomba sur l'épaule du sergent. Une autre éclaboussa sa chaussure.

Il leva les yeux, toucha Jacobs et mit un doigt sur ses lèvres.

Du sang gouttait de la rainure qui entourait le panneau de secours. La descente leur parut longue. Tate et Jacobs sortirent à reculons, les revolvers pointés vers le plafond de la cabine. Tate referma la porte.

« Chut », dit Tate. A voix basse : « Berry, Howard, il est sur le toit de l'ascenseur. Braquez vos armes dessus. »

Tate sortit. Le fourgon noir du SWAT était sur le parking. Ils avaient toujours des clefs d'ascenseur, de toutes sortes.

Deux hommes du SWAT casqués, en combinaison blindée, gravirent l'escalier jusqu'au second. Deux autres restèrent dans le hall avec Tate, leurs fusils d'assaut pointés sur le plafond de l'ascenseur.

Comme les grandes fourmis qui se battent, pensa Tate.

Le commandant du détachement parlait dans le micro de son casque. « Vas-y, Johnny. »

Au second, Johnny Peterson tourna sa clef dans la serrure et la porte de l'ascenseur s'ouvrit. La cage était plongée dans l'obscurité. Couché sur le dos, dans le couloir, il sortit une grenade paralysante de son gilet tactique et la posa par terre, à côté de lui. « La porte est ouverte, je vais jeter un coup d'œil. »

Il prit un miroir muni d'un long manche et le glissa dans la cage pendant que son compagnon l'éclairait avec une puissante torche électrique.

« Je le vois. Il est sur le toit de l'ascenseur. Je vois une arme à côté de lui. Il ne bouge pas.

— Tu vois ses mains ?

— J'en vois une, l'autre est sous lui. Il est enroulé dans ses draps.

— Les sommations.

« LES MAINS SUR LA TETE. PAS UN GESTE ! hurla Peterson dans la cage de l'ascenseur. Il n'a pas bougé, mon lieutenant... Bon.

— SI VOUS NE METTEZ PAS LES MAINS SUR LA TETE, JE LANCE UNE GRENADE PARALYSANTE. JE COMPTE JUSQU'A TROIS », cria Peterson. Il sortit de sa poche un butoir de porte — élément de la panoplie du SWAT. « ATTENTION EN DESSOUS, LES GARS, JE JETTE LA GRENADE. » Il laissa tomber le butoir, le vit rebondir sur la forme inerte. « Il n'a pas bougé, mon lieutenant.

— Bon, Johnny, on va ouvrir le panneau avec une perche, de l'extérieur. Tu le braques ? »

Peterson roula sur lui-même. Son Colt 10 mm armé pointa droit sur l'homme allongé. « Je le braque. »

Regardant dans la cage, Peterson vit la fente lumineuse s'agrandir lorsque les hommes qui étaient dans le hall soulevèrent le panneau avec une gaffe. Il vit l'un des bras bouger lorsque ses camarades poussèrent le corps immobile par en dessous.

Le pouce de Peterson appuya un peu plus sur le cran de sûreté du Colt. « Son bras a bougé, mon lieutenant, mais je pense que c'est le panneau qui l'a déplacé.

— Compris. Oh ! hisse ! »

Le panneau se rabattit en claquant contre la paroi de la cage. Peterson, ébloui par la lumière, voyait mal. « Il n'a pas bougé. Sa main n'est pas sur le revolver. »

La voix calme résonna de nouveau à ses oreilles. « Bien, Johnny, continue. Nous allons entrer dans la cabine, surveille-le dans le miroir. Mais c'est nous qui tirerons. Compris ?

— Entendu. »

Du hall, Tate les regardait entrer dans la cabine. Un tireur chargé d'une arme anti-char le braqua sur le plafond de l'ascenseur. Un autre grimpa sur une échelle. Il était armé d'un gros pistolet automatique sur lequel était fixée une torche électrique. Il fit passer l'arme et un miroir par le panneau. Puis sa tête et ses épaules. Il tendit un revolver calibre .38. « Il est mort », dit-il.

Tate se demanda si la mort du Dr Lecter entraînerait celle de Catherine Martin, toutes les informations ayant disparu lorsque la lumière s'était éteinte dans le cerveau du monstre.

Les hommes du SWAT descendirent le corps, tête la première, de nombreuses mains se tendirent pour le recueillir, drôle de déposition dans une boîte illuminée. Le hall se remplissait, les policiers se bousculaient pour voir.

Un agent de la Pénitentiaire se fraya un chemin parmi eux, regarda les bras couverts de tatouages.

« C'est Pembry », dit-il.

Chapitre 38

Dans l'ambulance ululante, le jeune infirmier se raidit contre le tangage et alluma la radio pour faire son rapport au service des urgences, en parlant très fort pour couvrir la sirène.

« Il est dans le coma, mais les signes vitaux sont bons. Il a une tension normale. Treize-huit. Oui, treize-huit. Pouls quatre-vingt-cinq. Il a de graves blessures faciales avec des lambeaux relevés, un œil énucléé. J'ai mis en place un compressif sur les plaies et un tube respiratoire. Peut-être un coup de fusil dans la tête, je ne peux pas dire. »

Derrière lui, sur le brancard, les poings crispés et ensanglantés se desserrèrent sous la ceinture. La main droite se dégagea, trouva la boucle de la sangle qui entourait la poitrine.

« J'ai peur d'avoir trop comprimé les plaies — il a eu plusieurs mouvements convulsifs avant qu'on le mette sur le brancard. Oui, il est dans la position de Fowler. »

Derrière le jeune homme, la main saisit le pansement chirurgical et essuya les yeux.

L'infirmier entendit le conduit respiratoire siffler derrière lui, il se retourna et vit le visage sanglant près du sien, mais pas le revolver qui le frappa, très fort, derrière l'oreille.

L'ambulance ralentit et s'arrêta sur l'autoroute à six voies ; derrière elle les conducteurs cornèrent et hésitèrent à la doubler. Deux petites détonations, pas plus fortes que des ratés d'allumage dans le trafic, et l'ambulance repartit, zigzagua un peu, redressa et gagna lentement la voie de droite.

L'annonce de la sortie pour l'aéroport. L'ambulance musarda, ses feux de détresse s'allumèrent et s'éteignirent, ses essuie-glaces se mirent en route et s'arrêtèrent, puis le ululement de la sirène diminua, repartit et se tut, le gyrophare s'éteignit. L'ambulance avança tranquillement, prit la sortie vers l'aéroport international de Memphis dont le beau bâtiment brillait de tous ses feux par cette soirée hivernale. Elle tourna, s'engagea dans la voie qui menait au vaste parking souterrain et s'arrêta devant la barrière automatique. Une main ensanglantée émergea pour prendre un ticket. Et l'ambulance disparut dans le tunnel.

Chapitre 39

Eɴ d'autres circonstances, Clarice Starling aurait été ravie de voir la maison de Crawford, à Arlington, mais le bulletin sur l'évasion du Dr Lecter qu'elle venait d'entendre à la radio, en cours de route, lui ôta toute curiosité de ce genre.

Les lèvres engourdies, des picotements dans le cuir chevelu, elle conduisait machinalement et vit, sans la regarder vraiment, la villa des années cinquante ; elle se demanda seulement, avec détachement, si la chambre éclairée, aux rideaux tirés, était celle de Bella. La sonnette lui parut trop forte.

Crawford vint ouvrir au second coup. Il portait un cardigan trop grand et parlait dans un téléphone sans fil. « C'est Copley qui appelle de Memphis », dit-il. Il lui fit signe de le suivre et continua de grommeler au téléphone tout en marchant.

Dans la cuisine, une infirmière sortit un minuscule flacon du réfrigérateur et l'éleva vers la lumière. Quand Crawford leva les sourcils en la regardant, elle secoua la tête, non elle n'avait pas besoin de lui.

Il descendit trois marches et introduisit Clarice dans son bureau, sans doute un garage à deux places reconverti. Il y avait beaucoup d'espace, un divan, des fauteuils et, sur une table encombrée, avoisinant un astrolabe, la lueur verdâtre d'un terminal d'ordinateur. La moquette semblait posée à même le béton. Crawford lui désigna un siège.

Il posa la main sur le récepteur. « Clarice, je sais que c'est une connerie, mais est-ce que Lecter ne vous a rien passé, à Memphis ?

— Non.

— Aucun objet ?

— Rien.

— Vous lui avez apporté les dessins et les autres trucs de sa cellule.

— Je n'ai pas eu le temps de les lui donner. Ils sont toujours dans mon sac. Lui m'a rendu le dossier. C'est tout ce qui est passé de l'un à l'autre. »

Crawford fourra le combiné sous son menton. « Copley, c'est de la foutaise à l'état pur. Je veux que vous remettiez ce type à sa place, et tout de suite. Adressez-vous au patron, au FBI. N'oubliez pas de transmettre le reste sur la ligne directe. C'est Burroughs qui s'en occupe. Oui. » Il coupa la communication et fourra l'appareil dans sa poche.

« Vous voulez du café, Starling ? Un Coca ?

— Qu'est-ce que c'est que cette histoire, de choses transmises au Dr Lecter ?

— Chilton dit que vous avez donné à Lecter un objet qui lui a permis d'ouvrir les menottes. Vous ne l'avez pas fait exprès, dit-il, c'était par simple ignorance. » Parfois Crawford avait des petits yeux de tortue en colère. Il l'observait, pour voir comment elle allait prendre ça. « Est-ce que Chilton a essayé de vous peloter les fesses ?

— Peut-être. Sans lait, mais avec du sucre, s'il vous plaît. »

Pendant qu'il était dans la cuisine, elle respira deux fois à fond et regarda autour d'elle. Quand vous vivez dans un dortoir et des baraquements, c'est bon de se retrouver dans une vraie maison. Même si tout s'écroulait autour d'elle, cela lui faisait du bien de penser à la vie des Crawford.

Il revint, portant deux tasses, et descendit prudemment les marches, à cause de ses verres à double foyer. Il était un peu plus petit, en mocassins. Quand Clarice se leva pour prendre le café qu'il lui tendait, leurs yeux étaient presque au même niveau. Il sentait le savon et ses cheveux gris étaient ébouriffés.

« Copley dit qu'ils n'ont pas encore retrouvé l'ambulance. Tout le Sud grouille de policiers. »

Elle secoua la tête. « Je ne connais pas les détails. Juste ce qu'a dit le bulletin, à la radio... que le Dr Lecter a tué deux policiers et s'est enfui.

— Deux hommes du pénitencier. » Crawford fit remonter, d'un doigt brutal, le texte qui défilait sur son écran d'ordinateur. « Ils s'appelaient Boyle et Pembry. Vous avez eu affaire à eux ? »

Elle hocha la tête. « Ils m'ont... expulsée du palais de justice... » *Pembry gêné, déterminé mais courtois, surgissant de derrière Chilton. Venez avec moi, avait-il dit. Il avait du chloasma, des taches brunes sur les mains et le front. Il était mort, maintenant, livide sous ses taches.*

Clarice dut brusquement poser sa tasse. Elle respira à fond et regarda le plafond un moment. « Comment a-t-il fait ? »

— Il s'est enfui dans l'ambulance, m'a dit Copley. On va en reparler plus tard. Qu'est-ce que ça a donné, le buvard d'acide ? »

Clarice avait passé la fin de l'après-midi et le début de la soirée à se balader, la feuille pleine de Pluto à la main, dans le labo du Service d'analyse scientifique, comme Krendler le lui avait ordonné. « Rien. On a cherché dans les dossiers de la DEA*, mais c'est un truc vieux de dix ans. Le Service des documents réussira peut-être mieux avec l'impression que la DEA avec la drogue.

— Mais c'était bien un buvard d'acide.

— Oui. Comment a-t-il fait, monsieur Crawford ?

— Vous tenez vraiment à le savoir ? »

Elle hocha la tête.

« Alors, je vais vous le dire. Ils ont embarqué Lecter dans l'ambulance en croyant que c'était Pembry, grièvement blessé.

— Il portait l'uniforme de Pembry ? Ils avaient à peu près la même taille.

— Il a mis l'uniforme de Pembry et une partie de son visage. Plus une bonne livre de Boyle, par-dessus le marché. Il a enveloppé le corps de Pembry dans l'alèse en caoutchouc et les draps du lit de sa cellule, pour empêcher le sang de goutter, et il l'a fourré sur le toit de l'ascenseur. Il a enfilé l'uniforme, s'est « maquillé », couché par terre et a tiré dans le plafond pour déclencher l'alerte. Je ne sais pas ce qu'il a fait de l'arme, il a dû la planquer dans le fond de son pantalon. L'ambulance est arrivée, il y avait des flics partout, l'arme au poing. Les infirmiers ont paré au plus urgent — ils ont placé un tube

* *Drug Enforcement Administration :* Office de répression des stupéfiants.

respiratoire, collé un pansement compressif où cela saignait le plus, et ils se sont tirés de là. Ils ont fait leur travail. L'ambulance n'est jamais arrivée à l'hôpital. La police la cherche toujours. Je ne donne pas cher de la peau des infirmiers. Copley dit qu'on est en train de faire passer les bandes d'enregistrement de l'accueil. L'ambulance a été appelée au moins deux fois. On pense que Lecter a téléphoné avant de tirer les coups de feu, afin de ne pas rester trop longtemps à attendre. *Le Dr Lecter aime à s'amuser.* »

Clarice n'avait jamais entendu tant d'amertume dans la voix de Crawford. Comme elle prenait cela pour un signe de faiblesse, elle en fut épouvantée.

« Cette évasion ne prouve pas que le Dr Lecter m'a menti, dit-elle. Bien sûr, il a menti à quelqu'un — soit au sénateur Martin, soit à nous — mais peut-être pas aux deux. Il a dit au sénateur que c'était Billy Rubin et qu'il n'en savait pas plus. A moi, qu'il s'agissait de quelqu'un qui se prenait pour un transsexuel. La dernière chose qu'il m'ait dite à ce sujet, c'est : " pourquoi ne pas achever l'arche ? " Il parlait de sa théorie du changement de sexe qui...

— Je sais, j'ai lu votre rapport. Nous sommes dans une impasse, à moins que les cliniques ne nous fournissent des noms. Alan Bloom est allé en personne voir les chefs de service. Ils disent qu'ils cherchent. Je suis bien obligé de les croire.

— Monsieur Crawford, êtes-vous dans le pétrin ?

— On me suggère de prendre un congé pour raisons de famille. On a aussi constitué une nouvelle équipe avec des membres du FBI, de la DEA et des « éléments » du bureau de l'attorney — c'est-à-dire Krendler.

— Qui dirige ?

— Officiellement John Golby, le directeur adjoint du FBI. Disons que nous travaillons ensemble. John est un type bien. Et vous, vous êtes dans le pétrin.

— Krendler m'a dit de rendre ma carte et le flingue, puis de retourner à l'Ecole.

— Ça, c'était *avant* votre visite à Lecter. Cet après-midi, il a envoyé une bombe au FBI. Il demande " en toute objectivité " que l'Ecole vous suspende en attendant une réévaluation de votre aptitude au service. C'est le coup bas d'un minable.

L'instructeur de tir, John Brigham, l'a appris à une réunion des profs. Il leur a dit ce qu'il en pensait et m'a aussitôt averti.

— C'est grave ?

— Vous avez le droit de vous défendre. Je me porterai garant de vos aptitudes et ça suffira. Mais si vous restez absente plus longtemps, vous serez définitivement recyclée. Vous savez ce qui arrive quand on est recyclé ?

— Oui, on est renvoyé au bureau régional qui vous a recruté. On travaille au classement des dossiers et on sert le café jusqu'à ce qu'il y ait une vacance dans une classe.

— Je peux vous promettre une autre place, mais je ne peux pas les empêcher de vous recycler, si vous ne rentrez pas à temps.

— Alors, je rentre à l'Ecole et j'arrête de travailler là-dessus, ou bien...

— Oui.

— Que voulez-vous que je fasse ?

— Votre travail, c'était Lecter. Vous l'avez fait. Je ne vous demande pas d'affronter le recyclage. Cela vous ferait perdre six mois, peut-être plus.

— Et Catherine Martin, là-dedans ?

— Cela fait presque quarante-huit heures qu'il l'a enlevée — à minuit exactement. Si nous ne l'attrapons pas, il va la tuer demain ou après-demain... si cela se passe comme la dernière fois.

— Nous n'avons pas que Lecter.

— On a trouvé six William Rubin, tous avec des antécédents judiciaires variés. Aucun ne semble correspondre. Pas de Billy Rubin sur les listes d'abonnés aux revues d'entomologie. Le syndicat des couteliers a connu cinq cas d'anthrax de l'ivoire au cours des dix dernières années. Il nous en reste deux à vérifier. Quoi d'autre ? Klaus n'a pas été identifié — pas encore. Interpol signale un mandat de recherche, en souffrance à Marseille, concernant un marin norvégien disparu d'un bateau de commerce, un certain " Klaus Bjetland ", excusez ma prononciation. La Norvège cherche son dossier dentaire pour nous l'envoyer. Si nous obtenons quelque chose des cliniques et si vous en avez le temps, vous pourriez nous aider. Starling ?

— Oui, monsieur Crawford ?

— Retournez à l'Ecole.

— Si vous n'aviez pas envie que je lui donne la chasse, il ne fallait pas m'emmener au funérarium, monsieur Crawford.

— Oui, je suppose que je n'aurais pas dû. Mais nous n'aurions pas trouvé l'insecte. Vous devriez garder le flingue. A Quantico, vous ne risquez pas grand-chose, pourtant il vaut mieux que vous soyez armée quand vous en sortez, tant que Lecter n'est ni pris ni mort.

— Et vous ? Il vous déteste. Je veux dire, il a eu le temps de mijoter sa vengeance.

— Comme bien d'autres, Starling, dans bien des prisons. Un de ces jours, il passera peut-être à l'acte, mais pour le moment, il a bien d'autres choses en tête. C'est bon d'être dehors et il n'a pas envie de gâcher sa liberté. Et puis, ma maison est mieux protégée qu'elle n'en a l'air. »

Le téléphone sonna dans la poche de Crawford. Un autre, sur le bureau, ronfla et clignota. Il écouta un moment, dit « Bon » et raccrocha.

« On a retrouvé l'ambulance dans le parking souterrain de l'aéroport de Memphis. » Il secoua la tête. « Triste. Les infirmiers étaient à l'arrière. Morts, tous les deux. » Crawford ôta ses lunettes et chercha son mouchoir pour les essuyer.

« Starling, quelqu'un du Smithsonian a appelé Burroughs pour vous passer un message. Un certain Pilcher. Ils sont sur le point d'identifier l'insecte. Je veux que vous m'écriviez un 302 là-dessus et que vous le signiez, pour le dossier définitif. C'est vous qui avez trouvé l'insecte et mené l'enquête, et je veux que ce soit dans le rapport. Vous me faites ça ? »

Clarice avait rarement été aussi fatiguée. « Bien sûr.

— Laissez votre voiture au garage, Jeff vous ramènera à Quantico quand vous aurez fini. »

Sur les marches, elle tourna la tête vers la fenêtre éclairée, aux rideaux tirés, derrière laquelle l'infirmière veillait, puis elle se tourna vers Crawford.

« Je pense à vous deux, monsieur Crawford.

— Merci, Starling. »

Chapitre 40

« MADAME, le Dr Pilcher vous attend à l'insectarium. Je vais vous y conduire », dit le gardien.

Pour atteindre l'insectarium par l'entrée latérale du musée, située Constitution Avenue, il fallait prendre l'ascenseur au second, juste au-dessus du grand éléphant empaillé, et traverser tout l'étage consacré à l'étude de l'homme.

Pour commencer, des rangées et des rangées de crânes qui représentaient l'explosion de la population humaine depuis l'ère chrétienne.

Clarice et le gardien traversèrent un paysage crépusculaire peuplé de figures illustrant l'origine de l'homme et son évolution. Ici, des vitrines sur les rituels — tatouages, pieds bandés, modification des dents, chirurgie péruvienne, momification.

« Avez-vous déjà vu Wilhelm von Ellenbogen ? lui demanda le gardien en éclairant une vitrine.

— Je ne crois pas, dit Clarice sans ralentir le pas.

— Vous devriez venir jeter un coup d'œil dessus quand les lumières sont allumées. Enterré à Philadelphie au XVIIIe siècle, il a été transformé en savon par les eaux souterraines. »

L'insectarium était une grande salle, faiblement éclairée à cette heure et pleine de stridulations et de bruissements, provenant de cages d'insectes vivants. Les enfants aimaient particulièrement cet endroit du musée et y défilaient en bandes toute la journée. La nuit, laissés à eux-mêmes, les insectes s'activaient. Quelques cages étaient éclairées par une lumière rouge et les panneaux des sorties de secours brillaient violemment, rouges aussi, dans la pénombre.

« Docteur Pilcher ? appela le gardien, du seuil de la porte.

— Je suis là, répondit Pilcher en levant son stylo lampe, comme un fanal.

— Vous raccompagnerez cette dame ?

— Oui, merci. »

Clarice sortit sa propre lampe de poche de son sac et s'aperçut qu'elle était restée allumée et que la pile était morte. La colère qu'elle en éprouva lui rappela qu'elle était fatiguée et devait se maîtriser.

« Bonsoir, agent Starling.

— Bonsoir, docteur Pilcher.

— Pourquoi pas " professeur Pilcher " ?

— Vous *êtes* professeur ?

— Non, mais je ne suis pas davantage docteur. Par contre, je *suis* ravi de vous voir. Nos insectes vous intéressent ?

— Bien sûr. Où est le Dr Roden ?

— C'est lui qui, depuis deux nuits, a fait le plus avancer les choses en étudiant la disposition des poils et, finalement, il a dû aller se coucher. Avez-vous vu l'insecte avant qu'on commence à travailler dessus ?

— Non.

— En fait, c'était juste de la bouillie.

— Mais vous y êtes arrivé, vous l'avez trouvé.

— Oui. On y a mis le temps. » Il s'arrêta devant une cage grillagée. « D'abord, laissez-moi vous montrer un papillon de nuit comme celui que vous nous avez apporté lundi. Ce n'est pas exactement le vôtre, mais il appartient à la même famille, c'est une noctuelle. » Le faisceau de sa lampe éclaira le grand papillon de nuit bleu posé sur un rameau, les ailes repliés. Pilcher souffla dessus et, aussitôt, la face féroce d'un hibou apparut lorsque le papillon étendit ses ailes, les ocelles flamboyant comme la dernière vision d'un rat. « Celui-là, c'est le *Caligo beltrao* — très répandu. Mais avec le spécimen de Klaus, il s'agit de nocturnes bien plus gros. Venez voir. »

Au bout de la salle, il y avait une cage dans une niche, avec un garde-fou devant. Elle était hors de portée des enfants et couverte d'un tissu. Un petit humidificateur bourdonnait à côté.

« Nous la gardons derrière une vitre, pour protéger les doigts des visiteurs — elle est agressive. La vitre garde aussi l'humidité dont elle a besoin. » Pilcher leva la cage avec précaution et la rapprocha. Puis il souleva le couvercle et alluma une petite lampe, au plafond de la niche.

« C'est la femelle du sphinx à tête de mort. Elle est perchée sur une belladone — nous espérons qu'elle va pondre. »

Le papillon de nuit était splendide et terrible à contempler, avec ses grandes ailes marron foncé qui l'enveloppaient comme une cape et, sur son grand dos poilu, le dessin qui, depuis toujours, avait frappé les hommes de terreur lorsqu'ils tombaient dessus par surprise dans leurs paisibles jardins. Le crâne bombé était à la fois un visage et un crâne, avec ses pommettes et la ligne exquise de l'arcade zygomatique tracée au-dessus des yeux d'ombre qui vous regardaient fixement.

« L'*Acherontia styx*, dit Pilcher. Elle tient son nom des deux fleuves de l'Enfer. Votre type, il jette le corps de ses victimes dans une rivière — je ne me trompe pas ?

— Non. Ce papillon, il est rare ?

— Dans notre partie du monde, oui. Il n'y vit pas à l'état naturel.

— D'où vient-il ? » Clarice approcha le visage du toit grillagé de la cage. Son souffle rebroussa le poil sur le dos du papillon. Elle se rejeta en arrière lorsqu'il émit un petit grincement et battit furieusement des ailes. Elle sentit la minuscule brise que son mouvement produisit.

« De Malaisie. Il y a aussi un sphynx à tête de mort en Europe, l'*Acherontia atropos*, mais celui-là — ainsi que celui qui était dans la gorge de Klaus — vient de Malaisie.

— Alors, quelqu'un l'a élevé. »

Pilcher acquiesça d'un signe de tête. « Oui, dit-il lorsqu'il vit qu'elle ne le regardait pas. Il a dû être expédié de Malaisie au stade de l'œuf, ou plus probablement de la chrysalide. Personne n'a jamais pu les faire pondre en captivité. Ils s'accouplent, mais ne pondent pas. Le plus dur, c'est de trouver la chenille dans la jungle. Après, ce n'est pas difficile de les élever.

— Vous dites qu'ils sont agressifs.

— Leur trompe est robuste et acérée et ils vous l'enfoncent dans le doigt si vous les agacez. C'est une arme peu commune et qui reste intacte chez les spécimens conservés dans l'alcool.

Cela nous a aidé à restreindre notre champ d'investigation, c'est pourquoi nous avons pu l'identifier si vite. » Pilcher parut soudain embarrassé, comme s'il s'était vanté. « Ils n'ont peur de rien, se hâta-t-il d'ajouter. Ils s'introduisent dans les ruches et fauchent le miel. Une fois, à Sabah, dans l'île de Bornéo, la lumière les avait attirés, derrière l'auberge de la jeunesse. Ça faisait bizarre de les entendre, on a...

— Comment avez-vous obtenu celui-là ?

— Un échange avec le gouvernement de la Malaisie. Je ne sais pas contre quoi. C'était drôle, on était là dans le noir, à attendre avec le seau de cyanure, quand...

— Quelle sorte de déclaration à la douane vous avez faite pour celui-là ? Vous avez gardé les documents ? Comment fait-on pour les faire sortir de Malaisie ? Qui peut me répondre ?

— Vous êtes pressée. Je vous ai noté tout ce que nous avons là-dessus, et les supports où vous pouvez passer des annonces pour faire ce genre de choses. Venez, je vous raccompagne. »

Ils traversèrent les immenses salles sans parler. A la lumière de l'ascenseur, Clarice vit que Pilcher était aussi épuisé qu'elle.

« Vous avez passé des nuits blanches à cause de nous, dit-elle. C'était chic de nous aider. Je ne voulais pas être impolie, tout à l'heure, mais...

— J'espère qu'on va l'attraper. J'espère que vous allez bientôt en terminer avec ça. Je vous ai noté deux ou trois produits chimiques dont il pourrait avoir besoin pour préparer des spécimens bien nourris... Agent Starling, j'aimerais vous revoir.

— Je vous téléphonerai peut-être, quand je pourrai.

— Il faut, ça me ferait plaisir. »

La porte de l'ascenseur se referma, emmenant Clarice et Pilcher. L'étage consacré à l'homme était silencieux ; rien, ni les hommes tatoués, ni les momies, ni les pieds bandés, rien ne bougeait.

Les lumières des sorties de secours rougeoyaient dans l'insectarium, se reflétant dans les dix mille paires d'yeux éveillés de l'ancien phylum. L'humidicateur bourdonnait et sifflait. Sous le couvercle, dans sa cage enténébrée, le sphynx à tête de mort descendit de la belladone. La femelle parcourut le plancher, ses ailes traînant derrière elle comme une cape, et elle trouva le morceau de rayon de miel, dans sa soucoupe. Le saisissant entre ses puissantes pattes antérieures, elle déroula sa trompe acérée et transperça le couvercle de cire d'une cellule. Elle aspira silencieusement le miel tandis qu'alentour, dans l'obscurité, les stridulations et les bruissements reprenaient, et, avec eux, les minuscules gestes d'amour et de mort.

Chapitre 41

CATHERINE BAKER était couchée dans l'obscurité haïssable. Les ténèbres grouillaient derrière ses paupières et lorsqu'elle sombrait quelques secondes dans le sommeil, elle rêvait que l'obscurité la pénétrait. Elle entrait, insidieuse, dans ses oreilles et dans son nez, ses doigts humides se présentaient à chacun des orifices de son corps. Elle mit la main sur sa bouche, l'autre sur son vagin, serra les fesses, appuya l'une de ses oreilles sur le matelas et sacrifia à l'intrusion des ténèbres. Un son les accompagnait et elle se réveilla en sursaut. Un bruit familier, celui d'une machine à coudre. Dont la vitesse variait. Lente, puis rapide.

Dans le sous-sol, les lumières étaient allumées... elle vit un faible disque jaune au-dessus d'elle, là où s'ouvrait le couvercle de la petite trappe. Le caniche aboya deux ou trois fois, la voix sinistre lui parlait, étouffée.

Coudre. Ce n'était pas normal de coudre ici. On ne coud pas en cachette. Elle accueillit avec plaisir le souvenir d'enfance... la pièce ensoleillée et sa Bea chérie, sa gouvernante bien-aimée, en train de piquer... son petit chat jouant avec le rideau agité par le vent.

La voix, gâtifiant, s'adressa de nouveau au chien, faisant fuir les images.

« Lâche ça, Précieuse. Tu vas te piquer avec une épingle et *alors,* qu'est-ce qu'on ferait, hein ? J'ai presque fini. Oui, trésor de mon cœur. Tu vas l'avoir, ton Canigougou, *quand on aura fini, ni-ni,* tu l'auras *tradéridéra.* »

Catherine ignorait depuis combien de temps elle était captive. Elle s'était lavée deux fois — la deuxième fois, elle s'était levée en pleine lumière pour qu'il voie son corps, sans savoir s'il la regardait, derrière l'éblouissante clarté. Catherine Baker Martin nue, c'était un fameux spectacle, avec tout ce qu'il fallait, en abondance, aux bons endroits, et elle le savait. Elle voulait qu'il la voie. Elle voulait sortir du puits. Si l'on est assez près pour faire l'amour, on l'est aussi pour se battre, se répétait-elle en silence tout en se lavant. Elle avait trop peu à manger et finirait par s'affaiblir. Elle voulait se battre. Elle pouvait se battre. Vaudrait-il mieux se laisser baiser d'abord, autant de fois qu'il le pourrait, pour l'épuiser ? Elle savait qu'en lui serrant le cou entre ses jambes, elle l'enverrait *ad patres* en une seconde et demie. *En serait-elle capable ? Et comment. Les couilles et les yeux, les couilles et les yeux.* Mais lorsqu'elle eut fini de se laver, il n'y avait plus aucun bruit là-haut et elle enfila la combinaison propre. Elle n'avait reçu aucune réponse aux propositions lancées tandis que le seau d'eau savonneuse se balançait au bout de la mince ficelle et que le seau hygiénique venait le remplacer.

Des heures plus tard, elle attendait en écoutant le bruit de la machine à coudre. Elle ne l'interpella pas. Longtemps après, peut-être mille respirations, elle l'entendit monter l'escalier, en parlant à son chien, quelque chose comme : « ... petit déjeuner quand je reviens ». Il avait laissé la lumière allumée. Il le faisait parfois.

Des bruits de pas et de griffes de chien sur le sol de la cuisine. Le chien se mit à gémir. Elle se dit que son ravisseur était parti. Parfois, il s'absentait pendant longtemps.

Des respirations après. Le petit chien marchait dans la cuisine, il gémit, fit bringuebaler quelque chose par terre, peut-être son bol. Il grattait, grattait au-dessus de sa tête. Puis il aboya de nouveau, de petits jappements aigus, pas aussi nets que lorsque le chien était dans la cuisine. Il n'y était plus. Il avait poussé la porte ouverte et était descendu chasser les souris dans le sous-sol, comme il le faisait parfois lorsque son maître partait.

Couchée dans l'obscurité, Catherine fouilla sous son matelas, trouva l'os de poulet et le renifla. C'était dur de ne pas manger les petits filaments de viande et le grignoter. Elle le mit dans sa bouche pour le réchauffer. Elle se leva, vacillant un peu au sein de l'obscurité vertigineuse. Dans le puits, il n'y avait que son tapis de sol, la combinaison qu'elle portait, le seau hygiénique en plastique et sa ficelle de coton montant vers la pâle lumière jaune.

Elle y avait pensé, chaque fois qu'elle avait eu la force de réfléchir. Catherine s'étira le plus possible et saisit la ficelle. Valait-il mieux tirer lentement ou d'un coup ? Elle y avait pensé pendant des milliers de respirations. Il valait mieux tirer régulièrement.

La ficelle de coton s'allongea plus qu'elle ne l'aurait cru. Elle l'attrapa le plus haut possible et tira, balançant le bras dans l'espoir que la ficelle s'effilocherait à l'endroit où elle toucherait le bord du couvercle en bois. Elle continua jusqu'à en avoir mal à l'épaule. Elle tira dessus. Je t'en prie, casse-toi. Soudain, la ficelle tomba sur son visage en s'enroulant.

Catherine était accroupie sur le sol, la ficelle sur les épaules et sur la tête, incapable de la voir. Elle ne savait pas quelle longueur elle faisait. Il ne fallait pas l'emmêler. Elle l'étendit soigneusement par terre en formant des boucles qu'elle mesurait sur son avant-bras. Quatorze avant-bras. La ficelle s'était bien cassée au niveau de la margelle du puits.

Elle attacha solidement l'os du poulet, avec ses lambeaux de chair, à l'endroit où la ficelle tenait à la poignée du seau.

Le plus dur restait à faire.

Vas-y doucement. Elle était dans l'état d'esprit de quelqu'un pris dans une tempête, seul sur un petit bateau.

Elle attacha l'extrémité usée de la ficelle à son poignet, en resserrant le nœud avec les dents.

Prenant garde à ne pas marcher sur les boucles, elle prit le seau par la poignée, le balança et le lança tout droit vers le faible disque de lumière. Le seau en plastique manqua l'ouverture de la trappe, heurta le dessous du couvercle et retomba sur elle. Le petit chien aboya plus fort.

Elle prit le temps de démêler la ficelle et recommença. Au troisième essai, le seau retomba sur son doigt cassé et elle dut s'appuyer contre la paroi et respirer lentement jusqu'à ce que la nausée cesse. Au quatrième, le seau retomba encore sur elle, mais au cinquième, non. Il était sorti du puits. Le seau était quelque part sur le couvercle en bois, à côté de la trappe ouverte. A quelle distance du trou ? Calme-toi. Elle tira doucement. Elle tordit la ficelle pour entendre la poignée du seau racler contre le bois.

Le petit chien aboya plus fort.

Il ne fallait pas faire retomber le seau dans le puits, mais elle devait le rapprocher de l'ouverture. Doucement... elle le... rapprocha.

Le petit chien se promenait parmi les miroirs et les mannequins, dans une cave voisine. Il renifla les fils et les morceaux de tissu, sous la machine à coudre. Fourra son nez contre la grande armoire noire. Regarda vers l'endroit, là-bas, d'où venaient les bruits. Et se précipita vers la partie enténébrée pour aboyer puis revint, aussi précipitamment.

Une voix résonna faiblement dans le sous-sol.

« Précieueueueuse. »

Le petit chien aboya et sauta sur place. Son petit corps gras frissonnait.

Un bruit de baiser mouillé.

Le chien leva les yeux vers la cuisine, là-haut, mais cela ne venait pas de là.

Des claquements de lèvres, comme quelqu'un qui mange. « Viens, Précieuse. Viens, mon cœur. »

A petits pas, les oreilles dressées, le chien s'avança.

Miam-miam. « Viens, ma petite chérie, viens, ma Précieuse. »

Le caniche sentit l'os de poulet attaché à la poignée du seau. Il gratta la margelle du puits et gémit.

Miam-miam-miam.

Le petit caniche sauta sur le couvercle en bois. L'odeur était là, entre le seau et le trou. Il aboya vers le seau, gémit d'indécision. L'os de poulet bougea un peu.

Le caniche s'accroupit, le nez entre ses pattes de devant, le derrière en l'air, agitant furieusement la queue. Il aboya deux fois et sauta sur l'os du poulet, le saisissant entre ses dents. Le seau essaya de l'écarter de son os. Il grogna d'un ton menaçant et tint bon, à califourchon sur la poignée, les dents solidement cramponnées à l'os. Brusquement le seau secoua le caniche pour le faire tomber ; le chien se remit debout, retomba de nouveau, lutta avec le seau, une patte arrière et une hanche glissèrent dans le trou, ses griffes grattèrent frénétiquement le bois, le seau glissa, passa par-dessus bord avec l'arrière-train du chien qui réussit à se libérer, le seau glissa dans le trou et tomba, avec l'os de poulet. Le caniche, furieux, aboya vers le puits, qui résonna de sa colère. Puis il se tut et pencha la tête sur le côté, épiant un son que lui seul pouvait entendre. Il sauta de la margelle du puits et remonta l'escalier, gémissant de joie au bruit d'une porte qui claquait, là-haut.

Les larmes de Catherine Baker Martin coulèrent, brûlantes, sur ses joues et tombèrent sur la combinaison, la mouillant, réchauffant ses seins ; maintenant elle était sûre de mourir.

Chapitre 42

Debout au milieu du bureau, les mains au fond de ses poches, Crawford resta plongé dans ses pensées de douze heures trente à douze heures trente-trois. Puis il passa un télex au Service des véhicules automobiles de Californie pour retrouver la trace du camping-car, que, au dire de Lecter, Raspail aurait acheté là-bas, et qui avait abrité ses amours avec Klaus. Crawford demanda que l'on vérifie si, pour ce véhicule, il y avait des contraventions récoltées par un autre conducteur que Benjamin Raspail.

Puis il s'installa sur le divan avec un bloc-notes et rédigea une petite annonce télématique à faire passer dans les grands journaux : *Créature pulpeuse, junonesque, teint crémeux, 21, modèle, cherche homme capable apprécier qualité ET quantité. Vous m'avez vue dans des pubs pour cosmétiques, maintenant moi, j'aimerais vous voir. Envoyez photo avec première lettre.*

Crawford réfléchit un moment, gratta « junonesque » et le remplaça par « bien en chair ».

Sa tête tomba sur sa poitrine, il s'assoupit. L'écran vert du terminal d'ordinateur dessinait de minuscules carrés sur les verres de ses lunettes. Le texte se mit à défiler. Dans son sommeil, Crawford secoua la tête, comme si l'image le chatouillait.

Le message était le suivant :

RETROUVÉ DEUX OBJETS APRÈS FOUILLE CELLULE LECTER À MEMPHIS.

(1) CLEF MENOTTES BRICOLÉE AVEC TUBE STYLO-BILLE. INCISIONS PAR ABRASION, CHERCHER TRACE

FABRICATION DANS CELLULE HÔPITAL BALTIMORE, AUTEUR COPLEY, BUREAU DE MEMPHIS.
(2)   FEUILLE PAPIER FLOTTANT DANS TOILETTES. ORIGINAL EXPÉDIÉ DÉPARTEMENT DOCUMENTS/LABO. REPRÉSENTATION GRAPHIQUE SUIT. À L'ATTENTION DE : BENSON — CRYPTOGRAPHIE.

Puis le dessin apparut sur l'écran, s'élevant comme quelqu'un qui regarde par-dessus le bord d'une haie :

Le doux bip-bip de l'ordinateur ne réveilla pas Crawford mais, trois minutes plus tard, le téléphone fut plus efficace. C'était Jerry Burroughs, du Centre national d'information en criminologie.

« Tu as regardé ton écran, Jack ?

— Un instant. Oui, ça y est.

— Le labo l'a déjà décrypté, Jack. Le dessin que Lecter a laissé dans les chiottes. Les nombres entre les lettres du nom de Chilton, c'est de la biochimie — $C_{33} H_{36} N_4 O_6$: la formule d'un pigment de la bile appelé bilirubine. Le labo nous informe que c'est le principal colorant de la merde.

— Des conneries.

— Tu avais raison, Jack. Lecter se foutait de la gueule du monde. C'est vraiment moche pour le sénateur Martin. Le labo dit que les cheveux du Dr Chilton ont exactement la couleur de la bilirubine. C'est ce qu'on appelle l'humour de l'asile. As-tu vu Chilton au journal de dix-huit heures ?

— Non.

— Marilyn Sutter, si. Chilton bavait sur la « recherche de Billy Rubin ». Puis il est allé dîner avec un journaliste de la télé. Il était au restaurant quand Lecter est parti se promener. C'est le roi des cons.

— Lecter a dit à Starling de ne pas oublier que Chilton n'avait pas de diplôme de médecine.

— Ouais, je l'ai vu dans le rapport. Je pense que Chilton a essayé de se taper Starling et qu'elle l'a pris de haut. Il est peut-être idiot, mais pas aveugle. Comment va la gosse ?

— Bien, je pense. Crevée.

— Tu crois que Lecter se foutait aussi d'elle?

— Peut-être. On continue quand même. Je ne sais pas ce que les cliniques fabriquent. Je continue à penser que j'aurais dû essayer d'obtenir les dossiers par le tribunal. Ça me rend malade de dépendre des médecins. Si demain, en milieu de matinée, je n'ai rien, nous passerons par la voie judiciaire.

— Dis donc, Jack... tu as des gens, à l'extérieur, qui savent à quoi ressemble Lecter, hein?

— Bien sûr.

— Tu ne crois pas qu'il est en train de rigoler, quelque part?

— Peut-être pas pour longtemps », conclut Crawford.

Chapitre 43

L E Dr Hannibal Lecter se présenta à la réception du Marcus, hôtel chic de Saint Louis. Il portait un chapeau marron et un imperméable boutonné jusqu'au cou. Un pansement chirurgical immaculé recouvrait son nez et ses joues.

Sur le registre, il signa « Lloyd Wyman » ; il s'était exercé à le faire dans la voiture de Wyman.

« Vous payez comment, monsieur Wyman ? demanda l'employé.

— American Express. » Le Dr Lecter tendit la carte de crédit de Lloyd Wyman.

Un piano jouait de la musique douce dans le salon. Le Dr Lecter aperçut deux personnes, au bar, avec des bandages sur le nez. Un couple de quinquagénaires se dirigea vers les ascenseurs en fredonnant un air de Cole Porter. La femme portait une compresse de gaze sur l'œil.

L'employé lui rendit la carte. « Vous savez, monsieur Wyman, vous pouvez utiliser le garage de l'hôpital.

— Oui, merci. » Le Dr Lecter avait déjà garé la voiture de Wyman dans le garage, avec son propriétaire dans le coffre.

Le groom qui porta les sacs de Wyman jusqu'à la petite suite reçut, en compensation, l'un des billets de cinq dollars du portefeuille de Wyman.

Lecter commanda un verre et un sandwich et se détendit sous la douche.

Il trouvait la suite immense après son long confinement, et prit plaisir à s'y promener de long en large.

De sa fenêtre, il voyait le pavillon Myron et Sadie Fleischer de l'hôpital municipal de Saint Louis, abritant l'un des plus grands centres mondiaux de chirurgie craniofaciale.

Le visage du Dr Lecter était trop bien connu pour qu'il pût profiter des chirurgiens esthétiques de cet établissement, mais c'était le seul endroit où il pouvait se promener avec un pansement sur la figure sans attirer l'attention.

Il était déjà venu là, des années auparavant, quand il faisait des recherches psychiatriques à la superbe bibliothèque du Robert J. Brockman Memorial.

C'était grisant d'avoir une fenêtre, plusieurs fenêtres. Il resta dans l'obscurité, à regarder les phares des voitures qui traversaient le pont MacArthur, et à savourer sa boisson. Il avait conduit pendant cinq heures et une agréable fatigue l'envahissait.

Les minutes passées dans le garage souterrain de l'aéroport de Memphis avaient été le seul moment enfiévré de la soirée. Ce n'était pas commode de se nettoyer avec du coton hydrophile, de l'alcool et de l'eau distillée à l'arrière d'une ambulance. Une fois vêtu de l'uniforme blanc du gardien, il lui avait suffi de repérer un voyageur solitaire dans une allée déserte du parc de stationnement. L'homme s'était obligeamment penché sur le coffre de sa voiture pour y prendre sa valise d'échantillons et n'avait pas vu le Dr Lecter arriver par-derrière.

Il se demanda si la police le croyait assez stupide pour prendre un avion.

Le seul problème, sur la route, avait été de trouver les commandes des feux de circulation, des phares et des essuie-glaces de cette voiture étrangère, car le Dr Lecter n'avait pas l'habitude des commandes à main à côté du volant.

Demain, il achèterait ce dont il avait besoin, de la teinture pour cheveux, un rasoir, une lampe à bronzer et les autres choses nécessaires pour modifier rapidement son apparence. Le moment venu, il partirait.

Il n'avait pas de raison de se hâter.

Chapitre 44

Comme d'habitude Ardelia Mapp était au lit, adossée aux oreillers, un livre à la main. En même temps, elle écoutait une radio-infos. Elle l'éteignit lorsque Clarice Starling entra en traînant les pieds. En voyant son visage tiré, elle eut la bonne idée de ne poser aucune question, sauf : « Tu veux du thé ? »

Durant ses heures d'étude, Ardelia buvait une infusion de diverses feuilles, en vrac, que sa grand-mère lui envoyait et qu'elle appelait « le thé qui rend intelligent ».

Des deux personnes les plus brillantes que Clarice connaissait, l'une était aussi la plus stable et l'autre la plus effrayante. Clarice espérait que cela rétablissait l'équilibre.

« Tu as bien fait d'être absente aujourd'hui, dit Ardelia. Ce salaud de Kim Won nous a *littéralement* mis sur les genoux. Je t'assure. Je crois que la gravitation doit être plus forte en Corée qu'ici. Quand ils arrivent chez nous, ils deviennent *légers* et on nous les colle comme profs parce qu'il n'y a pas d'autre travail pour eux... John Brigham est passé.

— Quand ?

— Ce soir ; tu l'as raté de peu. Il voulait savoir si t'étais revenue. Il s'était mis de la brillantine. Nerveux comme un bizut. On a bavardé un peu. Il a dit que si on avait besoin de bûcher pendant les heures d'entraînement, à cause du retard que t'avais pris, il viendrait au champ de tir ce week-end pour qu'on se rattrape. Il est sympa.

— Ça, c'est vrai.

— Tu sais qu'il veut que tu participes au match de tir contre la DEA et les Douanes ?

— Première nouvelle.

— Pas dans les épreuves féminines — dans l'open. Autre question : t'as étudié le quatrième amendement pour vendredi ?

— Un peu.

— Alors, qu'est-ce que c'est *Chimel contre la Californie ?*

— Des perquisitions dans les lycées.

— Et les perquisitions *elles-mêmes*, dans les écoles ?

— J'en sais rien.

— C'est le concept d' " abcès immédiat ". Et *Schneckloth ?*

— Bon sang, j'en sais rien.

— *Schneckloth contre Bustamonte.*

— C'est le respect de la vie privée qu'on est en droit d'exiger, non ?

— Honte sur toi. Ça c'est le principe de *Katz. Schneckloth,* c'est la perquisition avec consentement. Je vois qu'il va falloir drôlement bûcher, ma vieille. Je vais te passer mes notes.

— Pas ce soir.

— Non. Mais demain matin, quand tu auras l'esprit aussi vide que vif, nous commencerons à le remplir pour vendredi. Clarice, Brigham m'a dit — il n'aurait pas dû, aussi j'ai promis de ne pas en parler — que la commission te sera favorable. Il pense que cette ordure de Krendler ne se souviendra plus de toi dans deux jours. Tes notes sont bonnes, tu t'en sortiras facilement. » Ardelia étudia le visage épuisé de Clarice. « Tu as fait tout ce que tu pouvais pour cette pauvre fille. Tu t'es mouillée pour elle, tu t'es fait botter le cul et tu as trouvé des choses. Pense un peu à toi, maintenant. Pourquoi tu te pieutes pas ? Je vais m'arranger pour la fermer.

— Ardelia, merci. »

Lorsque les lumières furent éteintes :

« Clarice ?

— Oui.

— Lequel tu trouves le plus beau, Brigham ou Hot Bobby Lowrance ?

— C'est dur à dire.

— Brigham a un tatouage sur l'épaule, je l'ai vu à travers sa chemise. Qu'est-ce que ça représente ?

— Je n'en ai aucune idée.

— Tu me le diras, quand tu sauras ?

257

— Ça n'arrivera probablement pas.

— Je t'ai dit que Hot Bobby avait un slip léopard ?

— Tu l'as vu par la fenêtre pendant qu'il faisait des haltères.

— C'est Gracie qui te l'a raconté ? Un de ces jours, je vais lui... »

Clarice s'endormit.

Chapitre 45

Peu avant trois heures du matin, Crawford, qui sommeillait
à côté de sa femme, se réveilla. La respiration de Bella
s'était brièvement interrompue et elle avait bougé dans son lit.
Il se redressa et lui prit la main.

« Bella ? »

Elle respira à fond. Ses yeux étaient ouverts pour la première
fois depuis des jours. Crawford approcha son visage du sien,
mais elle ne semblait pas le voir.

« Bella, je t'aime, ma chérie », dit-il, au cas où elle pourrait
l'entendre.

La peur le frôla, l'encerclant comme une chauve-souris
piégée dans une maison. Il se reprit.

Il aurait aimé faire quelque chose, n'importe quoi, mais il ne
voulait pas lui lâcher la main.

Il mit l'oreille contre sa poitrine. Il entendit un doux
battement, très faible, puis le cœur s'arrêta. Il n'y avait plus
rien à entendre, seulement un étrange bruissement froid. Il ne
savait pas si ce bruit provenait de la poitrine de Bella ou de ses
propres oreilles.

« Dieu te bénisse et te garde en son ciel... avec tous les
tiens », dit Crawford, en souhaitant que ce soit vrai.

Appuyé contre le dosseret, il la serra dans ses bras pendant
que son cerveau mourait. Son menton écarta le foulard qui
recouvrait ce qui lui restait de cheveux. Il ne pleura pas. Cela, il
l'avait déjà fait.

Crawford lui mit son peignoir favori et resta un moment à
côté du lit surélevé, la main de Bella contre sa joue. C'était une
main robuste, habile, marquée par le jardinage de toute une

vie ; marquée aussi, maintenant, par les intraveineuses.

Quand elle rentrait du jardin, ses mains sentaient le thym.

(« Pense à ça comme à du blanc d'œuf sur les doigts » ; c'est ce que ses copines d'école avaient dit à Bella, en parlant des relations sexuelles. Des années après, ils en avaient ri tous les deux au lit, il y avait si longtemps de cela ; c'était l'année dernière. Ne pense pas à ça, pense à autre chose, pense à quelque chose de pur. Mais ça l'était, pur. Elle portait un petit chapeau rond et des gants blancs, ils étaient dans un ascenseur, la première fois qu'il avait sifflé un arrangement spectaculaire de « Begin the Beguine ». Dans la chambre, elle l'avait taquiné parce qu'il transportait toujours plein de choses dans ses poches, comme un petit garçon.)

Crawford n'arrivait pas à passer dans l'autre pièce — il pourrait se retourner quand il voudrait, pour l'apercevoir par la porte ouverte, auréolée de la chaude lumière de la lampe de chevet. Il attendait que le corps de Bella devienne un objet livré au rituel, séparé de lui, différent de la personne qu'il avait tenue dans ses bras, sur le lit ; différent de la compagne de sa vie qu'il garderait maintenant dans son esprit. Il fallait téléphoner pour qu'on vienne la chercher.

Il resta à la fenêtre, les bras ballants, les mains vides, paumes ouvertes, à regarder vers le soleil levant, encore absent. Il n'attendait pas l'aube ; simplement, cette chambre donnait à l'est.

Chapitre 46

« Tu es prête, Précieuse ? »

Jame Gumb était confortablement adossé au dosseret de son lit, le petit caniche tiède couché en rond sur son ventre.

M. Gumb venait de se laver les cheveux et une serviette de toilette lui entourait la tête. Il fourragea sous le drap, trouva la télécommande de son magnétoscope et mit l'appareil en marche.

Il s'était composé un programme à partir de deux extraits de films copiés sur cassette. Il le regardait tous les jours quand il s'adonnait à des préparations importantes, et toujours avant de prélever une peau.

Le premier provenait d'un film rayé de la Movietone, des actualités en noir et blanc de 1948. C'était les quarts de finale du concours de Miss Sacramento, une étape sur la longue route menant à l'élection de Miss Amérique, à Atlantic City.

Pour le défilé en maillot de bain, toutes les filles montaient une par une sur la scène, des bouquets de fleurs à la main.

En entendant la musique, la chienne de M. Gumb lorgna du côté de son maître, sachant qu'il allait la serrer dans ses bras à l'étouffer. Elle avait vécu cela de nombreuses fois.

Les candidates faisaient très Deuxième Guerre mondiale. Certaines avaient un joli visage, d'autres des jambes bien faites, mais dont la chair manquait de tonus musculaire et tremblotait un peu au genou.

Gumb serra le caniche dans ses bras.

« Précieuse, c'est elle, la voilà, la voilà ! »

Elle arriva en effet au bas de l'escalier, dans son maillot

blanc, adressa un radieux sourire au jeune homme qui l'aidait à monter les marches, puis s'en alla sur ses hauts talons, la caméra fixée sur le galbe de ses cuisses. Maman. C'était maman.

M. Gumb n'avait pas besoin de toucher à la télécommande ; il avait tout fait en copiant le film. Maman retraversa la scène à reculons, redescendit l'escalier, relança un sourire au jeune homme, remonta l'allée, puis tout recommença, en avant puis à reculons, en avant puis à reculons.

Quand elle souriait au jeune homme, Gumb souriait aussi.

On la voyait ensuite dans le groupe, mais c'était toujours flou en arrêt sur image. Mieux valait le mettre en accéléré et ne faire que l'apercevoir. Maman avec les autres filles, congratulant la gagnante.

Le suivant était un piratage de la télévision par câble, dans un motel de Chicago — il avait dû, en toute hâte, aller acheter un magnétoscope et rester une nuit de plus. C'était un film en boucle qu'ils faisaient passer sur une chaîne par câble miteuse, tard dans la nuit, comme fond à des publicités pornos qui apparaissaient sur l'écran, en caractères d'imprimerie. C'était de la camelote, des films « coquins » drôlement anodins des années quarante et cinquante, plus une partie de volley dans un camp de nudistes, et les scènes les moins explicites de films pornos des années trente où les acteurs portaient des faux nez et gardaient leurs chaussettes. La bande-son était faite de bric et de broc. Pour le moment, c'était « The Look of Love », pas du tout synchrone avec le rythme vif de l'action.

M. Gum ne pouvait rien faire au sujet des pubs qui rampaient sur l'écran. Il devait les supporter.

Voilà la piscine en plein air — cela se passait en Californie, d'après la végétation. De beaux meubles de jardin, très années cinquante. Des nageuses nues, certaines fort gracieuses. Quelques-unes auraient pu figurer dans des séries B. Potelées et fringantes, elles sortaient de la piscine et couraient, bien plus rapides que la musique, gravir l'échelle d'un toboggan. Elles glissaient en riant et plongeaient, les seins dressés, les jambes jointes, plouf !

Et voilà maman. Elle émergeait de la piscine derrière une fille aux cheveux frisés. Son visage était en partie caché par une pub pour Sinderella, une sex-shop, mais on la voyait s'éloigner et monter à l'échelle, toute luisante d'humidité, merveilleusement souple et bien en chair, avec une petite cicatrice de césarienne et hop ! elle glissait sur le toboggan. Tellement belle, et même s'il ne pouvait pas voir son visage, M. Gumb savait, au fond de son cœur, que c'était maman, filmée après qu'il l'eut vue pour la dernière fois. Sauf en imagination, bien sûr.

La scène enchaîna sur une pub filmée pour un conseiller conjugal et s'acheva brusquement.

Le caniche lui jeta un coup d'œil en coin deux secondes avant que M. Gumb l'écrase de nouveau dans ses bras.

« Oh, Précieuse. Viens dans les bras de maman. Maman va être *si* belle. »

Beaucoup trop de choses à faire, beaucoup trop de choses à faire s'il voulait être prêt pour demain.

Il ne l'entendait jamais de la cuisine, même quand la chose hurlait, Dieu merci, mais dans l'escalier de la cave, si. Il ne lui restait plus qu'à espérer que la chose dormait. Le caniche qu'il tenait dans ses bras gronda aux sons qui montaient du puits.

« Tu es mieux élevée que ça, toi », dit-il en enfouissant le visage dans sa fourrure.

A gauche, en bas des marches, une porte le séparait de l'oubliette. Il ne jeta même pas un regard vers la pièce, et n'écouta pas les mots qui sortaient du puits — pour lui, ce n'était même pas de l'anglais.

M. Gumb entra dans l'atelier, posa la chienne par terre et alluma la lumière. Quelques papillons de nuit voletèrent et se posèrent, sans danger, sur le grillage qui entourait les plafonniers.

Dans l'atelier, M. Gumb était méticuleux. Il mélangeait toujours ses solutions dans de l'inox, jamais dans de l'aluminium.

Il avait appris à tout préparer à l'avance. En travaillant, il s'exhortait. De la méthode, de la précision, il faudra que tu fasses vite, car tu vas avoir de gros problèmes.

La peau humaine est lourde — seize à dix-huit pour cent du poids total du corps — et glisse entre les doigts. La peau tout entière n'est pas facile à manipuler et tombe facilement si elle est encore mouillée. Le temps aussi est un facteur important ; la peau commence à rétrécir dès qu'on l'a prélevée, surtout chez les jeunes adultes dont le grain est plus serré.

Ajoutez à cela le fait qu'elle n'est pas parfaitement élastique, même chez un sujet jeune. Si vous l'étirez, elle ne retrouvera jamais sa forme. Vous êtes en train de piquer bien à plat et puis vous tirez un peu trop fort dessus et ça godaille. Vous aurez beau pleurer toutes les larmes de votre corps, cela n'enlèvera pas un faux pli. Et puis, il y a la naissance des seins, et il vaut mieux que vous sachiez où elle est. La peau ne s'étire pas autant dans toutes les directions avant que les amas de collagène et les fibres se déchirent ; tirez dans le mauvais sens et ça vous fera des vergetures.

Impossible de travailler sur un matériau trop frais. M. Gumb avait dû faire de nombreux essais, le cœur battant, avant de trouver la bonne technique.

Il avait fini par se rendre compte que rien ne valait les bonnes vieilles méthodes. Voici comme il procédait : d'abord il faisait tremper les peaux dans les aquariums pleins d'extraits de végétaux élaborés par les Indiens d'Amérique — des substances naturelles qui ne contenaient pas de sels minéraux. Puis il utilisait la méthode qui permet d'obtenir le daim incomparable du Nouveau Monde, souple comme du beurre — le tannage à la cervelle. Les Indiens croyaient que chaque animal avait juste assez de cervelle pour tanner sa propre peau. M. Gumb savait d'expérience que ce n'était pas vrai, même dans le cas des primates supérieurs. Il avait un congélateur plein de cervelles de bœuf, aussi n'en manquait-il jamais.

Le tannage, il pouvait s'en tirer ; la pratique avait fait de lui un expert.

Restaient les problèmes, terribles, de la forme, mais là aussi, il était particulièrement bien qualifié pour les résoudre.

L'atelier donnait sur un couloir menant à une salle de bains désaffectée où M. Gumb rangeait son treuil et son mécanisme d'horlogerie, puis de là au studio et au vaste dédale obscur qui s'étendait très loin.

Il ouvrit la porte du studio brillamment éclairé — des projecteurs et des tubes fluorescents type « lumière du jour » étaient fixés aux poutrelles. Des mannequins posaient sur une estrade de chêne. Elles étaient partiellement vêtues, les unes de

264

cuir, les autres de mousseline à patron. Huit mannequins qui se reflétaient dans les deux miroirs muraux, de beaux miroirs plans, pas des carreaux. Une table de maquillage avec des cosmétiques et des perruques, dont plusieurs sur des formes à chapeaux. C'était le plus clair des studios, tout en blanc et en chêne blond.

Les mannequins portaient des commandes commerciales en cours de fabrication, surtout des Armani très mode, en belle cabretta noire, avec des plis tubulés, des épaules rembourrées et des plastrons.

Le troisième mur était occupé par un grand établi, deux machines à coudre, deux mannequins de couturière et un de tailleur, fait sur mesure d'après le torse même de Jame Gumb.

Contre le quatrième, et dominant toute la pièce, il y avait une grande armoire noire en laque de Chine, très ancienne, qui montait presque jusqu'au plafond haut de deux mètres cinquante. Son décor s'était effacé, sauf quelques écailles d'or, restes d'un dragon à l'œil blanc encore clair et vigilant, ainsi que la langue rouge d'un second dont le corps avait disparu. Bien que craquelée, la laque était encore en bon état.

L'armoire, immense et profonde, n'avait rien à voir avec son travail rémunéré. Elle contenait des Choses Spéciales, sur des formes et des cintres, et ses portes restaient fermées.

La petite chienne lappa de l'eau dans un bol, posé dans un coin, et se coucha entre les pieds des mannequins, les yeux fixés sur M. Gumb.

Il avait un blouson en route. Il aurait dû le finir, mais il était en proie à la fièvre créatrice et son propre patron de mousseline ne le satisfaisait pas encore.

M. Gumb avait fait d'énormes progrès depuis son apprentissage à la maison de correction de Californie, mais ça, c'était un vrai défi. Même travailler la délicate cabretta ne vous prépare pas à un travail aussi raffiné.

Là, il avait deux patrons de mousseline, semblables à des gilets blancs, l'un à sa taille et l'autre qu'il avait confectionné d'après les mesures de Catherine Baker Martin, prises pendant qu'elle était encore inconsciente. Lorsqu'il mettait le plus petit sur le sien, les problèmes apparaissaient aussitôt. C'était une grande et forte fille, et merveilleusement bien proportionnée, mais elle n'était pas aussi large d'épaules ni aussi dodue que M. Gumb.

L'idéal, ce serait une tunique sans coutures, mais c'était impossible. Il avait pourtant décidé que le devant n'en comporterait pas et serait impeccable. Toutes les retouches devaient être dans le dos. Très difficile. Il avait déjà jeté un patron et commencé un autre. En étirant judicieusement le matériau, il pourrait s'en tirer avec deux soufflets sous les bras — des pièces triangulaires, pointes vers le bas. Deux autres à la taille, dans le dos, juste au niveau des reins. Il avait l'habitude de ne compter que quelques millimètres pour les coutures.

Au-delà du visuel, il fallait tenir compte du tactile ; il se pourrait que quelqu'un serre dans ses bras une personne aussi attirante.

M. Gumb saupoudra un peu de talc sur ses mains et étreignit son mannequin.

« Donne-moi un baiser », dit-il d'un ton badin en regardant l'endroit où la tête aurait dû être. « Pas *toi*, idiote. » La petite chienne avait dressé les oreilles.

Gumb caressa le dos du mannequin. Puis il le contourna pour voir les marques de ses mains. Personne n'avait envie de caresser une couture. Quand on étreint quelqu'un, les mains se rejoignent au milieu du dos. Or, raisonna-t-il, on a l'habitude de la colonne vertébrale. Ce n'est pas agaçant comme quelque chose d'asymétrique. Mais des coutures sur les épaules, non. Un soufflet en haut, au milieu, c'était la solution, en pointe, un peu au-dessus des omoplates. Il pourrait se servir de la couture pour fixer l'épais empiècement de la doublure. Des panneaux de Lycra sous les pochettes, de chaque côté — il ne devait pas oublier d'acheter du Lycra — et un Velcro pour fermer la poche de droite. Il pensa à ces merveilleuses robes de soirée de Charles James dont les coutures, pour avoir l'air parfaitement droites, étaient échelonnées.

Le soufflet du dos serait caché par sa chevelure, ou plutôt par celle qu'il aurait bientôt.

M. Gumb ôta le patron du mannequin et se mit au travail.

La machine à coudre était ancienne et admirablement conçue ; c'était un modèle à pédales, reconverti à l'électricité, quarante ans auparavant. Sur le bras était écrit en lettres

266

manuscrites : «Je suis un serviteur infatigable. » Gumb se servit de la pédale afin de mettre la machine en route. Pour un ouvrage délicat, il préférait travailler pieds nus en appuyant doucement sur la pédale, les orteils aux ongles vernis accrochés au rebord antérieur afin d'éviter les accélératioons intempestives. Pendant un moment, on n'entendit plus dans le sous-sol que le bruit de la machine, les ronflements de la petite chienne et le sifflement des tuyaux de chauffage.

Quand il eut fini d'installer les soufflets dans le patron de mousseline, il l'essaya devant le miroir. De son coin, le caniche le regardait, tête dressée.

Il faudrait un peu plus d'ampleur sous les emmanchures. Restait encore le problème des parements et de leur doublure. A part cela, c'était tellement joli. Souple, flexible, dynamique. Il s'imaginait grimpant à l'échelle du toboggan, vite, vite, vite.

M. Gumb joua avec les projecteurs et les perruques pour créer quelques effets spectaculaires, puis il essaya un merveilleux collier de chien en coquillages. Ça ferait un effet époustouflant avec la robe décolletée ou le pyjama d'hôtesse qu'il porterait sur son nouveau torse.

C'était tentant d'en finir maintenant, de s'attaquer au travail sérieux, mais ses yeux étaient fatigués. Il fallait aussi que ses mains ne tremblent pas et il n'était pas prêt à affronter le tapage que ferait la chose. Patiemment, il piqua les coutures et inséra les morceaux. Un patron parfait sur lequel il allait pouvoir couper.

« Demain, Précieuse », dit-il à la petite chienne en mettant les cervelles de bœuf à dégeler. « C'est la première chose que nous ferons, demain. Tu vas voir comme maman va être *belle*. »

Chapitre 47

CLARICE dormit à poings fermés pendant cinq heures et, en pleine nuit, fut réveillée par un cauchemar. Elle mordit le coin de son drap et pressa ses paumes contre ses oreilles, pas encore sûre d'être vraiment réveillée et d'avoir échappé à la peur. Le silence, pas de bêlements d'agneaux. Alors son cœur se calma ; mais ses pieds ne pouvaient plus rester sous les couvertures. Son esprit allait bientôt s'emballer.

Ce fut un soulagement de sentir une brûlante colère remplacer la peur.

« C'est dingue », dit-elle et elle sortit un pied.

Tout au long de cette journée, où elle avait été interrompue par Chilton, insultée par le sénateur Martin, abandonnée et réprimandée par Krendler, raillée par le Dr Lecter et écœurée par sa sanglante évasion, et pour finir dissuadée de continuer par Jack Crawford, une chose l'avait blessée plus que tout : être traitée de voleuse.

Le sénateur Martin était une mère soumise à une terrible tension qui n'en pouvait plus de voir les flics tripoter les affaires de sa fille. Elle n'avait pas porté un vrai jugement sur Clarice.

Pourtant, l'accusation restait fichée en elle comme une aiguille brûlante.

Lorsqu'elle était petite, on lui avait appris que voler était l'acte le plus méprisable, juste après le viol et le meurtre pour de l'argent. Certaines formes d'homicide lui étaient préférables, avait-on dit.

Pensionnaire dans des institutions où il y avait beaucoup de désirs et peu de manières de les satisfaire, elle avait appris à détester le vol.

Couchée dans l'obscurité, elle dut reconnaître que si l'insinuation du sénateur l'avait autant perturbée, c'était pour une autre raison.

Clarice savait ce que le malicieux Lecter aurait dit, et c'était vrai ; elle avait peur que le sénateur Martin ait vu en elle quelque chose de vulgaire, de mesquin, qui l'avait poussée à la soupçonner de vol. Cette putain de richarde.

Le Dr Lecter se plairait à faire remarquer que le ressentiment de classe, la colère enfouie sucée avec le lait de la mère entraient aussi en ligne de compte. Clarice ne le cédait en rien à Ruth Martin pour l'éducation, l'intelligence, le dynamisme, et certainement l'apparence physique, mais il y avait autre chose et elle le savait.

Clarice faisait partie d'une tribu féroce dont la seule généalogie était la liste des décorations militaires et politiques. Expropriés en Ecosse, chassés d'Irlande par la famine, pas mal d'entre eux avaient eu tendance à pratiquer des métiers dangereux. Beaucoup de Starling avaient été utilisés ainsi ; on les avait poussés, en cognant dessus, au fond de trous étroits : on les avait fait glisser d'une planche en leur tirant dans les jambes ; on les avait entraînés vers la gloire, aux accents d'une musique militaire cinglée, dans le froid, alors que tout ce qu'ils souhaitaient, c'était rentrer à la maison. Lors des soirées au mess, des officiers en avaient évoqué certains, la larme à l'œil, comme un homme ivre se souvient d'un bon chien de chasse. Des noms devenus illisibles dans une Bible.

Aucun d'entre eux n'avait été particulièrement intelligent, autant que Clarice s'en souvienne, sauf une grand-tante qui tint un merveilleux journal jusqu'à ce qu'elle meure d'une « fièvre cérébrale ».

Mais ils n'avaient jamais volé.

Aux Etats-Unis, l'important c'était l'école, n'est-ce pas, et les Starling avaient pigé ça. L'un des oncles de Clarice avait fait graver son unique diplôme universitaire sur sa pierre tombale.

Depuis des années, Clarice n'avait pas vécu ailleurs que dans des écoles, sans autre arme que la compétition scolaire.

Elle savait qu'elle pouvait s'en sortir. Elle serait ce qu'elle avait toujours été depuis le jour où elle avait compris comment ça fonctionnait : à la tête de sa classe, approuvée, assimilée, choisie, et non pas rejetée.

Il suffisait de travailler dur et de faire un peu attention. Ses notes seraient bonnes. Le Coréen, le prof d'éducation physique, ne la descendrait pas en flammes. Son nom serait gravé sur la grande plaque, dans le hall, pour ses extraordinaires performances sur le champ de tir.

Dans quatre semaines, elle serait un agent spécial du FBI.

Devrait-elle prendre garde toute sa vie à des types comme ce foutu Krendler ?

En présence du sénateur, il n'avait rien fait pour la défendre. Chaque fois que Clarice y pensait, cela lui faisait mal. Il n'était pas certain de trouver des preuves dans l'enveloppe. C'était scandaleux. En pensant à Krendler, elle se souvint du maire, le patron de son père, venant récupérer le mouchard, à l'hôpital.

Pis encore, Jack Crawford avait baissé dans son estime. Cet homme était soumis à une tension insupportable, d'accord. Mais il l'avait envoyée enquêter sur la voiture de Raspail, sans aucun appui, sans aucune marque d'autorité. Bien sûr, elle avait accepté d'y aller dans ces conditions-là ; c'était une chance incroyable. Mais Crawford aurait dû prévoir qu'elle aurait des ennuis quand le sénateur la verrait à Memphis ; même sans trouver ces photos de baise.

Catherine Baker Martin était dans les mêmes ténèbres que celles qui pesaient sur elle. A force de penser à son propre sort, Clarice l'avait un peu oubliée.

Des images de ces derniers jours vinrent sanctionner cette défaillance, surgissant dans l'esprit de Clarice en couleurs éclatantes, beaucoup trop vives, des couleurs affreuses, comme celles qui jaillissent des ténèbres lorsque l'orage éclate en pleine nuit.

C'était Kimberly qui la hantait maintenant. Le cadavre dodu de Kimberly, qui s'était percé les oreilles pour paraître jolie et avait économisé pour se faire épiler les jambes. Kimberly privée de chevelure. Kimberly, sa sœur. Clarice pensait que Catherine n'aurait pas autant de temps que Kimberly. Une fois dépouillées, c'étaient des sœurs. Kimberly, allongée dans un funérarium plein de gendarmes à la dégaine de cow-boys.

270

Clarice n'en pouvait plus de toutes ces images. Elle détourna son visage comme une nageuse qui essaie de respirer.

Toutes les victimes de Buffalo Bill étaient des femmes, son obsession c'étaient les femmes, il ne vivait que pour chasser la femme. Et aucune femme ne consacrait son temps à le prendre en chasse. Aucune enquêtrice n'avait étudié ses crimes en détail.

Clarice se demanda si Crawford aurait l'audace de demander son assistance technique lorsqu'il serait obligé de s'occuper du corps de Catherine. Bill allait lui faire ça demain, avait-il prédit. *Lui faire ça. Lui faire ça.*

« Merde, pas ça ! s'écria Clarice en posant le pied par terre.

— Tu es en train de dépraver un pauvre imbécile, dit Ardelia Mapp. Tu l'as fait entrer en douce pendant que je dormais et maintenant tu lui donnes tes instructions — si tu crois que je ne t'entends pas.

— Excuse-moi, Ardelia, je ne voulais pas...

— Il faut être plus explicite que ça avec eux, Clarice. C'est comme avec les journalistes, il faut leur dire *quoi, quand, où* et *comment.* Et je pense que *pourquoi* se passe d'explications une fois les choses engagées.

— T'as du linge à laver ?

— J'ai cru entendre que tu me demandais si j'avais du linge à laver.

— Oui, je pense que je vais faire une machine. Tu en as, oui ou non ?

— Juste les deux sweaters, derrière la porte.

— Bon. Ferme les yeux, j'allume une seconde. »

Ce ne furent pas les notes sur le 4e amendement qu'elle fourra sur le panier de linge et descendit dans la buanderie.

Elle prit le dossier de Buffalo Bill, une pile d'horreur et de douleur de dix centimètres d'épaisseur sous une couverture chamois, imprimée en lettres d'un rouge sanglant. Avec un tirage de son rapport sur le sphynx à tête de mort.

Elle serait obligée de le rendre demain et, si elle voulait que cet exemplaire soit complet, elle devait y inclure son texte. Une fois dans la chaleur de la buanderie, réconfortée par le halètement de la machine, elle ôta les élastiques qui maintenaient le dossier fermé. Elle étala les feuillets sur la planche où

271

l'on plie le linge et essaya d'y insérer son rapport sans regarder aucune des photos, sans penser à celles qui allaient bientôt les rejoindre. La carte était au début, tant mieux. Mais il y avait quelque chose d'écrit dessus.

L'élégante cursive du Dr Lecter barrait les grands lacs :

Clarice, est-ce que cet éparpillement au hasard *des sites ne vous paraît pas exagéré ? Est-ce que cela ne serait pas* désespérément *au hasard ? Ce hasard ne finit-il pas par laisser de côté toute considération pratique ? Cela ne vous fait pas penser aux élucubrations d'un menteur maladroit ? Merci.*

Hannibal Lecter

P.-S. *Inutile de feuilleter le reste, il n'y a rien d'autre.*

Clarice tourna tout de même les pages pendant vingt minutes pour s'assurer que c'était vrai.

Elle appela la ligne directe du taxiphone, dans le couloir, et lut le message à Burroughs. Elle se demanda s'il dormait parfois.

« Je dois vous dire, Starling, que les renseignements de Lecter n'ont pas la cote en ce moment. Est-ce que Jack vous a appelée au sujet de Billy Rubin ?

— Non. »

Elle s'appuya contre le mur et ferma les yeux, pendant qu'il lui expliquait la plaisanterie du Dr Lecter

« Je ne sais pas, conclut-il. Jack dit qu'ils continuent avec les cliniques pour transsexuels, mais y croit-il encore ? Si vous consultez l'ordinateur, si vous analysez la manière dont les entrées sont rédigées, vous verrez que tous les renseignements fournis par Lecter comportent des mots particuliers. Il ne faut tenir compte ni de ce qu'il vous a dit à Baltimore, ni de ce qu'on a recueilli à Memphis. C'est ce que souhaite le ministère de la Justice. J'ai, ici, un rapport suggérant que l'insecte trouvé dans la gorge de Klaus était, voyons, une "épave".

— Vous transmettrez tout de même ça à M. Crawford.

— Bien sûr, je vais le mettre sur son écran, mais nous ne l'appellerons pas tout de suite. Vous non plus. Bella vient de mourir.

« — Oh, fit Clarice.

— Ecoutez, côté positif, nos gars de Baltimore ont visité la cellule de Lecter. Ce garçon de salle, Barney, les a aidés. Ils ont trouvé des traces de laiton sur un boulon du lit, c'est là qu'il a dû fabriquer sa clef. Courage, ma grande. Vous sortirez de tout ça innocente comme l'agneau qui vient de naître.

— Merci, monsieur Burroughs. Bonne nuit. »

Comme l'agneau...

Le soleil allait se lever sur le dernier jour de Catherine Martin.

Qu'est-ce que le Dr Lecter avait bien pu vouloir dire ? On ignorait ce qu'il savait. La première fois qu'elle lui avait passé le dossier, elle croyait qu'il allait se délecter des photos et se servir des rapports pour étayer ce qu'il lui dirait sur Buffalo Bill.

Peut-être lui avait-il toujours menti, comme au sénateur Martin. Peut-être ne savait-il rien sur Buffalo Bill et ne le comprenait-il même pas.

Pourtant il est perspicace — il m'a joliment percée à jour. Ce n'est pas facile d'accepter que quelqu'un qui ne vous veut pas du bien puisse vous comprendre. Clarice était jeune, cela ne lui était pas arrivé souvent.

Désespérément au hasard, disait le Dr Lecter.

Clarice, Crawford et quelques autres avaient longuement regardé les points qui, sur la carte, marquaient les enlèvements et les endroits où l'on avait retrouvé les cadavres. Aux yeux de Clarice, cela ressemblait à une constellation noire dont chaque étoile portait une date ; elle savait qu'au département des Sciences du comportement on avait même tenté, sans résultat, d'y superposer les signes du Zodiaque.

Si le Dr Lecter lisait pour se distraire, pourquoi perdrait-il son temps avec la carte ? Elle l'imaginait, feuilletant le rapport, s'amusant du style de certains des rédacteurs.

Les sites des enlèvements et des abandons de cadavre ne formaient pas une structure spatiale ou temporelle significative, il n'y avait entre eux aucune relation de commodité, aucune coordination avec la date des conventions professionnelles connues, avec une recrudescence de cambriolages, de vols de linge en train de sécher ou d'autres délits liés au fétichisme

De retour dans la buanderie où le séchoir tournait, Clarice fit courir ses doigts sur la carte. L'enlèvement avait eu lieu là et on avait retrouvé le corps là. Là, le second enlèvement, et là le second cadavre. Là, le troisième et... mais ces dates ne correspondaient pas ou bien... non, le second corps avait été retrouvé le premier.

Le fait avait été noté, inaperçu, d'une écriture dont l'encre bavait, juste à côté de la localisation sur la carte. On avait trouvé en premier le corps de la seconde victime, flottant dans la Wabash River, en aval de Lafayette, Indiana, juste en dessous de la nationale 65.

La première jeune femme avait disparu de la ville de Belvedere, dans l'Ohio, près de Columbus, et son corps avait été retrouvé loin de là. La seconde avait été jetée dans la Blackwater River, Missouri, non loin de Lone Jack. On pesa le corps. Aucun des autres cadavres ne fut pesé.

Le corps de la première victime avait été lesté puis jeté à l'eau dans une région reculée. Buffalo Bill avait jeté le second en amont d'une cité où l'on devait forcément le retrouver rapidement.

Pourquoi ?

Il avait soigneusement caché son premier cadavre, le second, non.

Pourquoi ?

Que signifiait « désespérément au hasard » ?

Le premier, « premier ». Le dr Lecter avait prononcé ce mot. Dans quel contexte ?

Clarice lut les notes qu'elle avait gribouillées à bord de l'avion la ramenant de Memphis.

Le Dr Lecter disait qu'il y avait assez d'indices dans le dossier pour localiser le tueur. « La simplicité », disait-il. C'est « premier » qu'il me faut, où était « premier » ? Là... « Les principes premiers » étaient importants. « Les principes premiers », quand il avait dit ces mots, on aurait dit que ce n'était qu'une de ces foutaises prétentieuses de plus.

Que fait-il, Clarice ? Quelle est la première chose, la chose essentielle, qu'il fait ? Quel besoin assouvit-il en tuant ? Il convoite. Par quoi commence la convoitise ? Nous commençons par convoiter ce que nous voyons chaque jour.

C'était plus facile de penser aux propos du Dr Lecter quand

elle ne sentait pas ses yeux sur sa peau. C'était plus facile ici, dans le giron sécurisant de Quantico.

Si nous commençons par convoiter ce que nous voyons chaque jour, peut-être est-ce que Buffalo ne s'attendait pas à tuer, la première fois qu'il l'avait fait ? S'en était-il pris à quelqu'un de son entourage ? Est-ce pour cela qu'il avait si bien caché le premier cadavre, et si mal le second ? Avait-il enlevé la seconde loin de chez lui et jeté son cadavre là où on le trouverait rapidement parce qu'il voulait, dès le départ, faire croire que les sites des enlèvements étaient choisis au hasard ?

Quand Clarice pensait aux victimes, c'était Kimberly Emberg qui lui venait d'abord à l'esprit parce qu'elle l'avait vue morte et, en un sens, avait participé à ce qui lui était arrivé.

Voyons la première. Fredrica Bimmel, vingt-deux ans, Belvedere, Ohio. Il y avait deux portraits d'elle. Sur sa photo d'identité d'étudiante, elle avait l'air d'une grosse fille dépourvue de beauté, mais avec un joli teint et une épaisse chevelure. Sur la seconde, prise à la morgue de Kansas City, elle n'avait plus rien d'humain.

Clarice rappela Burroughs. Il avait la voix un peu rauque, mais il l'écouta.

« Alors, qu'est-ce que vous avez à me dire, Starling ?

— Il vit peut-être à Belvedere, dans l'Ohio, où habitait sa première victime. Il la voyait peut-être tous les jours et il l'a tuée sans préméditation. Peut-être qu'il voulait juste lui... offrir un Coca et parler de la Chorale. Aussi a-t-il soigneusement dissimulé le corps, et la seconde, il l'a enlevée loin de chez lui. Il n'a pas bien caché son cadavre afin qu'on le trouve en premier pour écarter les soupçons de sa ville. Vous savez combien on fait peu attention à une déclaration de disparition, on ne s'excite que lorsqu'on découvre le corps.

— Starling, les résultats sont meilleurs quand la piste est fraîche ; les témoins se souviennent et...

— C'est ce que je dis. Il le *sait*.

— Par exemple, en ce moment, on ne peut pas éternuer dans la ville natale de la dernière, Kimberly Emberg, sans que les flics rappliquent. On s'intéresse plus à elle depuis que la petite Martin a disparu. Brusquement, la police met le paquet. Bien entendu, je ne vous ai jamais dit ça.

— Est-ce que vous ferez passer ce que je viens de vous dire sur la première ville à M. Crawford?

— Bien sûr. Je vais le retransmettre à tout le monde, sur la ligne prioritaire. Je ne dis pas que c'est une mauvaise idée, Clarice, mais la ville a été passée au peigne fin dès que la femme — comment elle s'appelle déjà, Bimmel, je crois? —, dès qu'on l'a identifiée. Le bureau de Columbus y a travailllé, avec pas mal de flics du coin. Tout est dans le dossier. Je crains bien que Belvedere ou toute autre théorie du Dr Lecter n'intéresse pas grand monde ce matin.

— Tout ce qu'il y a...

— Starling, nous envoyons un don à l'Unicef, de la part de Bella. Si vous voulez, je mettrai votre nom sur la carte.

— Bien sûr. Merci, monsieur Burroughs. »

Clarice sortit le linge du séchoir. La buanderie sentait bon. Elle serra la lessive chaude contre sa poitrine.

Sa mère, les bras chargés de draps.

Aujourd'hui, c'est le dernier jour de Catherine.

La corneille noir et blanc volait du linge dans le chariot. Impossible d'être en même temps dans la chambre et dehors, en train de la chasser.

Aujourd'hui, c'est le dernier jour de Catherine.

Au lieu d'utiliser le clignotant, son père passait le bras par la portière au moment de s'engager sur l'autoroute. Quand elle jouait dans la cour, elle croyait qu'avec son grand bras, il montrait à son camion où il fallait tourner.

Lorsque Clarice prit sa décision, quelques larmes coulèrent de ses yeux et elle les essuya sur le linge chaud.

Chapitre 48

CRAWFORD sortit du funérarium et chercha des yeux la voiture avec Jeff au volant. Mais c'est Clarice Starling qu'il aperçut attendant sous l'auvent, habillée en noir, l'air réelle à la lumière du jour.

« Laissez-moi continuer », dit-elle.

Crawford venait de choisir le cercueil de sa femme et portait, dans un sac en papier, une paire de chaussures de Bella qu'il avait prise par erreur. Il lui fallait se reprendre.

« Pardonnez-moi. Je ne serais pas venue ici s'il y avait eu un autre moyen de vous joindre. Laissez-moi continuer. »

Crawford fourra les mains dans ses poches, tourna le cou jusqu'à ce que son col remonte. Ses yeux étaient brillants, peut-être dangereux. « Pourquoi ?

— Vous m'avez envoyée à Memphis pour mieux connaître Catherine Martin — laissez-moi enquêter sur les autres. Il faut trouver comment il chasse. Comment il les trouve, comment il les enlève. Je suis aussi efficace que ceux que vous utilisez, meilleure parfois. Les victimes sont des femmes et aucune femme ne travaille sur cette affaire. Quand j'entre dans la chambre d'une femme, j'en apprends trois fois plus qu'un homme à son sujet, et vous savez que c'est vrai. Laissez-moi continuer.

— Vous êtes prête à accepter un recyclage ?

— Oui.

— Cela veut dire six mois de perdus. »

Elle ne répondit pas.

Crawford tapa du pied dans une touffe d'herbe. Il leva les yeux vers elle, vers ce lointain de prairie, dans ses yeux. Elle avait du caractère, comme Bella. « Par qui voulez-vous commencer ?

— La première, Fredrica Bimmel, Belvedere, Ohio.

— Pas par Kimberly Emberg, celle que vous avez vue ?

— Il n'a pas commencé par elle. » *Citer Lecter ? Non, il verra ça sur son écran.*

« Emberg, ce serait un choix *émotionnel*, n'est-ce pas, Starling ? Le voyage vous sera remboursé. Vous avez de l'argent ? » Les banques n'ouvriraient pas avant une heure.

« J'en ai un peu sur ma carte Visa. »

Crawford fouilla dans ses poches. Il lui donna trois cents dollars en liquide et un chèque à son nom.

« Allez, Starling. La première seulement. Envoyez les résultats sur la ligne prioritaire. Appelez-moi. »

Elle leva la main vers lui. Elle ne toucha pas son visage, ni sa main — il paraissait inaccessible —, et tourna le dos et courut vers sa Pinto.

Crawford tâta ses poches en la regardant démarrer. Il lui avait donné tout l'argent qu'il avait sur lui.

« Ma petite Bella a besoin d'une paire de chaussures neuves, dit-il. Ma petite Bella n'a plus besoin de chaussures. » Il pleurait, au milieu du trottoir, à chaudes larmes, lui, un chef de département du FBI... comme un idiot.

De la voiture, Jeff vit ses joues briller et recula dans une petit rue où Crawford ne pouvait pas le voir. Il descendit. Il alluma une cigarette et tira furieusement dessus. Il pouvait offrir ça à Crawford, traîner jusqu'à ce que ses joues soient sèches, qu'il en ait marre d'attendre et puisse l'engueuler.

Chapitre 49

En ce matin du quatrième jour, M. Gumb était prêt à prélever la peau.

Il revenait de faire des courses, avec les dernières choses dont il avait besoin, et se retint de courir en descendant l'escalier du sous-sol. Dans le studio, il vida ses sacs : du nouvel extra-fort pour tenir les coutures, des morceaux de Lycra élastique pour mettre sous les pochettes, un paquet de gros sel. Il n'avait rien oublié.

Dans l'atelier, il étala ses couteaux sur une serviette propre, à côté du grand évier. Il y en avait quatre : un couteau à écorcher ensellé, un délicat couteau de veneur qui suivait parfaitement la courbe de l'index dans les endroits difficiles à atteindre, un scalpel pour le travail le plus minutieux et une baïonnette de la Première Guerre mondiale. Le bord arrondi d'une baïonnette, c'est le meilleur outil pour écharner une peau sans la déchirer.

De plus, il avait une scie d'autopsie Strycker dont il ne se servait jamais et qu'il regrettait d'avoir achetée.

Il graissa le crâne d'une forme à perruque, versa du gros sel dessus et déposa le tout sur un égouttoir peu profond. Par espièglerie, il tordit le nez du porte-perruque et lui envoya un baiser.

C'était difficile de se comporter en adulte responsable — il aurait voulu sauter de-ci de-là comme Danny Kaye. Il rit et éloigna un papillon de son visage en soufflant gentiment dessus.

Il était temps de mettre les pompes d'aquarium en route dans les réservoirs dont il avait renouvelé la solution. Oh, y avait-il une belle chrysalide, enterrée dans l'humus de la cage ? Il tâta du doigt. Oui, c'en était bien une.

Maintenant, le pistolet.

La manière de tuer celle-là avait tourmenté M. Gumb pendant des jours. Pas question de la pendre à cause des marbrures au niveau des pectoraux ; et puis, il ne voulait pas courir le risque que le nœud abîme la peau derrière l'oreille.

M. Gumb avait tiré des leçons, parfois douloureuses, de ses tentatives précédentes. Il voulait à tout prix éviter certains des cauchemars qu'il avait dû endurer. Il y avait un principe capital : même affaiblies par la faim ou la peur, elles se débattaient toujours quand elles apercevaient les instruments.

Dans le passé, il avait pourchassé des jeunes femmes dans le sous-sol, toutes lumières éteintes, en se servant de ses lunettes et de sa lampe à infrarouges, et c'était merveilleux de les voir tâter les murs, s'écraser dans les coins. Il aimait ça, les poursuivre avec le pistolet. Il aimait ça, tirer. Elles finissaient toujours par perdre le sens de l'orientation, puis l'équilibre, et butaient contre les obstacles. Il restait immobile dans les ténèbres jusqu'à ce qu'elles ôtent les mains de leur visage, et il tirait alors une balle, dans la tête. Ou dans les jambes d'abord, sous le genou, pour qu'elles puissent encore ramper.

Mais c'était enfantin, et un vrai gâchis. Après, on ne pouvait plus s'en servir ; il ne le faisait plus.

Dans son projet en cours, il avait proposé aux trois premières de monter prendre une douche avant de les faire tomber du haut des marches, avec un nœud coulant autour du cou — pas de problème. Mais la quatrième, un désastre. Il avait dû se servir du pistolet dans la salle de bains ; il lui avait fallu plus d'une heure pour tout nettoyer. Il revit la fille, mouillée, avec la chair de poule, et son frisson en l'entendant armer le pistolet. Il aimait bien armer, *clic-clic,* un grand *boum !* et finis les cris.

Il aimait son pistolet, et il avait raison car c'était une très belle pièce, un Colt Python en acier inoxydable avec un canon de quinze centimètres. Il l'arma et appuya sur la détente, rattrapant le chien du pouce. Il chargea le Python et le posa sur le comptoir de l'atelier.

M. Gumb aurait bien voulu proposer un shampooing à celle-ci et la regarder se peigner. Cela lui aurait appris beaucoup de choses dont il aurait besoin plus tard. Mais elle était grande et ne devait pas manquer de force. C'était un spécimen trop rare pour courir le risque de gâcher la peau avec une balle mal placée.

Non, il allait apporter le treuil, lui proposer un bain, et quand elle se serait attachée dans les sangles, il la hisserait à mi-hauteur du puits et il lui tirerait plusieurs coups dans le bas des reins. Quand elle aurait perdu connaissance, il ferait le reste sous chloroforme.

Voilà. Il allait remonter et changer de vêtements. Réveiller Précieuse et regarder le film avec elle, puis il descendrait accomplir sa tâche, tout nu dans le sous-sol bien chauffé, nu comme au jour de sa naissance.

Il éprouva un léger vertige en gravissant l'escalier. Rapidement, il se déshabilla et enfila sa robe de chambre. Puis il introduisit la cassette.

« Précieuse, viens, ma Précieuse. On a beaucoup de choses à faire. Viens, amour de mon cœur. » Il faudrait l'enfermer dans la chambre pendant tout ce boucan dans la cave — elle détestait le bruit, ça la rendait malade. Pour l'occuper pendant qu'il faisait ses courses, il lui avait ouvert une boîte de Canigou.

« Précieuse. » Comme elle n'arrivait pas, il l'appela dans l'entrée, « Précieuse ! », puis dans la cuisine, enfin dans la cave, « Précieuse ! ». Quand il l'appela à la porte de l'oubliette, il obtint enfin une réponse :

« Elle est ici, espèce de fumier », dit Catherine Martin.

M. Gumb se sentit défaillir de crainte pour sa Précieuse. Puis la colère lui rendit des forces et, les poings sur les tempes, il appuya le front contre le montant de la porte et essaya de se maîtriser. Un son, mi-gémissement, mi-haut-le-cœur, s'échappa de ses lèvres et la petite chienne y répondit par un glapissement.

Il entra dans l'atelier et prit son pistolet.

La ficelle du seau hygiénique était cassée. Il ne comprenait pas comment elle avait fait. La dernière fois que c'était arrivé, il avait cru qu'elle l'avait cassée en essayant, bêtement, d'y grimper. D'autres l'avaient tenté — elles avaient fait toutes les idioties imaginables.

Il se pencha au-dessus de l'ouverture et dit, d'une voix soigneusement contrôlée :

« Précieuse, comment ça va ? Réponds-moi. »

Catherine pinça l'arrière-train dodu de la chienne. Elle hurla et se vengea en lui mordillant le bras.

« Ça vous convient, comme réponse ? » dit Catherine.

C'était vraiment anormal pour M. Gumb de lui parler comme ça, mais il surmonta sa répugnance.

« Je vais descendre un panier. Vous la mettrez dedans.

— Vous allez descendre un téléphone, ou je lui tords le cou. Je n'en ai pas envie, je n'ai pas envie de faire du mal à ce petit chien. Alors, envoyez-moi un téléphone. »

M. Gumb leva son arme. Catherine vit le canon briller dans la lumière. Elle s'accroupit, brandit le chien au-dessus d'elle en le faisant aller et venir entre le pistolet et elle. Elle entendit le déclic.

« Espèce d'enfoiré ! Si vous tirez, vous avez intérêt à ne pas me rater ou je lui brise la nuque. Je vous le jure. »

Elle mit la chienne sous son bras, l'empoigna par le museau et lui leva la tête. « Reculez, fils de pute. » Le caniche poussa un long gémissement. Le pistolet disparut.

De sa main libre, Catherine écarta ses cheveux de son front mouillé de sueur. « Je ne voulais pas vous insulter. Passez-moi un téléphone. Je veux un téléphone en état de marche. Vous pouvez partir, je m'en moque, je ne vous ai jamais vu. Je prendrai soin de Précieuse.

— Ça non.

— Je veillerai à ce qu'elle ne manque de rien. Pensez à elle, pas seulement à vous. Si vous tirez dans le puits, de toute façon elle deviendra sourde. Tout ce que je veux, c'est un téléphone en état de marche. Trouvez une rallonge, mettez-en cinq ou six bout à bout — elles ont toutes des connexions aux deux extrémités — et faites-le descendre. Je vous enverrai le chien par avion n'importe où. Il y a des chiens dans ma famille. Ma mère adore les chiens. Vous pouvez vous enfuir, je m'en moque.

— Vous n'aurez plus d'eau. Pas une goutte d'eau.

— Elle non plus et je ne lui donnerai pas celle qui reste dans ma bouteille. Je suis désolée de vous le dire, mais je crois qu'elle a une patte cassée. » C'était un mensonge — la petite chienne était tombée avec le seau sur Catherine, et c'était elle qui avait une joue égratignée par les griffes de l'animal. Elle ne pouvait pas la poser, ou il aurait vu qu'elle ne boîtait pas. « Elle souffre.

Sa patte est tordue et elle essaie de la lécher. Ça me rend malade de voir ça. » Catherine mentait. « Faudra que je l'emmène chez le vétérinaire. »

Le gémissement d'angoisse et de rage de M. Gumb fit pleurer la petite chienne. « Vous dites qu'elle souffre, dit M. Gumb. Mais vous ne savez pas ce que c'est que de souffrir. Faites-lui mal, et je vous ébouillanterai. »

Quand elle l'entendit remonter l'escalier d'un pas lourd, Catherine Martin s'assit, les bras et les jambes agités de tremblements convulsifs. Elle ne pouvait plus porter le chien, elle ne pouvait plus se retenir d'uriner, elle n'avait plus de force.

Quand la petite chienne grimpa sur ses genoux, elle la caressa, réconfortée par sa chaleur.

Chapitre 50

DES plumes flottaient sur l'eau brune et lente, des plumes
frisées apportées du pigeonnier par les bouffées de vent
qui faisaient frissonner la peau de la rivière.

Les agents immobiliers prétendaient, sur leurs panneaux
délavés, que les maisons de Fell Street, la rue de Fredrica
Bimmel, étaient sur les quais ; tout cela parce que leurs arrière-
cours donnaient sur l'eau stagnante, marécageuse, de la
Lucking River à Belvedere, Ohio, ville de cent douze mille
habitants, à l'est de Columbus.

C'était un quartier miteux. Certaines de ces grandes et
vieilles maisons avaient été rachetées, pas cher, par de jeunes
couples, et rénovées à grand renfort de peinture laquée, ce qui
rendait les autres encore plus minables. La maison des Bimmel
n'avait pas été remise à neuf.

Clarice resta un moment dans l'arrière-cour de Fredrica, les
mains enfoncées dans les poches de son imperméable, à
regarder les plumes sur l'eau. Il y avait un reste de vieille neige
parmi les roseaux, bleue sous le ciel bleu de cette douce journée
d'hiver.

Clarice entendait, derrière elle, le père de Fredrica clouer des
planches dans l'élevage de pigeons, l'Orvieto des pigeonniers,
qui se dressait au bord de l'eau tout contre la maison. Elle
n'avait pas encore vu M. Bimmel. Les voisins, le visage fermé,
avaient déclaré qu'il était là.

Clarice se faisait du souci pour elle-même. Cette nuit,
lorsqu'elle avait pris la décision de lâcher l'Ecole pour traquer
Buffalo Bill, pas mal de bruits étrangers à la situation s'étaient
tus. Soudain, un silence pur occupait le centre de son esprit, un

certain calme. Mais ailleurs, à la périphérie, des éclairs de conscience lui rappelaient qu'elle était une idiote en train de manquer les cours.

Les petites contrariétés de la matinée ne l'avaient pas touchée — ni l'infecte odeur de gymnase de l'avion qui l'emmenait à Columbus, ni la confusion et l'incompétence qui régnaient dans l'agence de location de voitures. Elle avait tapoté sèchement sur le comptoir pour que l'employé s'active un peu, mais sans aucune émotion.

Clarice payait cher le temps passé ici et voulait l'utiliser au mieux. A tout moment, les autres pouvaient l'emporter sur Crawford et lui enlever la carte du FBI qui justifiait son enquête.

Il lui fallait se hâter, mais ne pas penser pourquoi ; s'appesantir sur la terrible situation de Catherine ne ferait que gâcher toute sa journée. Penser à elle en temps réel, s'imaginer qu'elle subissait, en ce moment même, ce qui était arrivé à Kimberly Emberg et à Fredrica Bimmel, cela brouillerait sa capacité de réfléchir.

La brise tomba, l'eau stagnait comme la mort. Près de ses pieds, une plume frisée tourna sous l'effet de la tension superficielle. Tiens bon, Catherine.

Clarice se mordit la lèvre. S'il avait utilisé son revolver, elle espérait qu'il l'avait tuée du premier coup.

Apprends-nous l'amour et le détachement.

Apprends-nous à être en repos.

Elle se retourna et s'engagea, entre les piles de cages de guingois, dans le chemin de planches posées sur la boue, en direction des coups de marteau. Il y avait des centaines de pigeons de tailles et de couleurs différentes ; des grands aux pattes cagneuses et d'autres au gros jabot avantageux. Ils marchaient de long en large, les yeux brillants, avec des mouvements saccadés de la tête, ou étendaient leurs ailes dans le soleil pâle et roucoulaient doucement sur son passage.

Le père de Fredrica, Gustav Bimmel, était un grand homme terne aux hanches larges et aux yeux bleus larmoyants bordés de rouge. Un bonnet tricoté lui descendait jusqu'aux sourcils. Il fabriquait une cage, sur un chevalet de scieur de long, devant sa cabane à outils. Lorsqu'il se pencha sur sa carte du FBI, Clarice sentit, dans son haleine, l'odeur de la vodka.

« Je n'ai rien d'autre à dire. Les policiers sont revenus avant-hier soir. Ils m'ont fait répéter ma déposition. Me l'ont relue. " C'est vrai ça ? Et ça, c'est vrai ? " Je leur ai dit : oui, bon Dieu de merde, si c'était pas vrai je vous l'aurais pas dit la première fois.

— Monsieur Bimmel, j'essaie de me faire une idée de l'endroit où le... où le kidnappeur aurait pu voir Fredrica. Où il aurait pu la remarquer et décider de l'enlever.

— Elle était allée à Columbus en car pour un boulot dans un magasin. La police dit qu'elle a vu le patron. Elle n'est jamais rentrée. On sait pas ce qu'elle a fait d'autre. Le FBI a vérifié les reçus de sa carte de crédit, mais il y en avait pas de ce jour-là. Vous savez tout ça, non ?

— Pour la carte de crédit, oui, je suis au courant. Dites-moi, monsieur Bimmel, vous avez gardé les affaires de Fredrica, où sont-elles ?

— Sa chambre est au dernier étage.

— Puis-je la voir ? »

Il lui fallut un moment pour décider de l'endroit où il allait poser son marteau. « Bon, dit-il, venez. »

Chapitre 51

L E bureau de Jack Crawford, au quartier général du FBI, à Washington, avait des murs d'un gris accablant, mais de grandes fenêtres.

Debout près de celles-ci, il essayait de déchiffrer une liste sortie sur cette saloperie d'imprimante matricielle qu'il leur avait dit de mettre à la poubelle.

Il était venu directement du funérarium et avait travaillé toute la matinée, titillant les Norvégiens pour qu'ils se dépêchent de lui envoyer la carte dentaire du marin disparu nommé Klaus, tannant San Diego pour qu'on interroge ceux qui avaient connu Benjamin Raspail au conservatoire où il enseignait et secouant les Douanes qui étaient censées vérifier la liste des importations illicites d'insectes vivants.

Cinq minutes après son arrivée, John Golby, le directeur adjoint du FBI, qui dirigeait le nouveau détachement spécial interservices, passa la tête à la porte. « Nous pensons tous à vous, Jack. Merci d'être venu. La date du service a été fixée ?

— La veillée aura lieu demain soir. Le service, dimanche à onze heures. »

Golby hocha la tête. « Nous faisons un don collectif à l'Unicef. Vous voulez qu'on mette Phyllis ou Bella ?

— Bella, John. Mettez Bella.

— Je peux faire quelque chose pour vous, Jack ? »

Crawford secoua négativement la tête. « Je travaille. Je n'ai plus que le travail, maintenant.

— Bon », dit Golby. Il laissa, par décence, passer quelques secondes de silence. « Fredrick Chilton demande à bénéficier de la protection de la police fédérale.

— Formidable. John, est-ce que quelqu'un, à Baltimore, est allé voir Everett Yow, l'homme de loi de Raspail ? Je vous en ai parlé. Il sait peut-être quelque chose sur les amis de Raspail.

— Oui, ils s'en occupent ce matin. Je viens d'envoyer une note là-dessus à Burroughs. Le directeur a mis Lecter sur la liste de ceux à rechercher en priorité. Jack, si vous avez besoin de quoi que ce soit... » Golby leva les sourcils et la main, puis disparut.

Si vous avez besoin de quoi que ce soit.

Crawford se tourna vers les fenêtres. Il disposait d'une belle vue sur le bâtiment ancien du ministère des Postes où il avait accompli un stage. A gauche, l'ancien quartier général du FBI ; le jour de la remise des diplômes, il avait défilé avec les autres dans le bureau de J. Edgar Hoover qui, debout sur une boîte, leur serrait la main, à tour de rôle. C'était la seule fois où il l'avait vu. Le lendemain, il épousait Bella.

Ils s'étaient connus à Livourne, en Italie. Il faisait son service militaire, elle travaillait à l'OTAN et s'appelait Phyllis, à l'époque. Un jour où ils se promenaient sur les quais, un marinier avait crié « Bella ! », de l'autre côté de l'eau scintillante et, depuis lors, elle avait toujours été Bella pour lui. Il ne l'appelait Phyllis que lorsqu'ils n'étaient pas d'accord.

Bella était morte. Cela aurait dû changer la vue qu'on avait de ses fenêtres. Ce n'était pas juste qu'elle reste la même. Merde, il a fallu qu'elle *meure* avant moi. Seigneur, ma gosse. Je savais que ça allait arriver, mais ça fait *mal*.

Qu'est-ce qu'on dit à propos de la retraite obligatoire à cinquante-cinq ans ? On tombe amoureux de l'Agence, mais elle ne tombe pas amoureuse de vous. Il en avait été témoin.

Dieu merci, Bella lui avait évité cela. Il espérait qu'elle était quelque part et qu'enfin elle se sentait bien. Il espérait qu'elle pouvait lire dans son cœur.

Le téléphone bourdonna ; c'était un appel du standard.

« Monsieur Crawford, un certain Dr Danielson de...

— Merci. » Il attendit le déclic. « Jack Crawford à l'appareil.

— Cette ligne est sûre, monsieur Crawford ?

— Oui. De mon côté, en tout cas.

— Vous n'êtes pas en train d'enregistrer cette communication, hein ?

— Non, docteur Danielson. Parlez sans crainte.

— Je tiens à préciser que ceci ne concerne pas un des patients de Johns-Hopkins.

— Compris.

— Si vous en tirez quelque chose, je veux que vous précisiez bien, auprès du public, que ce n'est pas un transsexuel, qu'il n'a rien à faire avec notre institution.

— Promis. Vous avez ma parole. Je suis formel. » *Tu vas parler, sale constipé.* Crawford lui aurait promis la lune.

« Il a fait tomber le Dr Purvis.

— Qui ?

— Il a demandé à être opéré, il y a trois ans, sous le nom de John Grant, d'Harrisburg, Pennsylvanie.

— Description.

— Mâle, Blanc, trente et un ans. Un mètre quatre-vingts, quatre-vingt-six kilos. Il s'est présenté pour les tests. Très bon résultat à l'échelle de Wechsler-Bellevue — sujet brillant ; mais les tests psychologiques et les entretiens, c'était une autre histoire. En fait, son personne-arbre-maison et son TAT collent avec la feuille que vous m'avez donnée. Vous m'avez laissé croire qu'Alan Bloom était l'auteur de cette petite théorie, mais c'était Hannibal Lecter, n'est-ce pas ?

— Continuez à me parler de ce Grant, docteur.

— La commission l'aurait rejeté de toute façon, mais lorsque nous nous sommes réunis pour en discuter, la question était déjà réglée à cause de son passé.

— Quel passé ?

— Nous appelons toujours la police de la ville d'où vient le candidat. Celle d'Harrisburg le recherchait pour deux agressions contre des homosexuels. Le dernier avait failli mourir. Son adresse n'était qu'une pension de famille où il séjournait parfois. La police y a trouvé ses empreintes ainsi qu'une facture d'essence avec le numéro d'immatriculation de sa voiture. Il ne s'appelait pas du tout John Grant. Une semaine après, il a attendu le Dr Purvis à la sortie et il l'a fait tomber, de dépit.

— Comment s'appelait-il ?

— Je ferais mieux de vous l'épeler : J-A-M-E G-U-M-B. »

Chapitre 52

L A maison de deux étages était lugubre, avec un toit en bardeaux d'asphalte, tachés de rouille aux endroits où les gouttières avaient débordé. Des érables, poussant spontanément dans les gouttières, semblaient avoir très bien résisté à l'hiver. Du côté nord, les fenêtres étaient couvertes de morceaux de plastique.

Dans le petit salon, surchauffé par un radiateur, une femme d'une quarantaine d'années, assise sur le tapis, jouait avec un bébé.

« Ma femme, dit Bimmel pendant qu'ils traversaient la pièce. Nous nous sommes mariés à Noël.

— Bonjour », dit Clarice. La femme sourit vaguement dans sa direction.

De nouveau un couloir glacial ; partout des caisses, empilées presque à hauteur d'homme, entre lesquelles on avait pratiqué des passages, remplissaient les pièces — des caisses en carton pleines d'abat-jour et de couvercles de bocaux, de paniers d'osier, d'anciens numéros du *Reader's Digest* et du *National Geographic,* de vieilles raquettes de tennis, de draps de lit, de cibles avec leurs fléchettes, de housses de sièges de voiture dans un plaid des années cinquante sentant le pipi de souris.

« Nous allons bientôt déménager », dit M. Bimmel.

Près des fenêtres, les cartons étaient décolorés par le soleil ; les boîtes, empilées depuis des années, étaient devenues ventrues avec l'âge ; dans les passages qui traversaient les pièces, les petits tapis disposés au hasard étaient usés jusqu'à la trame.

La lumière du soleil pommelait la rampe de l'escalier que Clarice gravit derrière le père de Fredrica dont les vêtements sentaient le rance, dans l'air frais. Elle voyait les rayons du soleil traverser le plafond affaissé, en haut des marches. Les cartons rangés sur le palier étaient recouverts de plastique.

La chambre de Fredrica, mansardée, était toute petite.

« Vous avez encore besoin de moi ?

— J'aimerais bien vous parler, après. Et la mère de Fredrica ? » Le dossier disait « décédée », mais pas quand.

« Quoi, la mère de Fredrica ? Elle est morte quand la petite avait douze ans.

— Je vois.

— Vous pensiez que c'était la mère de Fredrica qui était en bas ? Alors que je venais de vous dire qu'on était mariés depuis Noël ? C'est ce que vous pensiez ? Je suppose que la police a l'habitude de voir de drôles de gens. Elle n'a pas connu Fredrica.

— Est-ce que la chambre est restée comme elle était, monsieur Bimmel ? »

La colère s'enlisa quelque part en lui.

« Ouais, dit-il d'une voix douce. On a touché à rien. Y a pas grand monde qui pourrait porter ses affaires. Branchez le radiateur si vous voulez. N'oubliez pas de le débrancher avant de descendre. »

Il n'avait pas envie de voir la chambre. Il la quitta sur le palier.

Clarice resta un moment la main sur la froide poignée en porcelaine. Elle avait besoin de mettre un peu d'ordre dans sa tête avant de la remplir des affaires de Fredrica.

Bon, les prémisses, c'est que Buffalo Bill a commencé par Fredrica. Il l'a lestée et jetée dans une rivière loin de chez lui. Il l'a mieux cachée que les autres — c'est la seule qu'il ait lestée — parce qu'il voulait que l'on trouve d'abord les autres. Il voulait imposer l'idée qu'il choisissait ses victimes au hasard, dans des villes éloignées les unes des autres, avant que l'on trouve Fredrica, de Belvedere. Il fallait détourner l'attention de Belvedere. Parce qu'il y vit, ou bien à Columbus.

Il a commencé par Fredrica parce qu'il convoitait sa peau. On ne commence pas par convoiter des choses imaginaires. La convoitise est un péché prosaïque — on commence par convoiter des choses tangibles, des choses que l'on voit tous les jours. Il voyait Fredrica dans le cadre de sa vie quotidienne.

Quelle était la vie quotidienne de Fredrica ? Allons-y...

Clarice ouvrit la porte. La chambre silencieuse sentait l'humidité. Sur le mur, le calendrier de l'année dernière était encore au mois d'avril. Cela faisait dix mois que Fredrica était morte.

Dans un coin, il y avait de la nourriture pour chat, dure et noircie, dans une soucoupe.

Clarice, décoratrice chevronnée habituée aux brocantes, resta au centre de la pièce et regarda lentement autour d'elle. Fredrica s'était bien débrouillée avec les moyens du bord. Des rideaux de chintz à fleurs ; à en juger d'après les bords passepoilés, elle avait utilisé d'anciennes housses.

Il y avait un tableau d'affichage avec un gros nœud épinglé dessus. Un poster de Madonna en scène, un autre de Deborah Harry et Blondie. Sur une planche au-dessus du bureau, Clarice vit un rouleau du papier auto-adhésif aux couleurs lumineuses dont Fredrica s'était servie pour tapisser les murs. Pas un travail de professionnel, mais c'est mieux que mes premières tentatives, pensa Clarice.

Dans un autre contexte, la chambre de Fredrica aurait été riante. Mais, dans cette lugubre maison, son côté pimpant grinçait ; il y avait du désespoir dans cette gaieté.

Pas de photo de Fredrica dans la pièce.

Clarice en trouva une dans l'annuaire de l'école, sur l'étagère de la petite bibliothèque. Chant choral, club d'économie domestique, club de couture, orchestre, club rural — peut-être que pour ce dernier, elle avait fait son mémoire sur les pigeons.

Dans l'album de photos de Fredrica, il y avait des dédicaces. « A ma grande copine », et « A une fille super », et « En souvenir du cours de chimie », et « Tu te rappelles de notre vente de gâteaux ?!! ».

Est-ce que Fredrica amenait ses amies ici ? Avait-elle une assez bonne amie pour lui faire monter ces escaliers, sous le toit qui fuyait ? Il y avait un parapluie près de la porte.

Sur cette photo, on voit Fredrica au premier rang de l'orchestre. Elle est grosse et large d'épaules, mais son uniforme lui va mieux qu'aux autres ; elle a une belle peau. Ses traits irréguliers se combinent pour former un visage agréable, mais pas joli, selon les critères habituels.

Kimberly Emberg non plus n'était pas ce qu'on appellerait une fille séduisante, pas pour les gobe-mouches sans cervelle du collège ; et les deux ou trois autres victimes non plus.

Catherine Martin, par contre, est une grande et belle jeune femme qui devrait seulement veiller à son poids quand elle arrivera à la trentaine.

Souviens-toi qu'il ne porte pas sur les femmes le même regard que les autres hommes. La beauté ne l'intéresse pas. Il faut juste qu'elles soient jeunes et plantureuses.

Clarice se demanda si pour lui les femmes étaient des « peaux », comme pour certains crétins ce sont des « cons ».

Tout en regardant les photos, elle prit conscience de son propre corps, de l'espace qu'il remplissait, de sa silhouette et de sa figure, de l'effet qu'ils produisaient, du pouvoir qu'ils avaient, de ses seins, de son ventre dur, de ses longues jambes. Est-ce que sa propre expérience pouvait l'aider à comprendre Fredrica ?

Clarice se vit dans le miroir en pied, sur le mur du fond, et fut contente de ne pas lui ressembler. Mais elle savait que cette différence agissait comme un moule par rapport à son mode de pensée. Est-ce que cela pouvait l'empêcher de comprendre Fredrica ?

Quelle apparence Fredrica voulait-elle se donner ? Quels étaient ses appétits et où cherchait-elle à les assouvir ? Qu'essayait-elle de changer en elle ?

Il y avait là deux ou trois programmes de régime alimentaire, la cure de jus de fruits, la cure de riz, et une théorie cinglée selon laquelle il ne fallait pas manger *et* boire au même repas.

Des clubs de diététique... dont Buffalo Bill guettait les membres pour trouver de grandes filles ? Difficile à vérifier. Clarice avait appris dans le dossier que deux des victimes appartenaient à de tels groupes et qu'on avait comparé les listes des membres. Un agent du bureau de Kansas City, le traditionnel Bureau des Gros du FBI, et quelques policiers corpulents s'étaient glissés dans les clubs de diététique des villes où habitaient les victimes. Elle ignorait si Catherine Martin s'était inscrite à une activité de ce genre. Fredrica ne pouvait sans doute pas se payer ce luxe.

Il y avait aussi plusieurs numéros de *Big Beautiful Girl,* le magazine des femmes fortes. Qui lui conseillait de « venir à New York où vous pourrez rencontrer des nouveaux venus originaires de pays où votre embonpoint constitue un avantage fort prisé ». Bon. Autre possibilité, « faites un voyage en Italie ou en Allemagne où vous ne resterez pas seule plus de vingt-quatre heures ». Chiche. Il ne manquait plus à Fredrica que de rencontrer Buffalo Bill pour lequel son embonpoint était un « avantage fort prisé ».

Comment Fredrica essayait-elle de s'en sortir ? Elle avait du maquillage, beaucoup de crèmes et de lotions pour la peau. C'est bon ça, *sers-toi* de cet atout. Clarice se surprit en train d'encourager Fredrica, comme s'il n'était pas trop tard.

Elle avait des bijoux de pacotille dans une boîte à cigarettes. Une broche en doublé or qui avait dû appartenir à sa mère. Elle avait essayé de couper les doigts de vieux gants en dentelle, pour imiter Madonna, mais ils s'étaient effilochés ; c'était de la dentelle faite à la machine.

Elle avait un tourne-disques Decca des années cinquante avec un canif attaché au bras par un élastique pour lui donner plus de poids. Des disques d'occasion. Des mélodies d'amour par Zamfir, le maître de la flûte de Pan.

Quand elle tira le cordon pour éclairer la penderie, Clarice fut surprise par la garde-robe de Fredrica. Elle avait de beaux vêtements, peu, mais assez élégants pour se sentir à sa place dans un bureau un peu prétentieux ou même une boutique de mode. En regardant de plus près, Clarice vit pourquoi. Fredrica les faisait elle-même, et très bien, les ourlets étaient dissimulés par un extra-fort, les revers soigneusement ajustés. Des patrons s'empilaient sur une étagère, au fond du placard. La plupart étaient du niveau « facile à exécuter », mais il y avait deux ou trois Vogue d'un haut niveau.

Elle avait dû mettre ce qu'elle avait de mieux pour l'entretien d'embauche. Que portait-elle ? Clarice feuilleta le dossier. Voilà : « A été vue pour la dernière fois avec une toilette verte. » Allons, monsieur l'agent, qu'est-ce que ça veut dire « une toilette verte » ?

Le talon d'Achille de la garde-robe de Fredrica, c'était les chaussures — elle en avait peu — et avec son poids, elle les déformait vite. Ses mocassins étaient devenus ovales. Elle portait des semelles déodorantes dans ses espadrilles. Les œillets de ses chaussures de course étaient tout déformés.

Fredrica faisait peut-être un peu de sport — elle possédait des combinaisons de jogging gigantesques. De la marque Junon.

Catherine Martin aussi avait des pantalons Junon.

Clarice s'assit au pied du lit, les bras croisés, et regarda fixement le placard éclairé.

Junon était une marque répandue, vendue dans beaucoup de magasins spécialisés dans les grandes tailles. Toute ville d'importance moyenne avait au moins une boutique de mode pour personnes fortes.

Est-ce que Buffalo Bill y faisait le guet, choisissait une cliente et la suivait ?

Etait-il venu en travesti ? Toutes les boutiques pour femmes fortes étaient aussi fréquentées par des travestis et des homos habillés en femmes.

L'idée que Buffalo Bill essayait de changer de sexe n'avait été que très récemment exploitée par l'enquête, depuis que le Dr Lecter avait confié sa théorie à Clarice. Comment s'habillait-il ?

Toutes ses victimes devaient se fournir dans les boutiques pour femmes fortes — Catherine Martin pouvait porter du quarante-quatre, mais pas les autres, et Catherine avait dû acheter ses grands sweaters Junon dans ce genre de magasin.

Catherine Martin pouvait porter du quarante-quatre. C'était la plus mince des victimes. Fredrica, la première, était aussi la plus grosse. Comment allait-il faire avec Catherine Martin ? Catherine avait une poitrine opulente, mais elle n'était pas si grosse que ça. Buffalo Bill avait-il maigri ? Il s'était peut-être, récemment, inscrit à un club de diététique ? Kimberly Emberg était, en quelque sorte, entre les deux, forte mais avec une taille relativement fine...

Clarice avait volontairement évité de penser à Kimberly Emberg, mais son souvenir l'envahit durant une seconde. Elle la vit sur la table de dissection, à Potter. Buffalo Bill ne s'était pas occupé de ses jambes épilées, de ses ongles soigneusement vernis ; il avait regardé sa poitrine plate et, dégoûté, avait pris son pistolet et tiré dedans.

La porte de la chambre s'entrouvrit. Clarice sentit les

battements de son cœur s'accélérer. Un chat entra, une grande chatte écaille avec un œil doré, l'autre bleu. Elle sauta sur le lit et se frotta contre elle. Fredrica lui manquait.

La solitude. De grosses filles solitaires essayant de satisfaire les goûts de quelqu'un.

Dès le début, la police avait éliminé les clubs de rencontres. Buffalo avait-il trouvé un autre moyen de tirer profit de la solitude ? Rien ne nous rend plus vulnérable que la solitude, sauf l'avidité.

La solitude avait peut-être permis à Buffalo d'aborder Fredrica, mais pas Catherine. Catherine n'était pas solitaire.

Kimberly était solitaire. *Ne recommence pas.* Kimberly, soumise et molle, au-delà de la *rigor mortis,* retournée sur la table de dissection pour que Clarice puisse prendre ses empreintes. *Arrête. Je ne peux pas m'arrêter.* Kimberly, solitaire, avide de plaire, s'était-elle docilement laissé retourner par quelqu'un, juste pour entendre un cœur battre contre son dos ? Elle se demanda si Kimberly avait senti des moustaches se frotter contre ses omoplates.

Clarice, éclairée par la lumière de la penderie, évoqua le dos grassouillet de Kimberly, les triangles de peau qui manquaient sur ses épaules.

Clarice, éclairée par la lumière de la penderie, vit les triangles, dessinés à grands traits bleus sur les épaules de Kimberly, comme sur un patron de tailleur. Elle tourna et retourna l'idée dans sa tête, jusqu'à ce qu'elle puisse la préciser, avec une joie féroce : C'ÉTAIT POUR EN FAIRE DES SOUFFLETS — IL A PRIS CES TRIANGLES POUR FAIRE DES SOUFFLETS AFIN D'ÉLARGIR LA PEAU À LA TAILLE. CE FUMIER SAIT COUDRE ; BUFFALO BILL A APPRIS LA COUTURE — IL NE SE CONTENTE PAS DU PRÊT-À-PORTER.

Qu'est-ce qu'a dit Lecter ? « Il se fait un habit de fille avec de vraies filles. » Que m'a-t-il demandé ? « Vous savez coudre, Clarice ? » Et comment que je sais.

Clarice renversa la tête en arrière et ferma les yeux un instant. Résoudre un problème, c'est comme la chasse, un plaisir de sauvage, et nous avons cela dans le sang.

Elle avait aperçu un téléphone, dans le salon. Elle descendait déjà l'escalier lorsque la voix flûtée de Mme Bimmel l'appela : on la demandait au téléphone.

Chapitre 53

MME BIMMEL tendit le combiné à Clarice et prit dans ses bras l'enfant qui pleurait. Elle resta dans le salon.

« Clarice Starling à l'appareil.

— Jerry Burroughs, je...

— Ecoutez, Jerry, je pense que Buffalo Bill sait coudre. Il a découpé les triangles... un instant, je vous prie. Madame Bimmel, je vous demanderais de bien vouloir emmener le bébé dans la cuisine. J'entends mal avec ce bruit. Merci... Jerry, il sait coudre. Il a découpé...

— Starling...

— Il a découpé ces triangles de peau sur Kimberly Emberg pour faire des soufflets, des soufflets de tailleur, vous comprenez de quoi je parle? Il est très fort, il a appris le métier. Les services d'identification devraient chercher parmi les délinquants tailleurs, voiliers, marchands de nouveautés, tapissiers... parmi ceux qui travaillent pour les grandes marques...

— Oui, oui, je vais le faire. Maintenant, écoutez-moi — je peux être obligé de raccrocher d'un moment à l'autre. Jack m'a demandé de vous mettre au courant. Nous avons un nom et une adresse qui semblent prometteurs. La Brigade anti-terroriste s'est envolée d'Andrews. Jack leur transmet ses ordres par la ligne codée.

— Ils vont où?

— Calumet City, près de Chicago. Il se prénomme Jame, sans s; son nom c'est Gumb, pseudonyme John Grant, blanc, trente-quatre ans, quatre-vingt-cinq kilos, châtain, yeux bleus. Jack a eu un appel de Johns-Hopkins. Votre truc — le profil montrant en quoi il différait des transsexuels — a fait tilt à

Johns-Hopkins. Ce type a demandé à changer de sexe il y a trois ans. Il a malmené un médecin parce qu'on lui avait refusé l'opération. A l'hôpital, on n'avait que ce pseudo et une adresse provisoire à Harrisburg, en Pennsylvanie. Les flics ont trouvé là une facture d'essence avec le numéro d'immatriculation de sa voiture et nous sommes partis de là. Un sacré casier judiciaire — à douze ans il a tué ses grands-parents et a fait six ans en psychiatrie. On l'a laissé sortir il y a seize ans, quand on a fermé l'asile. Il n'a pas fait parler de lui pendant longtemps. C'est un type qui agresse les pédés. Il l'a fait deux ou trois fois à Harrisburg, puis il a disparu de nouveau.

— Chicago, vous dites. Comment vous savez ça ?

— Par les Douanes. Ils ont un dossier sur John Grant. Il y a deux ou trois ans, ils ont intercepté une valise à l'aéroport de Los Angeles, venant du Surinam et contenant des chrysalides vivantes. Le destinataire était un certain John Grant, qui tenait un magasin à Calumet City appelé — écoutez bien — " Monsieur Peau ". Articles en cuir. Peut-être que votre histoire de tailleur, ça colle ; je vais faire passer ça à Chicago et à Calumet. On n'a pas encore l'adresse de Grant, ou Gumb — le magasin est fermé, mais nous le serrons de près.

— Pas de photos ?

— Juste celles prises quand il a été arrêté à Sacramento. Cela ne peut pas servir à grand-chose — il avait douze ans. Il ressemble à un bon petit garçon. Le téléfax les transmet un peu partout.

— Je peux y aller ?

— Non. Jack a dit que vous me le demanderiez. On a deux femmes policiers de Chicago et une infirmière pour s'occuper de Martin si on la trouve. Vous n'arriverez jamais à temps, Starling.

— Et s'il s'est barricadé ? Cela pourrait prendre...

— Il n'y aura pas de négociations. On le trouve et on lui tombe dessus — Crawford a l'autorisation de rentrer chez lui de force. Ce type présente un cas spécial, Starling. Il a déjà résisté à la police, quand il était gosse. Après avoir tué son grand-père, il a pris sa grand-mère en otage, et ça s'est très mal terminé, je peux vous le dire. Il est sorti en la faisant marcher devant lui, face aux flics, pendant qu'un pasteur lui parlait.

C'était un gamin, personne n'a tiré. Il était derrière elle et lui a planté son couteau dans les reins. Les médecins n'ont pas pu la sauver. A douze ans, il a fait ça. Aussi cette fois, pas de négociations, pas de sommations. Martin est probablement déjà morte, mais sait-on jamais. Il n'a peut-être pas terminé ses préparatifs. S'il nous voit arriver, il la tuera sous nos yeux, par pure malveillance. Cela ne lui rapportera pas plus, hein ? Aussi dès que l'on le trouve, on enfonce la porte. »

Il faisait trop chaud dans cette pièce, qui sentait l'urine de bébé.

Burroughs parlait toujours. « Nous cherchons ces deux noms dans les listes d'abonnés aux revues d'entomologie, au syndicat des couteliers, parmi les récidivistes... personne ne va souffler une minute avant que ce soit fini. Vous enquêtez sur les connaissances de Fredrica Bimmel ?

— Oui.

— Le ministère de la Justice dit que c'est un cas épineux, si on ne le prend pas sur le fait. Il faut qu'on le trouve avec Martin, ou avec quelque chose d'identifiable — des dents, des doigts. Il va sans dire que s'il s'est déjà débarrassé du corps de Martin, il nous faudra des témoins qui l'auront vu avec les victimes... Votre enquête sur Fredrica Bimmel nous servira, de toute manière... Starling, je voudrais que ça se soit passé hier, et pas seulement pour la petite Martin. On vous a saquée, à Quantico ?

— Je pense. Ils vont donner ma place à quelqu'un d'autre qui attendait, en recyclage — c'est ce qu'on m'a dit.

— Si nous le coinçons, à Chicago, ce sera en partie grâce à vous. C'est des durs à cuire, à Quantico, c'est normal, mais ils devraient tenir compte de *ça* tout de même. Ne quittez pas. »

Clarice entendit Burroughs aboyer, loin du téléphone. Puis il revint.

« Ce n'était rien — ils vont arriver à Calumet City dans quarante à cinquante-cinq minutes, ça dépend des vents en altitude. Le SWAT de Chicago passera à l'attaque, s'il le trouve avant. La compagnie d'électricité a quatre adresses possibles. Clarice, continuez à chercher un indice qu'on pourrait utiliser pour limiter le champ d'investigation. Si vous trouvez quelque chose en relation avec Chicago ou Calumet, appelez-moi en vitesse.

« — D'accord.

— Maintenant, écoutez-moi bien — et puis après, je raccroche. Si on y arrive, si on le choppe à Calumet City, vous vous pointez à Quantico *mañana* à huit heures. Jack va vous soutenir devant la commission. Brigham aussi. Ça fait pas de mal d'essayer.

— Jerry, encore autre chose : Fredrica Bimmel avait des vêtements de sport Junon, c'est une marque de vêtements pour femmes fortes. Catherine Martin aussi. On ne sait jamais ; il fréquente peut-être ce genre de magasin .pour dénicher ses victimes. On pourrait demander à Memphis, à Akron, dans les autres villes.

— Compris. Gardez le sourire. »

Clarice sortit dans la cour dépotoir ; elle était à Belvedere, Ohio, à six cents kilomètres de Chicago, lieu de l'action. L'air froid sur son visage, c'était bon. Elle lança un coup de poing dans le vide, signe d'encouragement destiné à l'équipe de la Brigade anti-terroriste. En même temps, elle sentait trembler son menton et ses joues. Qu'est-ce que c'était que ça ! Qu'aurait-elle fait si elle avait trouvé quelque chose ? Elle aurait alerté la cavalerie, le FBI de Cleveland et le SWAT de Columbus. Plus la police de Belvedere, bien sûr.

Sauver la jeune femme, sauver la fille de cette salope de sénateur Martin, et toutes celles qui lui succéderaient, c'était la seule chose qui comptait. S'ils réussissaient, tout serait pour le mieux.

S'ils n'arrivaient pas à temps, s'ils découvraient quelque chose d'horrible, qu'au moins ils arrêtent Buffa... Jame Gumb, ou Monsieur Peau, ou le nom qu'on voudra donner à ce monstre.

Pourtant, être si près du but, sur le point de mettre la main dessus, avoir une bonne idée un jour trop tard et se retrouver loin du lieu de l'arrestation, flanquée à la porte de l'Ecole, ça puait vachement l'échec. Clarice avait longtemps pensé, avec un sentiment de culpabilité, que les Starling n'avaient guère eu de chance pendant deux siècles... que tous les Starling avaient erré, chassés de partout, se perdant dans les brumes du temps. Si l'on avait

300

pu trouver les traces du premier Starling, elles auraient tourné en rond. C'étaient des pensées défaitistes et elle les repoussa avec véhémence.

Si on le retrouvait grâce au profil qu'elle avait extorqué du Dr Lecter, cela devrait compter pour le ministère de la Justice. Elle devrait penser un peu à sa carrière dont les espoirs se convulsaient comme un membre fantôme.

Quoi qu'il arrive, cette inspiration subite, au sujet du patron de tailleur, lui avait donné l'une des plus grandes joies de sa vie. C'était quelque chose dont elle se souviendrait. Elle avait puisé autant de courage dans le souvenir de sa mère que dans celui de son père. Elle avait gagné, et gardé, la confiance de Crawford. C'étaient des choses à enfouir dans sa propre boîte de cigares.

Son boulot, son devoir, c'était de penser à Fredrica et de trouver comment Gumb avait pu l'attirer. Si Buffalo Bill passait en jugement, l'accusation aurait besoin de tous les faits.

Penser à Fredrica, coincée ici durant sa brève existence. Quel exutoire cherchait-elle? Ses désirs s'accordaient-ils à ceux de Buffalo Bill? Etait-ce cela qui les avait rapprochés? C'était terrible d'imaginer qu'il l'avait peut-être comprise à partir de sa propre expérience, dans une sorte de communion d'émotions, et qu'il s'était quand même servi de sa peau.

Clarice se tenait au bord de l'eau.

Il y a, pour presque tous les lieux, une heure du jour, un angle de vue et une intensité lumineuse où ils paraissent à leur avantage. Quand on est coincé quelque part, on connaît ce moment privilégié et on l'attend. C'était probablement le cas, en ce milieu d'après-midi, pour le Licking River, derrière Fell Street. Etait-ce l'heure où Fredrica rêvait? Le pâle soleil tirait assez de vapeur de cette eau pour poétiser les vieux réfrigérateurs et les cuisinières jetées dans les broussailles, sur l'autre rive du bras mort. Poussés par le vent du nord-est, les massettes s'inclinaient vers le soleil.

Un bout de tuyau, en vinyle blanc, allait de la cabane de M. Bimmel à la rivière. Il gargouilla et un jet d'eau ensanglantée en jaillit, tachant les restes de neige. Bimmel sortit au soleil. Le devant de son pantalon était moucheté de sang et il portait un sac de plastique contenant trois ou quatre boules rose et gris.

« Des pigeonneaux, dit-il quand il vit que Clarice le regardait. Vous en avez déjà mangé ?

— Non, répondit-elle en se retournant vers l'eau. J'ai mangé des colombes.

— Pas de danger de mordre dans un plomb avec ceux-là.

— Dites-moi, monsieur Bimmel, est-ce que Fredrica connaissait quelqu'un de Calumet City ou de la région de Chicago ? »

Il secoua négativement la tête et leva les épaules.

« Elle n'est jamais allée à Chicago, à votre connaissance ?

— Comment ça, à ma connaissance ? Vous croyez que ma fille serait allée à Chicago et que j'en aurais rien su ? Elle n'est jamais allée à Columbus sans me le dire.

— Connaissait-elle un homme qui cousait, un tailleur ou un voilier ?

— Elle cousait pour des tas de gens. Elle cousait aussi bien que sa mère. Des hommes, je sais pas. Elle cousait pour des boutiques, des magasins pour dames, dont je ne sais pas le nom.

— Qui était sa meilleure amie, monsieur Bimmel ? Avec qui allait-elle se défouler ? » *Se défouler, ça m'a échappé. Si cela ne le fait pas parler, il est blindé.*

— Elle ne se défoulait pas comme ces bonnes à rien. Elle avait toujours un travail à faire. Dieu ne l'avait pas faite jolie, il l'avait faite travailleuse.

— Quelle était sa meilleure amie, à votre avis ?

— Stacy Hubka, je crois bien. Depuis qu'elles étaient petites. La mère de Fredrica disait toujours que Stacy fréquentait Fredrica juste pour avoir quelqu'un à sa botte. Je ne sais pas moi.

— Où pourrais-je la joindre ?

— Stacy travaillait dans une compagnie d'assurances, je pense qu'elle y est toujours. La compagnie Franklin. »

Clarice traversa la cour sillonnée d'ornières, les mains fourrées dans les poches. Le chat de Fredrica la regardait, de la fenêtre d'en haut.

Chapitre 54

Plus vous allez vers l'ouest, plus on réagit vite quand vous
montrez votre carte du FBI. Celle de Clarice aurait juste
fait lever le sourcil blasé d'un employé de Washington. A
Belvedere, Ohio, le patron de la compagnie d'assurances
Franklin s'occupa personnellement d'elle. Il remplaça lui-
même Stacy à la réception et au téléphone et proposa à Clarice
de s'installer dans le box qui lui servait de bureau.

Stacy Hubka avait un visage rond, couvert d'un fin duvet, et
mesurait un mètre soixante avec ses talons. Elle repoussait de
temps en temps en arrière ses cheveux laqués d'un geste
maniéré et examinait Clarice des pieds à la tête lorsque celle-ci
ne la regardait pas.

« Stacy... je peux vous appeler Stacy ?

— Bien sûr.

— J'aimerais bien que vous me disiez comment une chose
pareille a pu arriver à Fredrica Bimmel et où ce type-là a bien
pu la remarquer.

— C'est complètement *dingue,* cette histoire. Se faire *dépiau-
ter* comme ça, c'est un mauvais trip, non ? Vous l'avez vue ? Il
paraît qu'elle était littéralement *en loques,* comme si on
l'avait...

— Stacy, est-ce que Fredrica vous a jamais parlé de
quelqu'un de Chicago ou de Calumet City ? »

*Calumet City. Les yeux de Clarice revenaient sans arrêt vers la
pendule, au-dessus de la tête de Stacy Hubka. Si la Brigade anti-
terroriste arrive dans quarante minutes, ils sont à dix minutes de
l'atterrissage. Avaient-ils la bonne adresse ? Occupe-toi de ce que t'es en
train de faire.*

« Chicago ? Non, nous avons défilé un jour à Chicago, pour la parade du Thanksgiving Day.

— C'était quand ?

— On était en quatrième, ça fait donc... neuf ans. L'orchestre a juste fait l'aller et retour en car.

— Qu'est-ce que vous avez pensé, au printemps dernier, quand elle a disparu ?

— J'étais pas au courant.

— Où étiez-vous quand vous avez appris la nouvelle ? Qu'est-ce que vous en avez pensé ?

— Ce soir-là, Skip et moi on était allés au ciné, et puis après chez Toad's, pour prendre un verre, et alors Pam et les autres, Pam Malavesi, sont arrivés et ils ont dit que Fredrica avait disparu, et Skip a crié : *Houdin* en personne ne pourrait pas faire disparaître Fredrica. Et puis, il a expliqué à tout le monde qui était Houdin, il est toujours en train d'étaler tout ce qu'il sait, et ça nous est sorti de la tête. J'ai cru qu'elle en avait eu marre de son père. Vous avez *vu* sa maison ? C'est *merdique*, non ? Je veux dire, où qu'elle soit maintenant, je sais que ça l'embête que vous l'ayez vue. Ça ne vous donnerait pas envie de fiche le camp ?

— Vous n'avez pas cru qu'elle s'était enfuie avec quelqu'un, même si cela s'est révélé faux par la suite ?

— Skip a dit qu'elle avait peut-être trouvé un amateur de boudins. Mais non, elle ne connaissait personne comme ça. Elle avait eu un petit ami, mais c'était de l'histoire ancienne. Il jouait dans l'orchestre, en seconde. Je dis « petit ami », mais ils se contentaient de parler et rire comme deux filles et de faire leurs devoirs ensemble. C'était un gros efféminé qui portait une de ces calottes de pêcheur grec, vous voyez ? Skip pensait qu'il était, vous savez, pédé. On se moquait d'elle à cause de ça. Il est mort dans un accident de voiture, avec sa sœur, et Fredrica a jamais eu d'autre petit ami.

— Qu'est-ce que vous avez pensé, lorsqu'elle n'est pas revenue ?

— Pam disait qu'elle s'était peut-être fait avoir par les Moons, je ne savais pas, j'étais terrorisée chaque fois que j'y pensais. Je voulais plus sortir le soir sans Skip, je lui ai dit : hé, mon vieux, quand le soleil se couche, tu me quittes pas d'une semelle, compris ?

« — Vous ne l'avez jamais entendue parler d'un certain Jame Gumb ? ou John Grant ?

— Mmmmmm... non.

— Elle n'aurait pas pu avoir un ami sans que vous le sachiez ? Vous ne vous voyiez pas tous les jours ?

— Non. Si elle avait eu un type, je l'aurais su, croyez-moi. Elle n'en a jamais eu.

— Vous ne pensez pas que peut-être, disons, elle aurait eu un ami, mais n'en aurait pas parlé ?

— Pourquoi elle aurait fait ça ?

— Par peur qu'on se moque d'elle, par exemple ?

— Qu'on se moque d'elle ? Vous voulez dire, à cause de cette histoire ? De cette tapette du lycée ? » Stacy rougit. « Non. On n'a jamais été méchant avec elle. Elle n'a pas... tout le monde a été *gentil* avec elle quand il est mort.

— Avez-vous travaillé avec Fredrica ?

— L'été, elle et moi et Pam Malavesi et Jaronda Askew, on travaillait au Centre des bonnes affaires, quand on était au lycée. Et puis Pam et moi, on est allées chez Richard's pour voir si on nous prendrait, c'est des vêtements vraiment chics qu'ils vendent, et ils m'ont engagée, et puis Pam après, et Pam a dit à Fredrica de venir parce qu'ils avaient besoin d'une autre fille, et elle s'est présentée, mais Mme Burdine, la gérante, elle a dit : " Vous comprenez, Fredrica, nous avons besoin de vendeuses auxquelles les clientes puissent s'identifier, elles entrent et disent : je voudrais quelque chose dans le genre de ce qu'elle porte, et vous leur donnez des conseils sur la manière dont ça leur va, et tout ça. Mais si vous vous prenez en main et perdez du poids, revenez me voir. Pour le moment, si vous savez faire des retouches, je peux vous prendre à l'essai, je vais en parler à Mme Lippman. " Mme Burdine avait une voix douce, en fait, c'était une peau de vache, mais je ne le savais pas, au début.

— Alors, Fredrica a fait des retouches pour Richard's, la boutique où vous travailliez ?

— Ça lui a fait de la peine, d'entendre ça, mais elle a accepté. La vieille Mme Lippman faisait toutes les retouches. C'était la propriétaire et elle avait plus de travail qu'elle ne pouvait en faire, aussi Fredrica a travaillé pour elle. Mme Lippman cousait pour des tas de gens, elle faisait des robes. Quand elle a pris sa retraite, sa fille ne voulait pas faire ça, alors c'est Fredrica qui a repris la clientèle, elle cousait pour des tas de gens. Elle ne faisait plus que ça. Elle continuait à me voir et Pam aussi, on allait déjeuner chez Pam et regarder la télé, eh ben, elle amenait son travail, elle arrêtait pas.

— Il lui arrivait de travailler au magasin, de prendre des mesures ? Elle rencontrait des clientes, des grossistes ?

— Des fois, mais pas beaucoup. J'y travaillais pas tous les jours.

— Mme Burdine, qui y était tous les jours, est-ce qu'elle le saurait ?

— Oui, peut-être bien.

— Fredrica ne vous a jamais dit qu'elle travaillait pour une maison de Chicago ou de Calumet City qui s'appelait " Monsieur Peau " — pour doubler des vêtements de cuir, par exemple ?

— J'en sais rien. Mme Lippman aurait pu prendre ce genre de commandes.

— Vous n'avez jamais vu de vêtements de cette marque-là ? Chez Richard's ou dans une autre boutique ?

— Non.

— Savez-vous où habite Mme Lippman ? Je voudrais lui parler.

— Elle est morte. Elle s'est retirée en Floride et elle est morte là-bas, c'est Fredrica qui me l'a dit. Je ne la connaissais pas, Skip et moi on venait juste chercher notre copine quand elle avait plein de vêtements à ramener. Vous pourriez interroger sa famille, je vais vous écrire l'adresse. »

C'était terriblement assommant ; tout ce que désirait Clarice, c'étaient des nouvelles de Calumet City. Les quarante minutes s'étaient écoulées. La brigade anti-terroriste avait débarqué sur les lieux. Elle changea de place pour ne plus voir la pendule, et continua.

« Stacy, quand Fredrica achetait des vêtements, où trouvait-elle ses pantalons de jogging, ses sweaters Junon ?

— Elle faisait tout elle-même. Je suppose que les sweaters, elle les trouvait chez Richard's, quand la mode est venue de les porter très amples, pour qu'ils descendent sur

306

les cuisses, jusque-là. On en trouvait partout. Comme elle cousait pour eux, elle avait une remise chez Richard's.

— Elle n'achetait jamais dans les boutiques pour femmes fortes ?

— On allait dans toutes sortes de magasin, pour regarder, vous savez comment c'est. Elle cherchait des idées, des modèles flatteurs pour grandes tailles.

— Aucun type n'est venu vous embêter, dans les boutiques pour femmes fortes ? Fredrica n'a jamais eu l'impression qu'un homme la regardait avec insistance ? »

Stacy leva les yeux au plafond puis secoua la tête.

« Stacy, est-ce que des travestis venaient parfois chez Richards, ou des hommes qui achetaient des robes grande taille, vous n'avez jamais vu ça ?

— Non. Skip et moi on en a vu dans un bar de Columbus, un jour.

— Fredrica était avec vous ?

— Certainement *pas*. On y était allés pour... pour le week-end.

— Vous pouvez m'écrire les adresses des magasins pour personnes fortes où vous êtes allée avec Fredrica ? Vous pensez pouvoir vous en rappeler ?

— Juste ici, ou ici et à Columbus ?

— Ici et à Columbus. Celle de Richard's aussi, je veux parler à Mme Burdine.

— D'accord. C'est un bon boulot, agent du FBI ?

— A mon avis, oui.

— Vous voyagez beaucoup ? Je veux dire, dans des endroits mieux qu'ici.

— Parfois.

— Il faut être impeccable tous les jours, non ?

— Eh bien, oui. Il faut essayer d'avoir l'air efficace.

— Comment on fait pour devenir un agent du FBI ?

— Il faut commencer par aller à l'université, Stacy.

— Ça doit coûter cher.

— Oui. On peut essayer de décrocher une bourse. Vous voulez que je vous envoie de la documentation ?

— Oui. J'étais en train de penser ; Fredrica était si *heureuse* quand j'ai décroché ce boulot. Elle délirait de joie — elle n'avait jamais eu un vrai travail de bureau — elle pensait que c'était quelque chose. *Ça* — des dossiers en carton et Barry Manilow aux haut-parleurs toute la journée —, elle trouvait ça génial. Qu'est-ce qu'elle y comprenait, la pauvre conne ! » Les yeux de Stacy se remplirent de larmes. Elle les ouvrit tout grands et renversa la tête en arrière pour que son rimmel ne coule pas.

« Et ma liste ?

— Je vais aller la faire dans mon bureau. J'ai ma machine à traitement de texte et puis il me faut l'annuaire. » Elle sortit la tête toujours renversée, les yeux fixés au plafond.

C'était le téléphone qui tentait Clarice. Dès que Stacy Hubka fut sortie, elle appela Washington pour avoir des nouvelles.

Chapitre 55

Au même moment, au-dessus de la pointe sud du lac Michigan, un petit jet d'hommes d'affaires de vingt-quatre sièges amorça sa descente vers Calumet City, Illinois.

Les douze hommes de la Brigade anti-terroriste sentirent leur estomac remonter et il y eut, d'un bout à l'autre de l'allée, quelques bâillements délibérément désinvoltes.

Joe Randall, le commandant, assis à l'avant de la cabine, retira le casque à écouteurs et jeta un coup d'œil sur ses notes avant de prendre la parole. Il était convaincu, sans doute à juste titre, que son équipe était la mieux entraînée du monde. Plusieurs de ses hommes n'avaient jamais subi l'épreuve du feu, mais en ce qui concernait les simulations et les tests, c'étaient des as.

Randall avait passé beaucoup de temps debout dans des allées d'avion, aussi n'eut-il aucun mal à garder son équilibre malgré les secousses de la descente.

« Messieurs, la DEA met à notre disposition des véhicules de surface banalisés. Un camion de fleuriste et une camionnette de plombier. Vernon, Eddie, vous vous mettez en civils. Si nous devons utiliser des grenades paralysantes, n'oubliez pas que vos visages ne sont pas protégés. »

Vernon chuchota à Eddie : « Attention à bien protéger ton joufflu.

— Pourquoi? Il a dit *fesses?* J'avais cru entendre *face* », répliqua Eddie.

Vernon et Eddie, qui devaient effectuer la première approche, portaient un mince gilet pare-balles balistique sous leurs vêtements civils. Les autres pouvaient enfiler le modèle plus résistant, à l'épreuve des balles.

« Bobby, n'oublie pas de fournir à chaque conducteur un de nos émetteurs, pour qu'on ne se retrouve pas en train de parler aux types de la DEA », reprit Randall.

La *Drug Enforcement Administration* utilisait l'ultra-haute fréquence et le FBI la très haute fréquence. Ce qui avait causé des problèmes dans le passé.

Ils étaient équipés pour faire face à la plupart des éventualités, de nuit comme de jour ; pour les murs, ils se servaient d'équipement de rappel ; pour écouter, de micros ultra-sensibles ; pour voir, d'appareils de vision nocturne. Les armes à rayon d'action nocturne ressemblaient aux instruments d'un orchestre, dans leurs boîtes aux flancs bombés. On voyait que cette opération exigerait une précision toute chirurgicale.

Les hommes enfilèrent leur tenue de toile tandis que le petit avion continuait à descendre.

Randall recevait des nouvelles de Calumet dans son casque. Il couvrit le microphone de la main et dit : « Les gars, ils n'ont plus que deux adresses. Nous prenons la meilleure et le SWAT de Chicago l'autre. »

Ils allaient se poser à l'aéroport de Lansing, au sud-est de Chicago, le plus proche de Calumet City. L'appareil reçut immédiatement la permission d'atterrir. Le pilote freina à mort à côté des deux véhicules qui les attendaient à l'extrémité de la piste la plus éloignée du terminal.

A côté du camion, l'accueil fut réduit au strict minimum. Le commandant de la DEA tendit à Randall quelque chose qui ressemblait à une livraison de fleuriste. C'était un marteau de forgeron de six kilos avec du feuillage attaché à la poignée, et dont la tête était enveloppée, comme un pot de fleurs, dans une feuille d'aluminium coloré.

Chapitre 56

M. GUMB passa à l'action en fin d'après-midi.

Les yeux toujours pleins de larmes, il avait fait passer et repasser son film vidéo. Sur le petit écran, maman grimpait sur le toboggan et se laissait tomber dans la piscine, encore et encore. Les larmes troublaient la vue de Jame Gumb, si bien qu'il avait l'impression d'être lui aussi dans l'eau.

Sur son ventre, une bouillotte gargouillait, comme le ventre de la petite chienne lorsqu'elle était couchée sur lui.

C'était intolérable... ce qu'il avait dans la cave tenait Précieuse en otage, menaçait de s'en prendre à elle. Précieuse souffrait, il le savait. Il n'était pas sûr de pouvoir tuer la chose avant qu'elle ne blesse grièvement Précieuse, mais il fallait essayer. Sans plus tarder.

Il ôta ses vêtements et mit son peignoir — il achevait toujours son prélèvement nu et couvert de sang comme un nouveau-né.

De son énorme armoire à pharmacie, il sortit le baume dont il s'était servi pour soigner Précieuse, le jour où un chat l'avait griffée. Il prit aussi quelques petits pansements adhésifs et la collerette en plastique que le vétérinaire lui avait donnée pour empêcher la chienne de mordiller une plaie. Il y avait, dans la cave, des abaisse-langue dont il pourrait se servir pour immobiliser sa petite patte cassée, et un spray d'antalgique pour calmer la douleur si cette stupide chose lui faisait mal avant de mourir.

Une balle bien placée, dans la tête, n'abîmerait que la chevelure. Précieuse valait bien ça. Les cheveux étaient un sacrifice offert pour qu'elle soit sauvée.

Il descendit silencieusement dans la cuisine où il laissa ses pantoufles avant de s'engager dans l'escalier obscur du sous-sol, en se tenant le long du mur pour ne pas faire craquer les marches.

Il n'alluma pas les lumières. Une fois arrivé en bas, il entra dans l'atelier, se déplaçant à tâtons dans les ténèbres familières, sentant la nature du sol changer sous ses pieds.

Sa manche frôla une cage et il entendit le crissement rageur d'un papillon de nuit. Voilà le placard. Il trouva la lampe à infrarouges et chaussa les lunettes. Des lueurs vertes envahirent le monde. Il resta un moment immobile dans le réconfortant murmure des réservoirs, dans le tiède sifflement des tuyaux de chauffage. Maître des ténèbres, reine de la nuit.

Les papillons en liberté laissaient des traînées de fluorescence devant ses yeux ; leurs ailes veloutées, en battant l'obscurité, effleuraient son visage comme un faible souffle.

Il vérifia le Python, chargé avec du calibre .38. Les balles entreraient brutalement dans le crâne et la tueraient instantanément. Si la chose se tenait debout, il viserait le sommet de la tête ; la balle risquerait moins que celle d'un Magnum de ressortir par la mâchoire inférieure et d'abîmer la poitrine.

Silencieusement, les genoux pliés, les orteils aux ongles peints s'agrippant aux vieilles lattes, il gagna l'oubliette. S'avança sans bruit sur le sol sablonneux. Silencieusement, mais pas trop lentement. Il ne voulait pas que son odeur ait le temps de descendre jusqu'à la petite chienne, au fond du puits.

La margelle dégageait une lumière verte, il distinguait nettement les pierres et le mortier, et jusqu'au grain du couvercle en bois. Il leva la lampe et se pencha. Elles étaient là. La chose était couchée sur le côté, comme une crevette géante. Peut-être endormie. Précieuse était blottie en rond contre elle, sûrement endormie. Oh, mon Dieu, pourvu qu'elle ne soit pas morte.

La tête était à découvert. Tirer dans le cou, c'était tentant... sauver la chevelure. Trop risqué.

M. Gumb se pencha, braquant ses grosses lunettes sur le fond du puits. Le beau museau pesant du Python permettait de viser merveilleusement. Il suffisait de garder la chose dans le faisceau de lumière infrarouge. Il aligna la mire et la tempe, là où les cheveux étaient collés par la sueur.

Il ne sut jamais si elle fut alertée par un bruit ou une odeur, mais Précieuse se mit à bondir en aboyant et Catherine Baker Martin, rattrapant l'animal, jeta le tapis de sol sur elles deux. Il n'y avait plus que des bosses qui remuaient sous le tissu, il ne savait plus où était la chienne et où était la chose. Avec ses lunettes, il avait une mauvaise vision en relief. Il ne pouvait pas dire lesquelles de ces bosses étaient Catherine.

Mais il avait vu Précieuse sauter. Il savait que sa patte allait bien et il comprit une chose : Catherine Baker Martin ne ferait pas de mal à la petite chienne, elle en était aussi incapable que lui. Oh, quel délicieux soulagement ! Puisqu'elle osait partager ses sentiments, il allait tirer sur ses putains de jambes, puis il l'achèverait d'une balle dans la tête. Inutile de prendre des précautions.

Il alluma les lumières, toutes les lumières du sous-sol, et sortit un projecteur de la réserve. Il était pleinement maître de lui, il raisonnait clairement... en traversant l'atelier, il pensa à faire couler un peu d'eau dans les éviers afin que rien ne coagule dans les siphons.

Au moment où il passait devant les marches, portant le projecteur, prêt à passer à l'action, on sonna à la porte.

La sonnette grinçait, crissait, mais il dut s'arrêter et réfléchir pour comprendre ce que c'était. Il ne l'avait pas entendue depuis des années, il ne savait même pas qu'elle fonctionnait toujours. Le petit sein de métal noir couvert de poussière, fixé dans la cage de l'escalier afin d'être entendu dans toute la maison, vibrait. Tandis qu'il le regardait, on sonna de nouveau, sans arrêt cette fois, et de la poussière en jaillit. Il y avait quelqu'un à la porte, qui appuyait sur le vieux bouton marqué DIRECTION.

Ils allaient s'en aller.

M. Gumb brancha le projecteur.

Ils ne s'en allaient pas.

Des mots émanaient du puits, qu'il n'écouta pas. La sonnette crissait, grinçait, on continuait à appuyer sur le bouton.

Il valait mieux monter et jeter un coup d'œil. Le long canon du Python ne tenait pas dans la poche de son peignoir. Il le posa sur l'établi.

Il était à mi-chemin des marches lorsque la sonnette se tut. Il attendit, sans bouger. Silence. Il décida de regarder tout de même. Au moment où il entrait dans la cuisine, un coup retentissant, frappé à la porte de derrière, le fit sursauter. Dans l'office, près de cette porte-là, il y avait un fusil de chasse. M. Gumb savait qu'il était chargé.

La porte de la cave fermée, personne ne pouvait entendre ce que la chose hurlait, en bas, même à tue-tête, il en était sûr.

On frappa de nouveau. Il entrouvrit la porte, retenue par la chaîne.

« J'ai sonné devant, mais personne n'a répondu, dit Clarice Starling. Je cherche la famille de Mme Lippmann, pouvez-vous m'aider ?

— Ils n'habitent plus ici », dit M. Gumb en refermant la porte. Il repartait vers l'escalier lorsqu'elle frappa de nouveau, plus fort cette fois.

Il rouvrit la porte.

La jeune femme lui présenta une carte, dans l'entrebâillement. Il lut *Federal Bureau of Investigation.* « Excusez-moi, mais je cherche à joindre la famille de Mme Lippman. Je sais qu'elle habitait ici autrefois. Je vous prie de m'aider.

— Mme Lippman est morte depuis une éternité. A ma connaissance, elle n'avait pas de famille.

— Un notaire, alors, ou un comptable ? Quelqu'un qui aurait eu accès à ses registres professionnels ? Vous avez connu Mme Lippman ?

— A peine. Qu'est-ce que vous lui voulez, exactement ?

— J'enquête sur la mort de Fredrica Bimmel. Qui êtes-vous, je vous prie ?

— Jack Gordon.

— Avez-vous connu Fredrica Bimmel quand elle travaillait pour Mme Lippman ?

— Non. Une grande fille, plutôt grosse ? Je l'ai peut-être vue, je n'en suis pas sûr. Je n'avais pas l'intention d'être impoli — je dormais... Mme Lippman avait un notaire, j'ai peut-être sa carte quelque part, je vais voir si je peux la trouver. Vous voulez bien entrer ? Je me gèle et ma chatte va se pointer dans une seconde. Elle filera avant que j'aie pu l'attraper. »

Il se dirigea vers un bureau à cylindre, au fond de la cuisine, en souleva le rideau et fouilla dans quelques casiers. Clarice franchit le seuil de la porte et sortit son carnet de notes.

« Cette horrible histoire, dit-il en continuant ses recherches. Je frissonne chaque fois que j'y pense. On va bientôt arrêter le coupable, j'espère ?

— Nous y travaillons. Vous avez repris cette maison après le décès de Mme Lippman ?

— Oui. » Gumb, penché sur le bureau, tournait le dos à Clarice. Il ouvrit un tiroir et fourragea dedans.

« Il restait encore des papiers ici ? Des registres ?

— Non, rien du tout. Le FBI est sur une piste ? On dirait que la police du coin n'y comprend rien. Vous avez une description, des empreintes ? »

Un sphynx à tête de mort émergea lentement des replis du peignoir de M. Gumb. Il s'arrêta au milieu du dos, à peu près à l'emplacement du cœur, prêt à prendre son vol.

Clarice remit le carnet dans son sac.

Monsieur Gumb, Dieu merci, ma veste n'est pas boutonnée. Un prétexte pour sortir, trouver un téléphone. Non. Il sait que je suis du FBI, si je le quitte des yeux il va la tuer. Lui faire la peau. Son téléphone. Je ne le vois pas. Il n'est pas ici, lui demander où il est. Etablir le contact puis me jeter sur lui. Le faire tomber, le maintenir face contre terre, en attendant les flics. C'est ça, vas-y. Il se retourne.

« Voilà le numéro. » Il lui tendait une carte de visite.

La prendre ? Non.

« Parfait, merci. Monsieur Gordon, je peux passer un coup de fil, s'il vous plaît ? »

Au moment où il posa la carte sur la table, le papillon s'envola. Il passa par-dessus la tête de M. Gumb et se posa entre eux, sur un placard, à côté de l'évier.

Il aperçut le papillon. Quand il vit qu'elle ne regardait pas l'insecte, mais ne le quittait pas, lui, des yeux, il comprit. Leurs regards se croisèrent.

M. Gumb inclina un peu la tête sur le côté et sourit. « J'ai un téléphone sans fil dans l'office. Je vais le chercher. »

Non ! Passe à l'action. Elle sortit l'arme d'un mouvement rapide qu'elle avait répété quatre mille fois et le brandit à deux mains en visant la poitrine. « Plus un geste ! »

Il fit la moue.

« Maintenant les mains en l'air. Lentement. »

Fais-le aller vers la sortie, en gardant la table entre vous. Une fois dans la rue, dis-lui de s'allonger face contre terre et appelle à l'aide.

« Monsieur Gub... Gumb, vous êtes en état d'arrestation. Dirigez-vous lentement vers la porte d'entrée. »

Au lieu d'obéir, il sortit de la pièce. S'il avait fait mine de mettre la main à la poche, ou de prendre quelque chose derrière lui, si elle avait vu une arme, elle aurait pu tirer. Il se contenta de sortir de la pièce.

Elle l'entendit descendre l'escalier de la cave en courant, elle contourna la table et se précipita derrière lui. En haut des marches, personne, l'escalier brillamment éclairé était vide. *Un piège.* Dans l'escalier, elle constituait une cible idéale.

De la cave jaillit un cri aussi faible que le bruit d'un papier qu'on déchire.

Elle n'aimait pas ces escaliers, mais pas du tout, Clarice Starling, dépêche-toi, ou tu y vas, ou tu n'y vas pas...

Catherine Martin cria de nouveau, il est en train de la tuer et Clarice descendit, une main sur la rampe, l'arme pointée sous sa ligne de vue, le sol bondissant à la rencontre de la visée ; le pistolet pivota en même temps que sa tête tandis qu'elle essayait de couvrir les deux portes ouvertes qui se faisaient face au pied de l'escalier.

Les lumières flamboyaient dans le sous-sol, elle ne pouvait pas franchir une porte sans tourner le dos à l'autre, vas-y quand même, vite, vers la gauche, d'où vient le cri. Dans l'oubliette au sol sablonneux, fuyant rapidement l'encadrement de la porte, les yeux plus grands ouverts que jamais. Seul endroit pour se cacher, la margelle du puits ; elle longea le mur, tenant le pistolet à deux mains, les bras tendus, le doigt posé sur la gâchette, contourna le puits, personne derrière.

Un petit cri s'éleva du trou, comme un filet de fumée. Un jappement aussi... un chien. Elle s'approcha de l'orifice, les yeux fixés sur la porte, regarda dedans. Vit la fille, leva les yeux, les baissa de nouveau, dit ce qu'on lui avait appris à dire, pour calmer un otage :

« FBI. Vous êtes sauvée.

— Sauvée! MERDE, il a un fusil. Sortez-moi de là. SOR-TEZ-MOI DE LA.

— Catherine, tout ira bien. Taisez-vous. Savez-vous où il est?

— SORTEZ-MOI DE LA. OU IL EST JE M'EN FOUS, SORTEZ-MOI DE LA.

— Je vais vous sortir. Taisez-vous. Aidez-moi. Taisez-vous que je puisse entendre. Essayez aussi de faire taire ce chien. »

Elle s'accroupit derrière le puits, couvrant la porte, le cœur battant la chamade, son haleine soulevant la poussière de pierre de la margelle. Impossible de laisser Catherine Martin pour aller chercher de l'aide alors qu'elle ne savait pas où était Gumb. Elle retourna à la porte et se posta contre le chambranle. Elle voyait le pied de l'escalier et, plus loin, une partie de l'atelier.

Soit elle trouvait Gumb, soit elle s'assurait qu'il avait fui, soit elle emmenait Catherine dehors, il n'y avait pas d'autre solution.

Elle tourna la tête, faisant des yeux le tour de l'oubliette.

« Catherine, Catherine. Y a-t-il une échelle?

— Je n'en sais rien, je me suis réveillée ici. Il descend le seau au bout d'une ficelle.. »

Il y avait un petit treuil, boulonné à une poutre. Mais pas de corde sur le tambour.

« Catherine, il faut que je trouve quelque chose pour vous tirer de là. Vous pouvez marcher?

— Oui. Ne me quittez pas.

— Il faut que je quitte la pièce. Une minute seulement.

— Espèce de salope, ne me laissez pas dans ce trou, ma mère vous arrachera les tripes et...

— Taisez-vous, Catherine. J'ai besoin de silence pour entendre. Taisez-vous pour votre *propre* bien, compris? » Puis, plus fort : « Les autres vont arriver d'une minute à l'autre, alors taisez-vous. On va vous sortir de là. »

Il doit bien avoir une corde, mais où? Faut aller voir.

Clarice franchit d'un bond le palier jusqu'à la porte de l'atelier, les portes c'est le pire, entra rapidement, ne cessa pas de bouger le long du mur jusqu'à ce qu'elle ait vu la pièce; des formes familières nageaient dans les aquariums, mais elle

317

n'avait pas le temps de s'en étonner. Elle se hâta de traverser l'atelier, passa devant les réservoirs, les éviers, la cage ; quelques papillons de nuit volaient. Elle les ignora.

Plus loin, un couloir embrasé de lumière. Le réfrigérateur se mit en route, derrière elle, et elle se retourna à demi accroupie, le chien décollant de l'affût du Magnum, puis relâcha la pression. Le couloir. On ne lui avait pas appris à risquer un coup d'œil dans un couloir. La tête et le pistolet en même temps, mais bas. Le couloir était vide. Tout au bout, le studio, baigné d'une lumière éblouissante. Parcourir le couloir en courant, passer devant une porte fermée, jusqu'à celle, ouverte, du studio. Murs blancs, parquet de chêne blond. Surtout ne pas rester sur le seuil. S'assurer que chaque mannequin n'est que ça, que chaque reflet est celui d'un mannequin. Que le seul mouvement dans les miroirs, c'est le tien.

La grande armoire était ouverte, et vide. A l'autre bout, une porte donnait sur l'obscurité, le sous-sol continuait. Pas de corde, pas d'échelle, nulle part. Pas de lumière après. Elle ferma la porte qui donnait sur les ténèbres, coinça une chaise sous la poignée et poussa une machine à coudre devant. Elle serait remontée chercher un téléphone si elle avait su, avec certitude, qu'il n'était plus dans cette partie du sous-sol.

De retour dans le couloir, devant la porte fermée. Se tenir du côté opposé aux gonds. L'ouvrir d'un seul coup. La porte claqua contre le mur, personne derrière. Une vieille salle de bains. Dedans une corde, des crochets, une courroie. Sortir Catherine ou trouver le téléphone ? Au fonds du puits, elle ne risquait pas de recevoir une balle perdue. Mais si Clarice était tuée, Catherine le serait aussi. Emmener Catherine pour chercher le téléphone.

Clarice n'avait pas envie de rester dans la salle de bains. Il pouvait survenir et l'arroser. Elle regarda des deux côtés du couloir et rentra pour prendre la corde. Il y avait une grande baignoire. Presque entièrement remplie de plâtre rouge et durci. Une main et un poignet dépassaient, la main était desséchée et noire, les ongles vernis de rose. Au poignet, une montre fantaisie. Clarice vit tout cela d'un coup d'œil, la corde, la baignoire, la main, la montre.

Le minuscule mouvement d'insecte de l'aiguille des secondes

318

fut la dernière chose qu'elle vit avant que les lumières s'éteignent.

Son cœur bondit si fort qu'il ébranla sa poitrine et ses bras. Obscurité, vertige, besoin de toucher quelque chose, le bord de la baignoire. La salle de bains. Sortir de la salle de bains. S'il peut trouver la porte, il peut arroser la pièce, rien derrière quoi se cacher. Oh, mon Dieu, sortir. Sortir pliée en deux et retourner sur le palier. Plus de lumière du tout ? Plus de lumière. Il a dû disjoncter, où est le compteur ? Où peut-il être ? Près de l'escalier. C'est toujours près de l'escalier. Alors, il va venir de là. Et il est entre Catherine et moi.

Catherine Martin s'était remise à gémir.

Attendre ici ? Jusqu'à quand ? Peut-être est-il parti. Il ne sait pas qu'aucun renfort ne va venir. Si, il le sait. Mais bientôt, on va s'apercevoir de ma disparition. Ce soir. Les escaliers sont par-là, dans la direction des cris. Vas-y.

Elle avança, sans faire de bruit, son épaule frôlant à peine le mur, trop peu pour faire du bruit, une main tendue devant elle, le pistolet à hauteur de la ceinture, dans ce couloir étroit. L'atelier, de nouveau. Elle sentit que l'espace s'agrandissait. Une vaste pièce. Accroupie, les bras tendus, l'arme brandie à deux mains. Tu sais où est le pistolet, pas tout à fait à hauteur des yeux, un peu en dessous. Arrête, écoute. La tête, le corps et les bras pivotant en bloc, comme une tourelle. Arrête, écoute.

Dans les ténèbres absolues, le sifflement des tuyaux de chauffage, de l'eau qui tombe goutte à goutte.

Une forte odeur de bouc dans ses narines.

Catherine gémissait toujours.

M. Gumb, avec ses lunettes, se tenait debout contre le mur. Il n'y avait pas de danger qu'elle bute contre lui — une grande table les séparait. Il balaya tout le corps de Clarice de sa lampe à infrarouges. Trop mince pour lui être d'une utilité quelconque. Il se souvint de sa chevelure, dans la cuisine, une chevelure splendide, et cela ne prendrait qu'une minute. Il pouvait la lui enlever tout de suite. La mettre sur sa propre tête. Il se pencherait sur le puits et dirait à la chose : « Coucou, me voilà ! »

C'était amusant de la voir se déplacer en essayant de ne pas faire de bruit. La hanche frôlant l'évier, elle avançait lentement vers les cris, l'arme pointée droit devant elle. Ce serait drôle de la poursuivre longtemps... Il n'avait jamais fait cela avec une chose armée. Il en aurait tiré *énormément* de plaisir. Pas le temps, hélas. Dommage.

Une balle en pleine figure. Facile à moins de trois mètres. Tout de suite.

Il arma le Python en le brandissant, *snic-snic*, et la silhouettte devint floue, s'épanouit, s'épanouit verte devant ses yeux, l'arme rua dans sa main, le sol lui heurta le dos, brutalement, sa lampe bascula et il vit le plafond. Clarice, à plat ventre, aveuglée, assourdie par les coups de feu, les oreilles tintantes, travailla dans le noir pendant qu'il ne pouvait pas l'entendre ; elle éjecta les cartouches vides, pencha l'arme, tâta pour voir si elles étaient toutes sorties, prit dans sa ceinture le chargeur rapide, rechargea au toucher, tourna l'arme, ferma la culasse. Elle avait tiré quatre fois. Deux coups et deux coups. Il avait tiré une seule fois. Elle trouva les bonnes cartouches qu'elle avait éjectées. Où les mettre ? Dans la pochette du chargeur. Elle s'immobilisa. Bouger avant qu'il puisse entendre ?

Le bruit d'un revolver qu'on arme ne ressemble à rien d'autre. Elle avait tiré en visant le son, sans rien voir d'autre que les éclairs sortant du canon des armes. Elle espérait qu'il tirerait maintenant dans la mauvaise direction, l'éclair de son arme lui permettrait de viser. Elle entendait de nouveau, même si ses oreilles tintaient toujours

Qu'est-ce que c'était que ce bruit ? Ce sifflement ? Comme une bouilloire, mais pas continu. Qu'est-ce que c'était que ça ? Cela ressemblait à une respiration. Est-ce moi ? Non. Le sol lui renvoyait son souffle chaud au visage. Attention à la poussière, il ne fallait pas éternuer. C'est une respiration. C'est le bruit d'une blessure à la poitrine. Je l'ai touché à la poitrine. On lui avait appris à obturer la plaie, à mettre dessus quelque chose d'imperméable à l'air, un ciré, un sac en plastique, et à l'attacher bien serré. Pour regonfler le poumon. Alors, elle l'avait touché à la poitrine. Que faire ? Attendre. Le laisser saigner et perdre conscience.

Sa joue la brûle. Clarice n'y touche pas. Si elle saigne, elle ne veut pas mouiller ses mains.

Le gémissement jaillit de nouveau du puits. Catherine

parlait, pleurait. Clarice devait attendre. Elle ne pouvait pas lui répondre. Elle ne pouvait ni parler ni bouger.

La lumière invisible de M. Gumb éclairait le plafond. Il essaya de la déplacer, impossible, pas plus qu'il ne pouvait bouger la tête. Un grand *Actias luna* de Malaisie, passant près du plafond, aperçut la lumière à infrarouges et descendit, en cercles, dans le faisceau. Seul M. Gumb vit les ombres palpitantes de ses ailes, énormes, au plafond.

En plus du bruit de succion, Clarice entendit la voix effrayante de M. Gumb, suffoquant dans les ténèbres. « Quel... effet... ça fait... d'être... belle... comme ça ? »

Et puis un autre bruit. Un gargouillement, un râle et le sifflement s'arrêta.

Clarice connaissait aussi ce son-là. Elle l'avait entendu, un jour, à l'hôpital, quand son père était mort.

Elle chercha le bord de la table et se remit sur ses pieds. A tâtons, elle se guida aux bruits que faisait Catherine, trouva les marches et les gravit, dans le noir.

Il y avait une bougie dans le tiroir de la cuisine. Ainsi éclairée, elle trouva le compteur, près de l'escalier, et sursauta lorsque les lumières revinrent. Pour atteindre le disjoncteur et le fermer, il avait dû quitter le sous-sol par un autre chemin et redescendre derrière elle.

Clarice devait s'assurer qu'il était bien mort. Elle attendit que ses yeux se soient accoutumés à la lumière avant de retourner à l'atelier. Elle aperçut ses pieds et ses jambes nues qui sortaient de dessous l'établi. Elle ne quitta pas des yeux la main proche du Python jusqu'à ce qu'elle ait éloigné l'arme d'un coup de pied. Ses yeux étaient ouverts. Couché dans une mare de sang épais, il était mort d'une balle qui lui avait traversé la poitrine, du côté droit. Clarice détourna les yeux. Il portait certaines des choses qui étaient dans l'armoire.

Elle alla à l'évier, posa le Magnum sur l'égouttoir et fit couler de l'eau froide sur ses poignets, puis s'essuya la figure de sa main mouillée. Pas de sang. Des papillons de nuit se cognaient au grillage qui entourait les lampes. Elle dut contourner le corps pour récupérer le Python.

Arrivée au puits, elle dit : « Catherine, il est mort. Il ne pourra plus vous faire de mal. Je vais monter téléphoner...

— Non ! SORTEZ-MOI DE LA, SORTEZ-MOI DE LA, SORTEZ-MOI DE LA.

— Ecoutez. Il est mort. Voilà son arme. Vous vous en souvenez ? Je vais appeler la police et les pompiers. J'ai bien peur de ne pas pouvoir vous sortir de là sans risquer de vous faire tomber. Dès que je les aurai appelés, je reviendrai les attendre avec vous. D'accord ? Bon. Essayez de faire taire ce chien. D'accord ? Bon. »

La télévision arriva après les pompiers et avant la police de Belvedere. Le capitaine, rendu furieux par les projecteurs, obligea les gens de la télé à remonter les escaliers et à sortir de la cave pendant qu'il installait un échafaudage en tubes pour hisser Catherine Martin hors du puits, car il ne faisait pas confiance au crochet fixé dans la solive, au plafond de M. Gumb. Un pompier descendit et installa Catherine dans un harnais de sauvetage. Elle émergea, la chienne dans les bras, et voulut la garder dans l'ambulance.

A l'hôpital, on refusa de laisser entrer l'animal. Un pompier, chargé de le déposer à la SPA, préféra l'emporter chez lui.

Chapitre 57

A l'aéroport de Washington, en plein milieu de la nuit, une cinquantaine de personnes attendaient le vol en provenance de Columbus. La plupart venaient chercher des membres de leur famille et ils avaient l'air ensommeillés et assez grognons, les pans de leur chemise à moitié sortis du pantalon.

Ardelia Mapp eut le temps de bien regarder Clarice lorsqu'elle descendit de l'avion. Elle avait une mine de papier mâché, avec des cernes sous les yeux. Quelques grains de poudre noirs s'étaient incrustés dans sa joue. Clarice repéra sa compagne et la serra dans ses bras.

« Salut, vieille branche, dit Ardelia. Tu as des bagages ? »

Clarice secoua négativement la tête.

« Alors, on y va. Jeff nous attend. »

Jack Crawford aussi attendait, sa voiture garée derrière la camionnette. Il avait passé la soirée avec la famille de Bella.

« Je... vous vous rendez compte de ce que vous avez fait ? Un super-coup, ma petite. » Il lui toucha la joue. « Qu'est-ce que c'est que ça ?

— De la poudre brûlée. Le docteur dit que ça s'en ira tout seul dans deux ou trois jours... vaut mieux essayer de ne pas l'enlever. »

Crawford la prit dans ses bras et la serra très fort un moment, juste un moment, puis il s'écarta et l'embrassa sur le front. « Vous vous rendez compte, redit-il. Rentrez à l'Ecole. Allez dormir. Dormez. On parlera demain. »

La nouvelle camionnette était confortable, conçue pour de longues surveillances. Clarice et Ardelia s'installèrent à l'arrière.

Comme Jack Crawford n'était pas là, Jeff conduisait plus vite. Ils arrivèrent à Quantico en un temps record.

Clarice ferma les yeux. Au bout de trois kilomètres, Ardelia lui tapa sur le genou ; elle avait ouvert deux petites bouteilles de Coca. Elle en tendit une à Clarice et sortit un demi-litre de Jack Daniel de son sac.

Elles burent une bonne goulée de Coca et la remplacèrent par du whisky. Puis, du pouce, elles bouchèrent le goulot, secouèrent les bouteilles.

« Ahhh, dit Clarice après avoir bu.

— N'en renversez pas partout, dit Jeff.

— Ne vous inquiétez pas », répliqua Ardelia. Puis, tout bas, à Clarice : « J'aurais voulu que tu voies notre Jeff m'attendre à la porte du magasin de spiritueux. Il avait l'air dans ses petits souliers, je t'assure. » Voyant que le whisky commençait à faire effet, que Clarice se détendait un peu dans son siège, elle dit : « Où tu en es, Clarice ?

— J'en sais fichtre rien, Ardelia.

— Faudra que tu y retournes ?

— Peut-être un jour de la semaine prochaine, mais j'espère que non. L'attorney de Columbus est venu parler aux flics de Belvedere. J'ai fait plein de dépositions.

— Quelques bonnes nouvelles pour toi. Le sénateur Martin a téléphoné ce soir, de l'hôpital Bethesda — tu savais qu'on avait transporté Catherine à New York ? Ça va. Physiquement, il ne l'a pas touchée. Mentalement, ils ne savent pas encore l'étendue des dégâts ; elle est en observation. Ne te fais pas de bile au sujet de l'Ecole. Crawford et Brigham m'ont appelée. Le conseil de discipline est annulé. Krendler a demandé à récupérer son rapport. Ces gens-là ont une belle mécanique, bien graissée, à la place du cœur ; tu sais, Clarice, ne crois pas que tu vas te reposer sur tes lauriers. Simplement, au lieu de passer l'examen sur les procédures de perquisitions demain à huit heures, tu y auras droit mardi, avec les épreuves d'éducation physique tout de suite après. Ça nous donne tout de même le week-end pour bosser. »

Arrivées à proximité de Quantico, le demi-litre étant vide, elles se débarrassèrent du cadavre dans une poubelle de parking.

« Ce Pilcher, ce Dr Pilcher du Smithsonian, a appelé trois fois. Il m'a fait promettre de te le dire.

— Il n'est pas docteur.

— Tu crois pouvoir en tirer quelque chose ?

— Peut-être. Je ne sais pas encore.

— Il a l'air marrant. J'ai décidé que l'humour, c'était la qualité indispensable chez un homme, je veux dire, sans parler de l'argent et de ton propre capital de patience.

— Oui, et le savoir-vivre aussi. Il ne faut pas oublier ça, Ardelia.

— C'est vrai. Ces fils de pute, ils ont intérêt à être réglos. »

Clarice passa comme un zombie de la douche à son lit.

Ardelia lut un peu et attendit, pour éteindre, que la respiration de sa compagne soit devenue régulière. Clarice sursautait dans son sommeil, un tic tordit sa joue et, une fois, elle ouvrit tout grands les yeux.

L'impression que la chambre était vide éveilla Ardelia peu avant l'aube. Elle alluma : Clarice n'était pas dans son lit. Les deux sacs à linge sale avaient disparu. Elle savait où la trouver.

Dans la tiède buanderie, Clarice somnolait appuyée contre la machine à laver tressautante, dans l'odeur de lessive, d'eau de Javel et d'assouplissant. Clarice était la plus versée en psychologie — Ardelia avait étudié le droit — mais ce fut cette dernière qui comprit que le rythme de la machine ressemblait à un gigantesque battement de cœur et que le bruissement de ses eaux rappelait ce qu'entendait le fœtus — notre dernier souvenir de paix.

Chapitre 58

JACK CRAWFORD se réveilla tôt sur le divan de son bureau et entendit les ronflements de sa belle-famille. Avant que le poids du jour ne vienne peser sur ses épaules, en ce petit instant de liberté, il se souvint, non pas de la mort de Bella, mais des dernières paroles qu'elle lui avait dites, les yeux clairs et calmes : « Qu'est-ce qui se passe, dans la cour ? »

Il prit la pelle à graines de Bella et, en robe de chambre, sortit nourrir les oiseaux, comme il le lui avait promis. Laissant un petit mot pour sa belle-famille endormie, il se glissa hors de la maison, avant le lever du soleil. Il s'était toujours assez bien entendu avec les parents de Bella, plus ou moins, et leur présence avait un peu exorcisé le silence de la maison, mais il était content de se réfugier à Quantico.

Il parcourait les télex arrivés pendant la nuit et guettait le premier journal de la matinée lorsque Clarice vint presser son nez contre la porte vitrée de son bureau. Il repoussa quelques dossiers pour qu'elle s'assoie et ils regardèrent la télé ensemble sans rien dire. Ah, voilà.

Une vue extérieure de la maison de Jame Gumb, avec son magasin vide et ses fenêtres passées au blanc d'Espagne, protégées par d'épais barreaux. Clarice eut du mal à la reconnaître.

« Le donjon de l'épouvante », l'appelait le speaker.

Des images trop contrastées, sautillantes, du puits et de la cave, avec les appareils-photo brandis devant la caméra de télévision, et des pompiers en colère qui chassaient les opérateurs. Des papillons de nuit, rendus fous par les projecteurs, venant se jeter dessus, une noctuelle tombée sur le dos, par terre, les ailes battant d'un ultime tremblement.

Catherine Martin refusant le brancard et marchant jusqu'à l'ambulance, enveloppée dans une veste de policier, le chien passant le museau entre les revers.

Une vue de profil de Clarice, tête baissée, mains dans les poches, fonçant vers une voiture.

Le film avait été coupé et collé pour exclure les objets les plus macabres. Dans les fins fonds du sous-sol, les caméras montraient seulement les seuils surbaissés, saupoudrés de chaux, les pièces où Gumb composait ses tableaux. Jusqu'à maintenant, on avait retrouvé six corps.

Deux fois, Crawford entendit Clarice souffler par le nez. Le journal fut interrompu par de la pub.

« Bonjour, Starling.

— Bonjour.

— L'attorney de Columbus m'a envoyé cette nuit votre déposition par téléfax. Il faut que vous signiez des exemplaires qui lui seront retournés... Alors vous êtes allée de la maison de Fredrica Bimmel voir Stady Hubka, puis de là interroger la femme Burdine, au magasin pour lequel Bimmel cousait, *Richard's Fashions,* et Mme Bourdine vous a donné l'ancienne adresse de Mme Lippman. »

Clarice hocha la tête. « Stacy Hubka était allée, deux ou trois fois, chercher Fredrica, mais c'était son petit ami qui conduisait et ses indications étaient trop vagues. Mme Burdine avait l'adresse.

— Mme Burdine ne vous a pas dit qu'il y avait un homme chez Mme Lippman ?

— Non. »

La suite du journal... l'Hôpital naval Bethesda. Le visage du sénateur Ruth Martin, s'encadrant dans la fenêtre d'une limousine.

« Catherine était lucide hier soir, oui. Elle dort, on l'a mise sous sédatifs. Nous nous réjouissons que ce soit fini. Non, comme je vous l'ai déjà dit, elle est en état de choc, mais elle est lucide. Elle n'a que quelques contusions et un doigt cassé. Elle est aussi déshydratée. Merci. » Elle donna une petite tape sur l'épaule de son chauffeur. « Merci. Non, elle m'a parlé du chien hier soir, mais je ne sais pas ce que nous allons faire, nous en avons déjà *deux.* »

Le tout s'acheva sur une déclaration, sans intérêt, d'un spécialiste du stress qui examinerait Catherine plus tard.

Crawford éteignit le poste.

« Comment vous trouvez ça, Clarice ?

— Je suis comme abasourdie... pas vous ? »

Crawford hocha la tête, puis se hâta de poursuivre. « Le sénateur Martin m'a appelé dans la nuit. Elle veut vous voir. Catherine aussi, dès qu'elle pourra voyager.

— Je suis toujours là.

— Krendler aussi, il veut venir ici. Il a demandé à récupérer son rapport.

— En y réfléchissant, je ne suis pas toujours là.

— Un bon conseil, Clarice. Recevez le sénateur Martin. Laissez-la vous exprimer sa reconnaissance, laissez-la vous marquer des points. Ne faites pas traîner les choses. La reconnaissance a une demi-vie très courte. Vous aurez besoin d'elle un jour, à voir votre manière d'agir.

— C'est ce que dit Ardelia.

— Mapp, votre compagne de chambre ? Le directeur m'a dit qu'elle avait décidé de vous faire bachoter pour mardi. Elle n'a qu'un point et demi de plus que son grand rival, Stringfellow, paraît-il.

— Pour devenir major de la promo ?

— Mais il est coriace, Stringfellow — il dit qu'elle ne restera pas en tête.

— Va falloir qu'il se batte. »

Parmi le désordre du bureau de Crawford, il y avait la cocotte en papier fabriquée par le Dr Lecter. Crawford appuya sur la queue. Le poulet se mit à picorer.

« Lecter a remporté la palme — il est en tête des listes de personnes les plus recherchées. Mais on ne le rattrapera peut-être pas de sitôt. Faites attention à vous. »

Elle hocha la tête.

« Pour le moment, il a pas mal de choses à faire. Quand il sera moins occupé, il aura envie de s'amuser. Il faut être bien clair : vous savez qu'il vous traitera exactement comme les autres.

— Je ne crois pas qu'il m'ait jamais tendu d'embuscade — c'est mal élevé et puis, je n'aurais plus répondu à ses questions. Mais, si j'avais perdu tout intérêt à ses yeux, il l'aurait fait.

— Conservez vos bonnes habitudes, c'est tout ce que je peux vous dire. Quand vous sortez, montrez votre carte au standard — aucun renseignement sur vos déplacements à toute personne non identifiée qui téléphonerait. Je vais mettre votre téléphone sur table d'écoute, si cela ne vous ennuie pas. Cela restera confidentiel.

— Je ne ferai rien pour qu'il vienne me voir.

— Mais vous avez entendu ce que j'ai dit.

— Oui. J'ai entendu.

— Prenez les dépositions et relisez-les. Ajoutez ce que vous voulez. Nous légaliserons votre signature, quand vous aurez terminé. Je suis fière de vous, Clarice. Brigham aussi, et le directeur. » Il avait pris un ton officiel, sans le vouloir.

Il l'accompagna à la porte de son bureau. Elle s'éloignait de lui dans le couloir vide. Il réussit à lui crier, de son iceberg de chagrin : « Starling, votre père vous voit. »

Chapitre 59

LES médias s'intéressèrent à Jame Gumb pendant plusieurs semaines, après quoi on l'enterra définitivement.

Des journalistes reconstituèrent l'histoire de sa vie, en puisant, pour commencer, dans les archives du comté de Sacramento :

Sa mère était enceinte d'un mois lorsqu'elle échoua au concours de Miss Sacramento, en 1948. Le « Jame » de son certificat de naissance était apparemment une erreur de l'employé de mairie que personne ne se donna la peine de corriger.

Comprenant qu'elle ne serait jamais actrice de cinéma, sa mère sombra dans l'alcoolisme ; Gumb avait deux ans lorsqu'il fut placé dans une famille adoptive.

Deux revues de psychologie concluaient que cette enfance expliquait pourquoi il tuait des femmes, dans sa cave, pour les dépouiller de leur peau. Les mots *fou* et *malfaisant* n'apparaissaient pas dans ces articles.

Le film du concours de beauté que Jame Gumb regardait si souvent montrait réellement sa mère, mais la femme dans la scène de la piscine était une étrangère, comme le révéla la comparaison de leurs mensurations.

Gumb avait dix ans quand ses grands-parents le retirèrent à des parents adoptifs qui laissaient à désirer, et il les tua deux ans après.

Pendant son séjour à l'hôpital psychiatrique, il apprit le métier de tailleur pour lequel il montrait des dons certains.

Sa carrière professionnelle était pleine de lacunes. Des journalistes découvrirent au moins deux restaurants dont il avait tenu les livres de comptes, il travaillait, ici ou là, pour l'industrie du vêtement. Malgré ce qu'en avait dit Benjamin Raspail, impossible de prouver qu'il ait tué durant cette période.

Il était vendeur au magasin de curiosités où l'on fabriquait des bijoux avec des insectes lorsqu'il fit la connaissance de Raspail et il vécut quelque temps avec le musicien. C'est alors qu'il se prit de passion pour les papillons diurnes et nocturnes, ainsi que pour leur métamorphose.

Lorsque Raspail le quitta, Gumb tua le nouvel amant de celui-ci, lui coupa la tête et l'écorcha partiellement.

Plus tard, il retrouva Raspail sur la côte Est. Ce dernier, toujours épris de mauvais garçons, le présenta au Dr Lecter.

Le fait fut avéré dans la semaine qui suivit la mort de Gumb, lorsque le FBI arracha à la famille de Raspail les cassettes des séances de thérapie de celui-ci avec le Dr Lecter.

Des années auparavant, lorsqu'on interna le Dr Lecter, la justice rendit les cassettes des séances de thérapie aux familles des victimes, qui les détruisirent. Sauf les parents chicaneurs de Raspail qui les gardèrent en espérant les utiliser pour attaquer le testament. Comme les premières ne contenaient que des réminiscences assommantes de sa vie scolaire, ils s'en étaient désintéressés. Après les reportages sur Jame Gumb, ils écoutè-rent le reste et appelèrent alors Everett Yow en menaçant d'utiliser les enregistrements pour faire invalider le testament. L'homme de loi téléphona à Clarice Starling.

Parmi les cassettes, il y avait celle de la dernière séance, au cours de laquelle Lecter tua Raspail. Elle apprit ainsi que Raspail en avait dit long sur Jame Gumb.

Il y révélait au Dr Lecter que Gumb était obsédé par les papillons de nuit, qu'il avait écorché des gens autrefois, qu'il avait tué Klaus, qu'il travaillait pour le magasin de cuir de Calumet City appelé « Monsieur Peau », et qu'il tirait de l'argent d'une vieille dame de Belvedere qui cousait des doublures pour cette marque. Un jour, Gumb lui soutirerait tout ce qu'elle possédait, avait prédit Raspail.

« Quand Lecter a lu dans le dossier que la première victime était de Belvedere et qu'elle avait été écorchée, il a tout de suite compris qui était le coupable, dit Crawford à Clarice tandis qu'ils écoutaient la cassette. Si Chilton ne s'en était pas mêlé, il vous livrait Gumb et passait pour un génie.

— Il m'a laissé entendre, dans un petit mot glissé dans le dossier, que le choix des sites était beaucoup trop aléatoire. Et à Memphis, il m'a demandé si je savais coudre. Quel but poursuivait-il ?

— Il voulait s'amuser. Il y a très, très longtemps que le Dr Lecter s'amuse. »

On n'avait retrouvé aucun enregistrement de Jame Gumb et ses activités au cours des années qui suivirent la mort de Raspail furent reconstituées, par bribes, à partir de lettres d'affaires, de factures d'essence et de renseignements fournis par des commerçants.

Quand Mme Lippman mourut au cours d'un voyage en Floride avec Gumb, il hérita de tout : du vieux bâtiment avec son logement, de son magasin vide et de son immense sous-sol, plus d'une somme confortable. Il cessa de travailler pour « Monsieur Peau », mais garda pendant un certain temps un appartement à Calumet City et se servit de l'adresse commerciale pour recevoir des paquets au nom de John Grant. Il conserva ses clients favoris et continua la tournée des boutiques de la région, comme il l'avait fait pour « Monsieur Peau », prenant des mesures pour les vêtements qu'il exécutait à Belvedere. C'était pendant ces voyages qu'il cherchait ses victimes et se débarrassait des corps — la camionnette marron ronronnait pendant des heures sur l'autoroute, des vêtements de cuir se balançaient sur des cintres, à l'arrière, au-dessus du sac caoutchouté contenant un cadavre.

Le sous-sol lui offrait une merveilleuse liberté. Des pièces pour travailler et des pièces pour jouer. Tout d'abord, ce fut uniquement ludique — pourchasser des jeunes femmes dans le dédale obscur, créer des tableaux amusants dans les caves les plus reculées qu'il fermait hermétiquement, ne rouvrant leur porte que pour y jeter un peu de chaux vive.

Fredrica Bimmel commença à aider Mme Lippman à peu près un an avant la mort de la vieille dame. C'est en allant chercher son travail chez celle-ci qu'elle fit la connaissance de Jame Gumb. Fredrica n'était pas sa première victime, mais ce fut la première femme qu'il tua pour sa peau.

On trouva les lettres de Fredrica Bimmel à Gumb au domicile de celui-ci.

Clarice eut beaucoup de mal à les lire, tellement elles étaient pleines d'espoir et d'un effrayant besoin d'amour ; et aussi à cause des marques d'affection de Gumb que laissaient supposer ses réponses : « Cher ami secret, je vous aime ! Je n'ai jamais pensé dire cela un jour, mais le plus doux, c'est de se l'entendre dire. »

Quand s'était-il révélé sous son vrai jour ? Avait-elle découvert le sous-sol ? Quelle expression avait eu le visage de Fredrica quand il avait changé et pendant combien de temps l'avait-il gardée vivante ?

Pis encore, Fredrica et Gumb étaient vraiment restés amis jusqu'au bout ; elle lui avait écrit au fond du puits.

Les journalistes des feuilles à scandale surnommèrent Gumb « Monsieur Peau » ; ils étaient furieux de ne pas y avoir pensé tout seuls et reprirent l'histoire à zéro.

Au sein de Quantico, Clarice était à l'abri de la presse, mais ces torchons exploitèrent le filon qu'elle leur offrait.

Le *National Tattler* acheta au Dr Frederick Chilton l'enregistrement de l'entretien de Clarice avec le Dr Hannibal Lecter. Il commenta leurs conversations dans une série d'articles intitulée « La Fiancée de Dracula » et laissa entendre que Clarice avait fait des révélations d'ordre franchement sexuel à Lecter en échange des renseignements qu'il lui avait donnés, ce qui valut à Clarice une offre de *Paroles de velours, le magazine du téléphone rose.*

L'hebdomadaire *People* publia un court et sympathique dossier sur Clarice, avec des photos prises à l'université de Virginie et au Foyer luthérien de Bozeman. La meilleure était celle de la jument, Hannah, tirant vers la fin de sa vie une carriole pleine d'enfants.

Clarice découpa la photo d'Hannah et la mit dans son portefeuille. Elle ne garda rien d'autre.

Elle était en train de guérir.

Chapitre 60

ARDELIA MAPP était une merveilleuse répétitrice — dans le texte d'un cours, elle repérait une question d'examen plus vite qu'un léopard ne repère un animal boitant — mais elle était loin de courir aussi bien. Elle disait à son amie que c'était à cause du poids de sa science.

Elle s'était laissé distancer par Clarice, sur la piste de jogging, et ne la rattrapa que devant le vieux DC-6, qui servait dans les simulations de détournement d'avion. C'était dimanche matin ; depuis deux jours, elles étaient penchées sur leurs livres et ce pâle soleil leur paraissait bon.

« Alors, qu'est-ce que Pilcher t'a dit, au téléphone ? demanda Ardelia en s'appuyant contre le train d'atterrissage.

— Sa sœur et lui ont une maison sur la baie de Chesapeake.

— Oui, et alors ?

— Sa sœur y est, avec les gosses et les chiens, et peut-être aussi avec son mari.

— Et puis ?

— Ils n'en occupent qu'une partie — c'est une grande vieille baraque, au bord de l'eau, qu'ils ont héritée de leur grand-mère.

— Abrège.

— Pilch a l'autre moitié. Il veut qu'on y aille, le prochain week-end. Il y a plein de chambres, dit-il. "Autant de place qu'on peut en rêver ", je crois que ce sont ses propres termes. Sa sœur me téléphonerait pour m'inviter.

— Sans blague. Je ne savais pas que ça se faisait encore, des trucs comme ça.

— Il m'a brossé le tableau — la détente totale, on s'emmitoufle, on se promène sur la plage, on rentre, il y a un bon feu, et les chiens vous sautent dessus, avec leurs grosses pattes pleines de sable.

— Idyllique, les pattes pleines de sable, continue.

— Je trouve ça pas mal ; après tout, personne nous a jamais invitées. Il prétend que c'est mieux de dormir avec deux ou trois chiens quand il fait vraiment froid. Il dit qu'il y en a assez pour tout le monde.

— Pilcher te fait le vieux coup du chien chauffant et tu marches, alors ?

— Il prétend aussi qu'il fait bien la cuisine. Sa sœur dit que c'est vrai.

— Ah, la sœur a déjà appelé.

— Oui.

— Comment elle est ?

— Bien. Elle avait vraiment l'air d'être à l'autre bout de la maison.

— Qu'est-ce que tu lui as dit ?

— J'ai dit : " Oui, merci beaucoup ". C'est tout.

— D'accord. C'est très bien. On va manger du crabe. Saute sur Pilcher, bécote-le, emballe-toi un bon coup. »

Chapitre 61

L E garçon d'étage poussait un chariot cliquetant sur l'épaisse moquette d'un couloir du Marcus.

Il s'arrêta devant la porte de la suite 91 et frappa doucement de sa main gantée de blanc. Il prêta l'oreille et frappa un peu plus fort pour être entendu malgré la musique qui lui parvenait de l'intérieur — Bach, *Inventions à deux et trois voix,* Glenn Gould au piano.

« Entrez. »

Le gentleman au nez bandé, en robe de chambre, assis devant le bureau, était en train d'écrire.

« Mettez ça devant la fenêtre. Je peux voir le vin ? »

Le garçon lui apporta la bouteille. Le gentleman la leva sous la lumière de sa lampe et posa un instant le goulot contre sa joue.

« Ouvrez-la, mais ne la laissez pas dans la glace, dit-il et il ajouta un généreux pourboire à la note. Je le goûterai plus tard. »

Il n'avait pas envie que le garçon lui tende le verre — l'odeur de sa montre-bracelet le dégoûtait.

Le Dr Lecter était d'excellente humeur. La semaine était presque écoulée. C'était une réussite et dès que les quelques décolorations de la peau auraient disparu, il pourrait ôter ses pansements et poser pour des photos d'identité.

Il avait effectué le travail lui-même — de petites injections de silicone dans le nez. Le gel de silicone se vendait sans ordonnance, mais pas la Novocaïne et les seringues. Il avait tourné la difficulté en volant une ordonnance sur le comptoir d'une pharmacie débordante d'activité, près de l'hôpital. Il avait effacé les gribouillages du médecin avec du liquide correcteur et photocopié l'ordonnance vierge. Il avait commencé par rédiger une copie de celle qu'il avait volée et l'avait rendue au pharmacien — comme cela, pas de problème.

L'air de pauvre type que cela prêtait à ses traits fins n'était pas d'un effet très heureux, et il savait que le silicone risquait de se déplacer s'il n'y faisait pas attention, mais cela ferait l'affaire jusqu'à ce qu'il arrive à Rio.

Lorsqu'il s'était passionné pour ses passe-temps favoris — longtemps avant sa première arrestation —, le Dr Lecter avait pris ses dispositions pour le jour où il serait en fuite. Dans le mur d'une petite maison de vacances, sur les bords de la Susquehanna River, il y avait de l'argent et des cartes de crédit, plus un passeport et une trousse de maquillage qu'il avait utilisée pour les photos du passeport. Celui-ci allait expirer, mais on pouvait le renouveler très rapidement.

Préférant passer la douane au milieu d'un troupeau, avec un badge épinglé à sa veste, il s'était inscrit à un sinistre voyage organisé appelé « Splendeur de l'Amérique du Sud » qui l'emmènerait jusqu'à Rio.

Il se rappela qu'il devait régler la note de l'hôtel avec un chèque de feu Lloyd Wyman et obtenir ainsi les cinq jours de délai de l'enregistrement à la banque, plutôt que de se servir de la carte de l'American Express dont le débit serait enregistré par ordinateur.

Ce soir, il écrirait des lettres, qu'il enverrait à un service de réexpédition londonien.

D'abord, il envoya à Barney un généreux pourboire et un mot de remerciement pour ses gestes de politesse.

Ensuite, il rédigea un petit mot pour le Dr Frederick Chilton, disant qu'il comptait lui rendre visite dans un futur proche. Après son passage, dit-il, l'hôpital pourrait tatouer les instructions concernant la manière de le nourrir sur le front du Dr Chilton, faisant ainsi une économie de paperasserie.

Pour finir, après s'être versé un verre de l'excellent batard-montrachet, il écrivit à Clarice Starling :

Alors, Clarice, est-ce que les agneaux ont cessé de pleurer ?
Vous me devez une réponse, vous savez, et cela me ferait plaisir.

Une petite annonce dans l'édition nationale du Times *et dans* l'International Herald Tribune, *le premier jour de n'importe quel mois, ce serait parfait. Faites-la aussi passer dans le* China Mail.

Je ne serais nullement surpris si la réponse était oui et non. Les agneaux vont se taire, pour le moment. Mais, Clarice, vous vous jugez avec la miséricorde d'un inquisiteur du Moyen Age ; il vous faudra constamment le mériter, ce silence béni. Parce que ce sont les situations désespérées qui vous poussent à agir, et il y aura toujours des situations désespérées.

Je n'ai pas l'intention de vous rendre visite, Clarice ; sans vous le monde serait beaucoup moins intéressant. Je suis sûr, polie comme vous l'êtes, que vous me diriez la même chose.

Le Dr Lecter porta le stylo à ses lèvres. Il regarda le ciel étoilé, par la fenêtre, et sourit.

J'ai des fenêtres.
Orion vient de se lever, près de Jupiter, plus brillante qu'elle ne le sera jamais avant l'an 2000. (Je n'ai pas l'intention de vous dire l'heure qu'il est et à quelle hauteur elle se trouve au-dessus de l'horizon.) Mais je suppose que vous la voyez aussi. Nous avons certaines étoiles en commun.
Clarice.

Hannibal Lecter

Loin à l'est, sur la baie de Chesapeake, Orion brille dans le ciel clair, au-dessus d'une grande et vieille maison, et d'une chambre où un feu couve pour la nuit, sa lueur palpitant doucement au vent qui souffle dans la cheminée. Sur un grand lit s'entassent édredons sur édredons et, blottis en dessous, plusieurs gros chiens. Parmi les autres bosses qui soulèvent les couvertures, certaines peuvent ou non appartenir à Noble Pilcher, c'est impossible à dire dans la lumière ambiante. Mais sur l'oreiller, le visage rosi par la lueur du feu, c'est certainement celui de Clarice Starling qui dort profondément, délicieusement, dans le silence des agneaux.

Dans sa lettre de condoléances à Jack Crawford, le Dr Lecter cite un quatrain de « La Fièvre » sans se donner la peine de l'attribuer, comme il se doit, à John Donne.

La mémoire de Clarice Starling modifie, à sa convenance, des vers d' « Ash Wednesday » de T. S. Eliot *.

---

* Il ne s'agit que d'une légère modification : « Apprenez-nous l'amour et le détachement. Apprenez-nous à rester en repos. » *Poésie*, éd. bilingue, Le Seuil, 1969.

Ce livre est imprimé sur
du papier contenant plus
de 50% de papier recyclé
dont 5% de fibres recyclées.

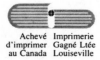

Achevé   Imprimerie
d'imprimer Gagné Ltée
au Canada Louiseville